Diogenes Taschenbuch 24057

Donna Leon

Das Mädchen seiner Träume

Commissario Brunettis siebzehnter Fall

Roman
Aus dem Amerikanischen von
Christa E. Seibicke

Diogenes

Titel des Originals:
›The Girl of His Dreams‹
Die deutsche Erstausgabe
erschien 2009 im Diogenes Verlag
Das Motto aus: Mozart, *Die Zauberflöte,*
Text von Emanuel Schikaneder,
hrsg. von Kurt Soldan. Leipzig: Peters 1932
Umschlagfoto von Christine Stemmermann

Für Leonhard Tönz

Veröffentlicht als Diogenes Taschenbuch, 2010
Diogenes Verlag AG Zürich
www.diogenes.ch
40/12/44/5
ISBN 978 3 257 24057 3

Der Tod macht mich nicht beben;
Nur meine Mutter dauert mich,
Sie stirbt vor Gram ganz sicherlich.

DIE ZAUBERFLÖTE

I

Brunetti zählte im Stillen bis vier, wieder und immer wieder. Auf die Weise, so hatte er herausgefunden, ließen sich fast alle anderen Gedanken abschalten. Die Szene vor ihm konnte er damit zwar nicht ausblenden, aber es war ein verheißungsvoller Frühlingstag, und solange er den Blick über die Umstehenden nach oben lenkte, konnte er die Zypressenwipfel und den leicht bewölkten Himmel betrachten, und was er sah, gefiel ihm. Wenn er den Kopf nur ein klein wenig drehte, sah er aus den Augenwinkeln die hohe Ziegelmauer, hinter der der Turm von San Marco aufragen musste. Das Zählen wirkte als geistige Übung so ähnlich, als ob man, wenn es einen fror, die Schultern einzog. Hoffte man damit, der Kälte weniger Angriffsfläche zu bieten, so mochte es hier den Schmerz verringern, wenn er sich dem Geschehen mit seinen Gedanken nicht aussetzte.

Paola, die rechts neben ihm stand, hakte sich bei ihm unter, und sie setzten sich gemeinsam in Bewegung. Zu seiner Linken hatte er seinen Bruder Sergio, dessen Frau und zwei ihrer Kinder. Raffi und Chiara folgten hinter ihm und Paola. Mit einem matten Lächeln, das sich im Nu in der Morgenluft verflüchtigte, wandte er sich nach den beiden um. Während Chiara zurücklächelte, senkte Raffi den Blick.

Brunetti presste seinen Arm gegen Paolas; sein Blick ruhte auf ihrem Scheitel. Links hatte sie sich das Haar hinters Ohr gestrichen, und er sah, dass sie die goldgefassten

Lapislazuliohrringe trug, die er ihr vor zwei Jahren zu Weihnachten geschenkt hatte. Das Blau des Ohrschmucks war etwas heller als das ihres Mantels: Sie hatte den dunkelblauen gewählt. Wann, fragte er sich, war die ungeschriebene Regel abgeschafft worden, dass man bei Beerdigungen schwarz zu tragen habe? Das Begräbnis seines Großvaters fiel ihm ein, wo die ganze schwarz verhüllte Familie, allen voran die Frauen, ausgesehen hatten wie gemietete Trauergäste im viktorianischen Roman, den er zu der Zeit freilich noch nicht kannte.

Damals hatte der ältere Bruder seines Großvaters noch gelebt und war auf ebendiesem Friedhof unter ebendiesen Bäumen hinter dem Sarg hergegangen, über den ein Priester vermutlich die gleichen Gebete gesprochen hatte wie der heute. Brunetti erinnerte sich, dass der alte Mann einen Klumpen Erde von seinem Hof unweit von Dolo bei sich trug – den Hof gab es schon lange nicht mehr, er hatte der Autostrada und den Fabriken weichen müssen. Während sie stumm das offene Grab umstanden, in das der Sarg hinabgelassen wurde, hatte der Großonkel – er war mindestens neunzig – sein Taschentuch hervorgeholt, es auseinandergefaltet, einen kleinen Brocken Erde herausgeklaubt und auf den Sargdeckel geworfen.

Diese Geste zählte zu den quälenden Erinnerungen aus Brunettis Kindheit, denn er begriff nicht und keiner aus der Familie hatte ihm erklären können, wieso der alte Mann seine eigene Erde mitgebracht hatte. Jetzt, in der Rückschau, beschlichen ihn allerdings Zweifel, ob die ganze Szene womöglich bloß der Phantasie eines überreizten Sechsjährigen entsprungen war, den all die vielen schwarz verhüllten Menschen ebenso verwirrten wie die hilflosen Bemühungen seiner Mutter, ihm, ihrem kleinen Sohn, den Tod zu erklären.

Jetzt wusste sie wohl Bescheid. Oder auch nicht. Für Brunetti lag der Schrecken des Todes gerade darin, dass jede Gewissheit erlosch, die Toten also aufhörten zu wissen, zu verstehen, ja, dass für sie einfach alles zu Ende war. Dabei waren seine frühen Jahre durchaus von religiösen Mythen geprägt gewesen: das schlafende Jesuskind in seiner Krippe, die Auferstehung des Fleisches und die Verheißung einer besseren Welt für alle guten und frommen Menschen.

Lauter Dinge, an die sein Vater nie geglaubt hatte: Auch das gehörte zu den Konstanten aus Brunettis Kindheit. Ein verschlossener Nihilist, der seine offenbar tiefgläubige Frau stillschweigend gewähren ließ, selbst aber nie zur Kirche ging, ja sich, wenn der Priester das Haus segnen kam, jedesmal verdrückte und weder an Taufe, Erstkommunion noch Firmung seiner Kinder teilnahm. Darauf angesprochen, murmelte Brunetti senior etwas von »sciocchezze« oder »roba da donne«, ohne sich weiter auf das Thema einzulassen. Seinen beiden Söhnen ließ er die Wahl, ob sie ihm in der Überzeugung folgen wollten, Religionsausübung sei dummer Weiberkram oder etwas für dumme Frauen. Am Ende aber, dachte Brunetti, hatten sie ihn doch noch gekriegt. Ein Priester hatte dem sterbenden Vater im Ospedale Civile die Letzte Ölung erteilt, und über seinem Leichnam wurde eine Messe gelesen.

Vielleicht war all das seiner Frau zuliebe geschehen. Brunetti hatte genug Erfahrung mit dem Tod, um zu wissen, wie viel Trost der Glaube den Hinterbliebenen zu spenden vermag. Womöglich hatte er selbst das bei einem der letzten

Gespräche mit seiner Mutter – oder jedenfalls einem der letzten, solange sie noch geistig klar war – im Hinterkopf gehabt. Sie wohnte damals noch zu Hause, aber ihre Söhne hatten bereits eine Nachbarstochter zu ihrer Betreuung engagiert, die sich erst tagsüber und dann auch nachts um sie kümmerte.

Im letzten Jahr, bevor die Mutter ihnen endgültig entglitten und in jene Welt abgedriftet war, in der sie ihre letzten Lebensjahre zubrachte, hatte sie aufgehört zu beten. Ihr einst so heißgeliebter Rosenkranz war ebenso verschwunden wie das Kreuz auf dem Nachtkasten; und sie ging auch nicht mehr zur Messe, obwohl die junge Frau, die unter ihr wohnte, oft genug ihre Begleitung anbot.

»Heute nicht«, entgegnete die Mutter jedes Mal, wie um sich die Möglichkeit offenzulassen, morgen oder am übernächsten Tag doch mitzugehen. Sie blieb so lange bei dieser Antwort, bis erst die junge Frau und dann die Familie Brunetti ihre Fragen einstellten. Was nicht hieß, dass ihnen ihr Zustand gleichgültig geworden wäre; sie resignierten nur vor den Begleiterscheinungen. Mit der Zeit bot ihr Verhalten immer mehr Anlass zur Besorgnis: An manchen Tagen erkannte sie ihre Söhne nicht, an anderen sehr wohl, und dann plauderte sie ganz unbefangen mit ihnen über ihre Nachbarn und deren Kinder. Allmählich aber verschob sich das Verhältnis, und die Tage, an denen sie ihre Söhne erkannte oder sich erinnerte, dass sie Nachbarn hatte, wurden immer seltener. An einem dieser letzten Tage, einem bitterkalten Wintertag vor sechs Jahren, hatte Brunetti sie am Spätnachmittag besucht. Es gab Tee und die Plätzchen, die sie am selben Morgen gebacken hatte, was allerdings purer

Zufall war: Zwar hatte man ihr dreimal gesagt, dass er komme, aber es war ihr längst wieder entfallen.

Während sie beisammensaßen und an ihrem Tee nippten, beschrieb sie ein Paar Schuhe, das sie am Vortag in einem Schaufenster gesehen und gern gekauft hätte. Und obwohl Brunetti wusste, dass sie das Haus seit sechs Monaten nicht mehr verlassen hatte, bot er an, ihr die Schuhe zu besorgen, wenn sie ihm den Weg zu dem Laden beschreibe. Darauf warf sie ihm einen gequälten Blick zu, fing sich jedoch gleich wieder und antwortete, sie wolle lieber selbst hingehen und die Schuhe anprobieren, um sich zu vergewissern, ob sie auch passten.

Nach diesen Worten sah sie geflissentlich in ihre Teetasse, wie um ihre Gedächtnisschwäche zu überspielen. Und Brunetti hatte, um die Spannung zu lösen, aufs Geratewohl gefragt: »Sag mal, *mamma*, glaubst du eigentlich an den Himmel und das Leben nach dem Tod?«

Als sie die Augen zu ihrem jüngeren Sohn hob, fiel ihm auf, wie trüb die Iris geworden war. »Den Himmel?«, fragte sie zurück.

»Ja. Und Gott«, versetzte Brunetti. »Die ganzen Geschichten.«

Sie trank einen kleinen Schluck, beugte sich vor, um die Teetasse abzustellen, und straffte sich gleich darauf wieder. Sie saß immer kerzengerade, bis ganz zum Schluss. Dann lächelte sie, jenes Lächeln, das sie immer aufsetzte, wenn Guido eine seiner Fragen stellte, die so schwer zu beantworten waren. »Schön wäre es schon, meinst du nicht?«, entgegnete sie und bat ihn, ihr Tee nachzuschenken.

Brunetti spürte, wie Paola neben ihm den Schritt verhielt, und blieb ebenfalls stehen. Er tauchte aus seiner Erinnerung auf und war plötzlich hellwach für seine Umgebung. Dort in der Ecke, in Richtung Murano, stand ein blühender Obstbaum. Rosa Blüten. Kirsche? Pfirsich? Er war nicht sicher, kannte sich nur wenig aus mit Bäumen, aber er war doch froh um das Rosa, eine Farbe, die seine Mutter immer gemocht hatte, obwohl sie ihr nicht stand. Das Kleid, das sie im Sarg trug, war grau, aus leichter Sommerwolle; ein Kleid, das sie seit vielen Jahren besessen, aber nur selten getragen hatte, weil sie es, wie sie scherzhaft zu sagen pflegte, für ihr Begräbnis aufheben wolle. Nun denn.

Ein plötzlicher Windstoß wirbelte die Enden der violetten Stola des Priesters in die Luft. Der Geistliche blieb am Grab stehen und wartete, bis die Trauernden aufschlossen und um die ausgehobene Grube ein leicht verzerrtes Oval bildeten. Es war nicht der Gemeindepfarrer, der zuvor die Messe gelesen hatte, sondern ein ehemaliger Klassenkamerad von Sergio, früher in engem Kontakt mit der Familie, heute Kaplan im Ospedale Civile. Neben ihm hielt ein Mann, der mindestens so alt war wie Brunettis Mutter, ein Messinggefäß in die Höhe, dem der Priester den tropfenden Weihwasserwedel entnahm. Unter leisen Gebeten, die nur die unmittelbar neben ihm Stehenden hören konnten, umschritt er den Sarg und besprengte ihn mit dem geweihten Wasser. Dabei musste er bei jedem Schritt darauf achten, nicht auf einen der Kränze zu treten, die zu beiden Seiten des Grabes an Holzgestellen lehnten und deren sorgfältig drapierte Schleifen in goldenen Lettern liebendes Gedenken versprachen.

Als Brunetti am Priester vorbei wieder nach dem Baum sah, fegte abermals ein Windstoß über die Mauer und riß die rosa Blüten ab, die in einer Wolke durch die Luft tanzten und sich, langsam zur Erde niedersinkend, wie ein rosafarbener Kranz um den Stamm legten. Irgendwo zwischen den letzten Blüten in der Krone begann ein Vogel zu singen.

Brunetti machte sich von Paola los und wischte sich mit dem Ärmelfutter seiner Jacke die Augen. Als er die Lider öffnete, stieg abermals eine Blütenwolke aus dem Baum empor, die im Spiegel seiner Tränen wuchs und wuchs, bis der Horizont in rosafarbenem Dunst verschwamm.

Paola ergriff seine Hand, drückte sie und hinterließ ein hellblaues Taschentuch. Brunetti schneuzte sich, betupfte seine Augen, zerknüllte das Taschentuch in der Rechten und stopfte es in die Jackentasche. Chiara kam an seine andere Seite, nahm seine Hand und hielt sie fest, während die Bibelworte gesprochen wurden, der Wind die Gebete mit sich forttrug und die Träger vortraten, um den Sarg an Tauen in die ausgehobene Grube hinabzulassen. Für einen Moment verlor Brunetti völlig die Orientierung und sah sich nach dem alten Mann aus Dolo um, aber nicht er, sondern die Totengräber ließen die ersten Schaufeln Erde auf den Sarg niederprasseln. Anfangs vernahm man ein hohles Echo, doch das legte sich, sobald eine dünne Schicht das Holz bedeckte. Da es in den letzten Wochen viel geregnet hatte, war die Erde schwer vor Nässe; dumpf polterten die Klumpen in die Tiefe. Wieder und wieder.

Und dann warf auf der anderen Seite jemand – vielleicht Sergios Sohn – einen Strauß Narzissen auf das Erdreich unten in der Grube und wandte sich zum Gehen. Auf ihre

Schaufeln gestützt, hielten die Männer in ihrer Arbeit inne, was die Leute am Grab als Anlass zum Aufbruch nahmen. Während man sich über den frischen grünen Rasen zurück zum Ausgang und dem Vaporetto-Anleger begab, geriet die Unterhaltung immer wieder ins Stocken, da jeder sich bemühte, das Richtige, und wenn er das nicht traf, wenigstens irgendetwas zu sagen.

Ein Vaporetto der Linie 42 kam, und alle gingen an Bord. Brunetti und Paola blieben an Deck. Doch im Schatten des Bootsdachs wurde es rasch empfindlich kühl. Der leichte Wind, der innerhalb der Friedhofmauern geweht hatte, frischte hier draußen so kräftig auf, dass Brunetti den Kopf einzog und die Lider zusammenkniff. Paola schmiegte sich an ihn, und er legte ihr mit geschlossenen Augen den Arm um die Schultern.

Ein leicht verändertes Motorengeräusch zeigte an, dass das Boot sein Tempo drosselte. Sie näherten sich den Fondamenta Nuove, und während das Vaporetto in weitem Bogen den Anlegeplatz ansteuerte, schien die Sonne auf Brunettis Rücken und wärmte ihn. Er hob den Kopf, öffnete die Augen und blickte auf die geschlossene Häuserfront, hinter der hie und da ein Glockenturm aufragte.

»Jetzt ist es bald überstanden«, hörte er Paola sagen. »Nur noch zu Sergio, dann das Mittagessen, und danach können wir einen Spaziergang machen.«

Er nickte. Ein kleiner Empfang im Haus seines Bruders, um den engsten Freunden für ihr Kommen zu danken, und dann würde die Familie miteinander zum Essen gehen. Anschließend konnten sie zu zweit – oder, falls die Kinder mitwollten, zu viert – spazierengehen: vielleicht entlang der

Zattere oder in den Giardini, wo die Sonne schien? Hauptsache, es wurde ein langer Spaziergang, der ihm Gelegenheit gab, die Orte aufzusuchen, die ihn an seine Mutter erinnerten, in einem ihrer Lieblingsläden eine Kleinigkeit zu kaufen und vielleicht in der Frari-Kirche eine Kerze vor der Himmelfahrt Mariens anzuzünden, einem Gemälde, das ihr immer besonders lieb gewesen war.

Das Boot erreichte den Anleger. »Was bleibt, sind nur …«, begann er und stockte, weil er nicht weiterwusste.

»Was bleibt, sind die guten Erinnerungen an sie«, ergänzte Paola. Ja, genauso war es.

2

Freunde und Verwandte umringten sie, während das Boot am *imbarcadero* anlegte, doch Brunetti konzentrierte sich auf das nahende Ufer und dachte, um sich abzulenken, an Sergios Haus, das komplett renoviert und erst vor einem halben Jahr fertig geworden war. Wenn alte Menschen sich am liebsten über ihre Gesundheit austauschten und die Männer beim Thema Sport zueinanderfanden, dann waren Immobiliengespräche der soziale Kitt, der die Venezianer aller Schichten zusammenhielt. Nichts faszinierte sie mehr als die Gerüchte über Preise, die verlangt und gezahlt, große Geschäfte, die gemacht oder in den Sand gesetzt wurden; stundenlang konnten sie Wohnflächen berechnen und über Vorbesitzer oder jene unfähigen Bürokraten herziehen, die über Renovierungen und Modernisierungen zu entscheiden hatten. Brunetti glaubte, dass an venezianischen Abendbrottischen nur über Speisen und Getränke noch ausgiebiger debattiert wurde. Sollte dies der Ersatz für die einstigen Kriegsgeschichten sein? Waren Raffinesse und Geschäftstüchtigkeit beim An- und Verkauf von Häusern und Wohnungen an die Stelle von Mut, Tapferkeit und Patriotismus getreten? So schmachvoll, wie der einzige Krieg, an dem sich das Land seit Jahrzehnten beteiligt hatte, gescheitert war, taten die Leute vielleicht besser daran, sich mit Immobilien zu beschäftigen.

Die Uhr an den Fondamenta Nuove zeigte erst kurz nach elf. Der Vormittag war seiner Mutter stets die liebste Tageszeit gewesen: Wahrscheinlich hatte Brunetti seine Morgenfröhlichkeit, die Paola oft an den Rand der Verzweiflung trieb, von ihr geerbt. Passagiere gingen von Bord, andere stiegen zu, und dann ging es zügig weiter nach Madonna dell'Orto, wo die Familie Brunetti und ihre Freunde ausstiegen und, links an der Kirche vorbei, stadteinwärts zogen.

Am Kanal wandten sie sich nach links, dann über die Brücke nach rechts, und schon waren sie am Ziel. Sergio öffnete die Tür, und im Gänsemarsch stieg man leise die Treppe hinauf und betrat die Wohnung. Während Paola gleich in der Küche verschwand, um Gloria ihre Hilfe anzubieten, trat Brunetti ans Fenster und sah hinüber zur Kirche. Ein Mauervorsprung verdeckte einen Teil der Fassade, so dass er nur die sechs Apostel auf der linken Seite sehen konnte. Die Backsteinkuppel des Glockenturms hatte ihn immer an einen *panettone* erinnert, so auch jetzt.

Die Gäste hinter ihm tauten allmählich auf; Brunetti, der ihren Gesprächen nur mit halbem Ohr folgte, war erleichtert, dass sie nicht aus falsch verstandener Trauer in gedämpftes Flüstern verfielen. Er blieb mit dem Rücken zum Raum stehen und behielt weiter die Kirche im Auge. Er war nicht in der Stadt gewesen in jener Nacht, als jemand sich still und heimlich hineingeschlichen und die Bellini-Madonna vom Altar der linken Seitenkapelle entwendet hatte. Über zehn Jahre war das jetzt her; damals waren Kunstfahnder aus Rom angereist, aber Brunetti und seine Familie hatten ihre Ferien auf Sizilien nicht unterbrochen. Als sie schließlich nach Hause kamen, waren die Spezialisten schon wieder abgezogen, und die Zeitungen hatten das Interesse an dem Fall verloren. Und das war das Ende vom Lied. Weiter geschah nichts: Das Bildnis hätte sich genauso gut in Luft aufgelöst haben können.

Die Stimmen hinter ihm nahmen eine andere Färbung an, was Brunetti veranlasste, sich wieder dem Raum zuzuwenden. Gloria, Paola und Chiara waren, jede mit einem Tablett, aus der Küche gekommen; die beiden Frauen brachten Tassen und Chiara drei Schalen mit selbstgebackenen Plätzchen. Diese schlichte kleine Feier war für Freunde gedacht, die ihren Kaffee trinken und bald danach aufbrechen würden: Brunetti wusste das und war doch bekümmert über so ein mickriges Gedenken für ein Leben, in dem Essen und Trinken und herzliche Gastlichkeit eine zentrale Rolle gespielt hatten.

Sergio kam mit drei Flaschen Prosecco aus der Küche. »Vor dem Kaffee sollten wir, denke ich, Lebewohl sagen«, meinte er.

Die Tabletts wurden auf dem niedrigen Couchtisch abgestellt, und Gloria, Paola und Chiara verschwanden wieder in der Küche. Als sie wenige Minuten später zurückkehrten, sprossen zwischen den Fingern ihrer erhobenen Hände je drei Proseccokelche.

Kaum dass Sergio mit einem »Plopp« den ersten Korken knallen ließ, wandelte sich wie durch Zauberei die Stimmung im Raum. Er schenkte die bereitgestellten Gläser voll, und während in den ersten der Prosecco aufhörte zu perlen, öffnete er nacheinander die zweite und dann die dritte Flasche und füllte mehr Gläser, als Gäste da waren. Alle drängten sich um den Tisch, nahmen sich ein Glas und hielten es erwartungsvoll empor.

Sergio sah zu Brunetti hinüber, doch der erhob sein Glas und nickte dem älteren Bruder zu, zum Zeichen, dass für den Trinkspruch nun er als Familienoberhaupt zuständig sei.

Daraufhin hob Sergio sein Glas, und schlagartig wurde es still im Zimmer. Er reckte den Arm noch höher und sagte mit einem Blick in die Runde: »Auf Amelia Davanzo Brunetti und auf uns, die wir ihr für immer in Liebe verbunden sind.« Er trank sein Glas zur Hälfte aus. Zwei oder drei der Anwesenden wiederholten seinen Toast mit leiser Stimme, und dann tranken alle. Als man die Gläser abgesetzt hatte, war wieder eine gewisse Leichtigkeit spürbar. Und während das Gespräch sich ungezwungen den Themen des Lebens zuwandte, schlich sich auch das Futur wieder ein.

Einige Gläser blieben halbvoll stehen, und die Gäste gingen zum Kaffee über; man kostete von den Plätzchen und rüstete sich dann allmählich zum Aufbruch. An der Tür wechselte jeder noch ein paar Worte mit den Brüdern und küsste sie zum Abschied.

Zwanzig Minuten später waren Sergio und Guido mit ihren Frauen und Kindern allein. Sergio sagte mit einem Blick auf seine Uhr: »Ich habe für uns einen Tisch reserviert. Ich schlage vor, wir lassen das hier alles so stehen und gehen essen.«

Brunetti leerte sein Glas und stellte es neben die vollen, die unberührt in einem Kreis auf dem Tisch standen. Er wollte Sergio dafür danken, dass er die richtigen Worte gefunden hatte, ohne pathetisch zu werden, doch er wusste nicht, wie. Er hatte sich schon zum Gehen gewandt, als er noch einmal kehrtmachte und seinen Bruder umarmte. Dann löste er sich von ihm und ging zur Tür hinaus. Still stieg er die Treppe hinunter und wartete draußen, in der Sonne, auf die übrigen Brunettis.

3

Da die Beerdigung auf einen Samstag fiel, brauchte sich keiner für den nächsten Tag am Arbeitsplatz oder in der Schule beurlauben zu lassen. Bis zum Montagmorgen hatte sich der gewohnte Rhythmus wieder eingespielt, und alle brachen zur üblichen Zeit auf – alle bis auf Paola, für die der Montag zu den unifreien Tagen gehörte, wo sie daheim am Schreibtisch arbeiten konnte. Brunetti ließ sie schlafen. Als er aus dem Haus trat, empfing ihn ein warmer, sonniger Tag; nur die Luft war immer noch ein wenig feucht. Er machte sich auf den Weg zum Rialto, um als Erstes eine Zeitung zu kaufen.

Aufatmend stellte er fest, dass die Trauer nicht allzu schwer auf ihm lastete. Seine Mutter war einem Zustand entkommen, der ihr, hätte sie ihn bewusst erlebt, unerträglich gewesen wäre, und die Erleichterung darüber gab ihm Frieden.

Die Stände mit Schals, T-Shirts und Touristenkitsch, an denen er vorbeikam, hatten alle schon geöffnet, aber er war so in Gedanken, dass er die knalligen Farben gar nicht bemerkte. Er nickte ein oder zwei Bekannten zu, jedoch ohne seinen Schritt zu verlangsamen, damit ja niemand auf die Idee kam, stehenzubleiben und ihn anzusprechen. Wie jedes Mal warf er, bevor er sich zur Brücke wandte, im Vorbeigehen einen Blick zur Uhr hinüber. Pieros Laden zu seiner Rechten war der einzige, der noch Lebensmittel verkaufte: Alle anderen hatten auf irgendwelchen wertlosen Plunder umgestellt. Auf einmal stieg ihm ein so durchdringender

Gestank nach Chemikalien und Farbstoffen in die Nase, als hätte man ihn nach Marghera verfrachtet oder das Fabrikviertel hierher versetzt. Der scharfe, widerliche Geruch ätzte seine Schleimhäute und trieb ihm Tränen in die Augen. Das Seifengeschäft gab es schon eine ganze Weile, aber bisher hatten ihn nur die künstlichen Farben gestört; heute war es der Gestank. Erwartete man allen Ernstes, dass die Leute sich *damit* waschen würden?

Auf dem Weg zum Campo San Giacomo bemerkte er an Ständen, die früher frisches Obst vertrieben hatten, abgepackte Pasta, in Flaschen abgefüllten *aceto balsamico* und getrocknete Früchte, die ihn mit ihren grellen Farben ankreischten und ebenso in die Flucht schlugen wie zuvor die beißenden Gerüche. Gianni und Laura hatten ihren Obststand schon vor Jahren aufgegeben, genau wie der langhaarige Typ und seine Frau, die allerdings an Inder oder Singhalesen verkauft hatten. Wie lange mochte es noch dauern, bis der Obst- und Gemüsemarkt komplett verschwand und die Venezianer, wie die übrige Welt, ihre Vitamine aus dem Supermarkt beziehen mussten?

Bevor er sich weiter in diese Elendslitanei vertiefen konnte, mischte sich Paolas Stimme in seine Gedanken, und er hörte sie sagen: Wenn sie alte Weiber belauschen wolle, die der guten alten Zeit nachweinten und die ganze Welt in Scherben gehen sahen, dann würde sie sich vormittags für ein Stündchen ins Wartezimmer ihres Hausarztes setzen. Er aber möge sie, zumal in den eigenen vier Wänden, mit solchem Gejammer verschonen.

Die Erinnerung machte ihn schmunzeln. Unterdessen war er auf dem Scheitel der Brücke angelangt und nahm, bevor er auf der anderen Seite hinunterstieg, seinen Schal ab. Scharf nach links, am Ufficio Postale vorbei über die nächste Brücke, und schon stand er vor dem Ballarin, wo er sich einen *caffè* und eine Brioche genehmigte. Während er, von beiden Seiten eingekeilt, an der Theke lehnte, spürte er, dass die Erinnerung an Paolas Klage über seine Klagen ihn aufgeheitert hatte. Er entdeckte sein Konterfei im Spiegel hinter dem Tresen und grinste sich zu.

Brunetti zahlte und setzte, beschwingt durch das schöne Wetter, seinen Weg fort. Auf dem Campo Santa Maria Formosa knöpfte er seine Jacke auf. Kurz vor der Questura sah er Foa, den Bootsführer, der sich über den Rand seiner Barkasse beugte und den Kanal entlangspähte, in Richtung der griechischen Kirche.

»Was gibt's, Foa?«, rief Brunetti und blieb neben dem Boot stehen.

Foa drehte sich um und lächelte, als er den Rufer erkannte. »Einer von diesen verrückten *tuffetti*, Commissario. Der fischt hier, seit ich angelegt habe.«

Brunetti spähte kanalaufwärts bis zum Kirchturm, sah aber weit und breit nur spiegelglattes Wasser. »Wo denn?«, fragte er und lief an der Barkasse entlang bis vor zum Bug.

»Da drüben ist er untergetaucht«, entgegnete Foa mit einem Handzeichen, »bei dem Baum auf der anderen Seite.«

Doch Brunetti sah nur die Wasserfläche des Kanals und im Hintergrund die Brücke und den schiefen Glockenturm. »Wie lange ist er denn schon unten?«, fragte er.

»Kommt mir vor wie eine Ewigkeit, aber es dürfte nicht mal eine Minute sein, Commissario.« Foa sah Brunetti an.

Dann starrten beide Männer schweigend kanalaufwärts,

die Augen fest auf die Wasseroberfläche gerichtet, und warteten darauf, dass der *tuffetto* wieder auftauchte.

Und auf einmal war er da, emporgeschossen wie eine Plastikente in der Badewanne. Eben noch fehlte jede Spur von ihm, doch schon im nächsten Augenblick paddelte der Zwergtaucher geschmeidig dahin, umgeben von einem Strahlenkranz kleiner Wellen, die das Wasser kräuselten.

»Glauben Sie, dass ihm die Fische hier bekommen?«, fragte Foa skeptisch.

Brunetti sah hinunter in das Wasser neben dem Boot: grau, träge, undurchsichtig. »Ich nehme an, sie schaden ihm nicht mehr als uns«, antwortete er.

Brunettis Blick schweifte erneut über den Kanal, aber da war der kleine schwarze Vogel schon wieder untergetaucht. Er überließ Foa den Beobachtungsposten, begab sich in die Questura und hinauf in sein Büro.

Als er an diesem Morgen aus dem Haus gegangen war, hatte Brunetti vor allem die bevorstehende Rückkehr von Vice-Questore Giuseppe Patta beschäftigt. Sein direkter Vorgesetzter war zwei Wochen in Berlin gewesen, wo er an einer Interpol-Konferenz zur Bekämpfung der Mafia teilgenommen hatte. Obwohl die Einladung ausdrücklich an Teilnehmer im Kommissarsrang gerichtet war, hatte Patta seine persönliche Teilnahme für unerlässlich gehalten. Ermöglicht wurde dieses Arrangement durch seine Sekretärin, Signorina Elettra Zorzi, die ihn mindestens zweimal täglich und meist noch öfter in Berlin anrief und seine Instruktionen zu einer Reihe laufender Ermittlungen einholte. Da Patta selbst garantiert niemals von auswärts mit der Questura telefoniert hätte, kam er auch nicht auf die Idee, dass Signorina Elettra ihn die ganze Zeit über aus einem Hotel in Abano Terme anrief, wo sie sich zwei Wochen Sauna, Fango und Massagen gönnte.

Oben in seinem Büro sah Brunetti erst die Akten auf seinem Schreibtisch durch. Dann griff er zur Zeitung und überflog die Titelseite. Von dort blätterte er weiter zu den Seiten acht und neun, wo gelegentlich auch einmal über den italienischen Tellerrand hinausgeblickt wurde. Wahlunruhen in Zentralasien mit zwölf Toten und Militär auf den Straßen; russische Geschäftsleute nebst zwei Leibwächtern in einen Hinterhalt gelockt und getötet; Schlammlawinen in Südamerika, ausgelöst durch illegale Abholzung und schwere Regenfälle; akute Konkursängste bei der Alitalia.

Traten derlei Vorfälle wirklich mit so bestürzender Regelmäßigkeit auf, oder kramten die Zeitungen sie nur aus dem Archiv hervor und recycelten sie nach einem ereignislosen Wochenende, wenn es außer über Sport nichts zu berichten gab? Er blätterte eine Seite weiter, fand jedoch nichts Lesenswertes. Blieben bloß noch Feuilleton, Vermischtes und Sport, aber keins dieser Ressorts interessierte ihn an dem Morgen.

Sein Telefon klingelte. Er meldete sich mit Namen, und der Posten am Haupteingang erklärte, ein Priester wünsche ihn zu sprechen.

»Ein Priester?«, wiederholte Brunetti.

»Sì, Commissario.«

»Lassen Sie sich bitte seinen Namen geben.«

»Jawohl.« Der Beamte deckte kurz die Sprechmuschel ab, dann war er wieder da. »Er sagt, er heißt Padre Antonin, Dottore.«

»Ah, dann können Sie ihn raufschicken«, antwortete Brunetti. »Zeigen Sie ihm den Weg, und ich nehme ihn oben an der Treppe in Empfang.« Padre Antonin war der Geistliche, der über dem Sarg seiner Mutter den letzten Segen gesprochen hatte. Aber er war Sergios Freund, nicht seiner, und Brunetti konnte sich nicht denken, was den Padre in die Questura führte.

Er kannte Antonin schon seit seiner und Sergios Schulzeit. Damals war Antonin Scallon ein ziemlicher Rüpel gewesen, der immer versucht hatte, den anderen Jungs, besonders den kleineren, seinen Willen aufzuzwingen und sich als ihr Anführer aufzuspielen. Wieso Sergio sich mit ihm angefreundet hatte, war Brunetti immer ein Rätsel gewesen, obwohl er merkte, dass Antonin seinen Bruder nie herumkommandierte. Nach der Mittelschule hatten die Brüder verschiedene Schulen besucht, und Brunetti hatte Antonin aus den Augen verloren. Er wusste nur, dass Scallon ein paar Jahre später ins Priesterseminar eingetreten und von dort als Missionar nach Afrika gegangen war. Während seines Aufenthalts in einem Land, dessen Namen Brunetti sich nie hatte merken können, hörte man nur einmal im Jahr von ihm, nämlich kurz vor Weihnachten, wenn er einen Rundbrief verschickte, den auch Sergio bekam und in dem Antonin begeistert von der Missionsarbeit zur Rettung armer Seelen berichtete und der stets mit der Bitte um eine Geldspende schloss. Ob Sergio dieser Bitte nachgekommen war, wusste Brunetti nicht: Er selbst hatte jedenfalls aus Prinzip jede Unterstützung verweigert.

Und dann, vor etwa vier Jahren, war Antonin plötzlich wieder in Venedig aufgetaucht, arbeitete seither als Kaplan am Ospedale Civile und lebte bei den Dominikanern in deren Mutterhaus neben SS. Giovanni e Paolo. Sergio hatte von Antonins Rückkehr erzählt, so wie er dem Bruder zuvor auch gelegentlich die Briefe aus Afrika gezeigt hatte. Darüber hinaus erwähnte Sergio den ehemaligen Schulfreund nur das eine Mal, als er sich erkundigte, ob es Brunetti recht sei, wenn der Priester zur Beerdigung käme und einen Segen spräche; eine Bitte, die Brunetti ihm nicht abschlagen konnte, selbst wenn er es gewollt hätte.

Als Brunetti oben an den Treppenabsatz trat, bog der Priester gerade um die letzte Kehre. Er trug ein bodenlanges Ordenskleid, hielt den Blick gesenkt und eine Hand am Geländer. Von oben konnte Brunetti sehen, wie schütter sein Haar war, wie schmal seine Schultern. Der Priester machte ein paar Stufen vor dem Treppenabsatz halt, atmete zweimal tief durch und grüßte lächelnd, als er sah, dass man ihn beobachtete. Er war so alt wie Sergio, also zwei Jahre älter als Brunetti, doch jeder, der die drei Männer zusammen sähe, würde den Priester für den Onkel der Brüder halten. Er war nicht nur dünn, sondern regelrecht ausgezehrt, und seine Backenknochen sprangen so stark vor, dass die hohlen Wangen darunter zwei straff gespannte, dunkle Dreiecke bildeten.

Antonins Hand am Geländer griff ein Stück weit vor, und mit gesenktem Kopf, die Füße fest im Blick, erklomm er die letzten Stufen. Brunetti blieb nicht verborgen, wie er sich bei jedem Schritt am Handlauf emporzog. Oben angekommen, rang der Priester abermals nach Luft, bevor er Brunetti die Hand entgegenstreckte. Der war erleichtert, dass Antonin keine Anstalten machte, ihn zu umarmen oder ihm gar den Friedenskuss zu entbieten.

»Ich kann mich«, sagte der Priester, »offenbar nicht mehr an Treppen gewöhnen. Nach über zwanzig Jahren ohne bin ich völlig aus der Übung. Vor allem habe ich vergessen, wie anstrengend sie sind.« Die Stimme war unverändert, mit den für das Veneto typischen, übertriebenen Zischlauten. Trotzdem hörte man ihm seine Herkunft nicht mehr ohne weiteres an, denn er hatte den heimischen Tonfall verloren. Als Antonin sich immer noch nicht rührte, begriff Brunetti, dass der Kommentar über die Treppen dem Priester als Vorwand gedient hatte, um Atem zu schöpfen.

»Wie lange warst du eigentlich fort?«, fragte Brunetti, um ihm eine längere Verschnaufpause zu gönnen.

»Zweiundzwanzig Jahre.«

»Und wo genau?«, forschte er weiter, bevor ihm einfiel, dass er das hätte wissen sollen, und sei es nur aus den Briefen, die Sergio erhalten hatte.

»Im Kongo. Als ich hinkam, hieß er allerdings Zaire, aber dann ist man zu dem früheren Namen zurückgekehrt.« Er lächelte. »Dasselbe Land, aber gewissermaßen ein anderer Staat.«

»Interessant«, bemerkte Brunetti unverbindlich. Dann hielt er dem Priester die Tür auf, schloss sie hinter sich und folgte ihm langsam ins Zimmer.

»Setz dich hierher.« Brunetti rückte einen der Besucherstühle vor seinem Schreibtisch zurecht und stellte ihm den anderen gegenüber, wobei er sorgsam auf Abstand zwischen beiden achtete. Er wartete, bis der Priester Platz genommen hatte, bevor auch er sich setzte.

»Danke, dass du zur Beisetzung gekommen bist und den Segen gespendet hast«, sagte Brunetti.

»Nicht der beste Anlass für ein erstes Wiedersehen mit alten Freunden«, versetzte der Priester lächelnd.

War das als Vorwurf gemeint, weil in den Jahren seit seiner Rückkehr weder Sergio noch er versucht hatte, mit Antonin Kontakt aufzunehmen?

»Ich habe deine Mutter im Pflegeheim besucht«, fuhr der Padre fort. »Mehrere Patienten, die ich aus dem Krankenhaus kannte, wurden dorthin verlegt.« Er meinte die private Einrichtung, in der Brunettis Mutter ihre letzten Lebensjahre verbracht hatte. »Ich weiß, sie hat es sehr gut gehabt dort; die Schwestern sind sehr nett.« Brunetti nickte lächelnd. »Schade nur, dass ich nie zur gleichen Zeit wie du und Sergio dort war.« Hier stand der Priester unvermittelt auf, doch nur, um seinen langen Rock zu raffen und zur Seite zu schlagen. Danach setzte er sich wieder und fuhr fort. »Die Schwestern haben mir erzählt, dass ihr oft da wart, alle beide.«

»Wahrscheinlich nicht so oft, wie wir gesollt hätten«, sagte Brunetti.

»Was man ›soll‹ oder nicht, ist unter diesen Umständen wohl nicht entscheidend, Guido. Du gehst, wann immer du kannst, und du gehst aus Liebe.«

»Hat sie gewusst, dass wir da waren?«, entfuhr es Brunetti unbeabsichtigt.

Antonin betrachtete seine im Schoß gefalteten Hände. »Ich denke schon. Manchmal. Allerdings weiß ich bei diesen alten Menschen nie sicher, was sie denken oder was in ihnen vorgeht.« Ratlos hob er die Hände und beschrieb einen Bogen in der Luft. »Ich glaube, was sie noch am ehesten wahrnehmen, sind Gefühle. Zumindest intuitiv. Sie spüren, ob der Mensch, der bei ihnen ist, es gut meint und zu ihnen kommt, weil er sie liebt, sie gern hat.« Er sah Brunetti an und schaute dann wieder auf seine Hände. »Oder sie bemitleidet.«

Brunetti fiel auf, dass Antonins Fingernägel nur das halbe Nagelbett bedeckten. Nägelkauen – eine merkwürdige Angewohnheit bei einem Mann dieses Alters. Doch bei näherem Hinsehen erwiesen sich die Nägel als spröde, ungleichmäßig gebrochen, darüber hinaus leicht nach innen gewölbt und fleckig. Brunetti vermutete als Ursache irgendeine Krankheit, die aus Afrika herrührte. Aber warum litt Antonin dann immer noch daran?

»Empfinden sie das alles gleich?«, erkundigte sich Brunetti.

»Du meinst auch das Mitleid?«, fragte Antonin zurück.

»Ja. Das ist doch etwas anderes als Liebe oder Zuneigung, nicht wahr?«

»Ja, schon«, räumte der Priester lächelnd ein. »Aber die Patienten, die ich beobachten konnte, haben sich auch darüber gefreut: Es ist immerhin weit mehr als das, was die meisten alten Menschen an Zuwendung bekommen.« Gedankenverloren lüpfte Antonin mit der Rechten eine Falte seines Talars, zog sie zwischen den Fingern der anderen Hand hindurch und verpasste ihr so einen langen Kniff. Als er den Stoff wieder losließ, sah er Brunetti an und sagte: »Deine Mutter hatte Glück, dass immer noch so viele Menschen voller Liebe und Zuneigung um sie waren.«

Brunetti zuckte nur die Achseln. Seine Mutter hatte das Glück schon vor vielen Jahren verlassen.

»Warum bist du gekommen?«, sagte er und schob die Anrede »Antonin« nach, weil er spürte, wie schroff seine Frage geklungen hatte.

»Wegen einem meiner Gemeindemitglieder«, begann der Priester, korrigierte sich jedoch sofort: »das heißt, wenn ich eine Gemeinde hätte. So ist sie die Tochter eines der Männer, die ich in der Klinik betreue. Er liegt schon seit Monaten dort, und bei meinen Besuchen habe ich auch seine Tochter kennengelernt.«

Brunetti nickte, sagte aber nichts: seine übliche Taktik, wenn er jemanden zum Weiterreden ermuntern wollte.

»Eigentlich geht es ja um ihren Sohn«, sagte der Priester und senkte den Blick wieder auf seinen Rock.

Da Brunetti weder das Alter des Klinikpatienten noch das seiner Tochter kannte, hatte er natürlich auch keine Ahnung, wie alt der Sohn dieser Frau sein und was er für ein Problem haben mochte. Doch wenn Antonin deswegen zu ihm kam, stand zu vermuten, dass es sich um irgendeinen Gesetzeskonflikt handelte.

»Seine Mutter macht sich große Sorgen um ihn«, fuhr Antonin fort.

Brunetti wusste nur zu gut, dass es vielerlei Ursachen haben konnte, wenn eine Mutter sich um ihren Sohn sorgte: Seine Mutter hatte sich um ihn und Sergio gesorgt, und Paola sorgte sich um Raffi, auch wenn das, was die meisten Mütter heutzutage um ihre Kinder bangen ließ, nämlich dass sie Rauschgift nehmen könnten, bei ihm kaum zu befürchten war. Was für ein Glück, dachte Brunetti nicht zum erstenmal, in einer Stadt mit einem solch geringen Anteil jugendlicher Bevölkerung zu leben. Bei einer so kleinen Zielgruppe wie in Venedig lohnten sich die Mühen und Kosten nicht, die nötig waren, um einen Drogenhandel aufzuziehen: Immerhin ein positiver Nebeneffekt der vom Kapitalismus regierten Welt, für den man Gott danken konnte.

In Brunettis anhaltendes Schweigen hinein fragte Antonin: »Macht es dir was aus, wenn ich dich in dieser Sache zu Rate ziehe, Guido?«

Brunetti lächelte. »Ich weiß ja noch gar nicht, was du von mir willst, Antonin, also kann ich auch nichts dagegen haben.«

Zuerst schien der Priester erstaunt über diese Antwort, doch dann grinste er fast verlegen und sagte zustimmend: »*Già, già.* Es ist nicht leicht, darüber zu sprechen.« Und nach einer Pause setzte er hinzu: »Ich bin, scheint's, die Probleme unserer Wohlstandsgesellschaft nicht mehr gewohnt.«

»Ich weiß nicht genau, ob ich verstehe, was du meinst«, sagte Brunetti. Es war eine Feststellung, hinter der sich eine Frage verbarg.

»Dort, wo ich war, im Kongo, hatten die Leute mit anderen Problemen zu kämpfen: Krankheiten, Armut, Hungersnöten, Soldaten, die ihnen ihr Eigentum fortnahmen und manchmal sogar ihre Kinder.« Der Priester vergewisserte sich mit einem Blick auf Brunetti, dass der ihm weiter zuhörte. »Seither schaffe ich's irgendwie nicht mehr, mich auf Probleme einzulassen, bei denen es um weniger als das nackte Überleben geht; Probleme, die nicht aus Armut, sondern aus Reichtum erwachsen.«

»Fehlt es dir?«, fragte Brunetti.

»Was? Afrika?«

Brunetti nickte.

Wieder beschrieb Antonin mit erhobenen Händen einen

Bogen in der Luft. »Schwer zu sagen. Einiges geht mir schon ab: die Menschen, die ungeheuere Weite, das Gefühl, etwas Sinnvolles zu leisten.«

»Aber du bist zurückgekommen«, konstatierte Brunetti, diesmal ohne fragenden Unterton.

Antonin sah ihm in die Augen. »Ich hatte keine Wahl«, sagte er.

»Aus gesundheitlichen Gründen?«, erkundigte sich Brunetti in Gedanken daran, wie hinfällig der Priester sich die Treppe hinaufgequält hatte und wie hager und schmächtig er ihm jetzt gegenübersaß.

»Ja«, erwiderte Antonin, »das spielte auch eine Rolle.«

»Und was noch?«, hakte Brunetti nach, weil Antonin auf sein Stichwort zu warten schien.

»Konflikte mit meinen Vorgesetzten«, antwortete der Priester.

Antonins Probleme mit seinen Vorgesetzten interessierten Brunetti herzlich wenig. Dass es zu Zerwürfnissen gekommen war, wunderte ihn nicht, wenn er daran dachte, wie Antonin seinerzeit die anderen Kinder herumkommandiert hatte. »Du bist vor ungefähr vier Jahren zurückgekommen, nicht wahr?«, fragte er.

»Ja.«

»Damals hat da unten der Krieg begonnen?«

Antonin schüttelte den Kopf. »Im Kongo wird immer Krieg geführt. Zumindest dort, wo ich war.«

»Und um was?«

Antonin überraschte ihn mit einer Gegenfrage. »Interessiert dich das wirklich, Guido, oder bist du bloß höflich?«

»Nein, es interessiert mich.«

»Also gut. Bei dem Krieg, wobei es stets mehr als einen gibt, denn er zerfällt in viele Minikriege oder Beutekriege oder räuberische Überfälle, geht es immer darum, anderen etwas abzujagen, das man selber unbedingt haben will. Also wird aufgerüstet, bis man sich stark genug fühlt, der Gegenseite die begehrten Güter zu entreißen, die diese ihrerseits mit Waffengewalt verteidigt. Und dann entbrennt ein Kampf oder eine Schlacht oder ein Krieg, und am Ende behält oder erobert die Partei mit den meisten Waffen oder der größten Truppenstärke das, worauf beide Seiten so erpicht waren.«

»Und das wäre?«

»Kupfer. Diamanten. Andere Mineralien. Frauen. Tiere. Je nachdem.« Antonin warf Brunetti einen Blick zu, dann fuhr er fort. »Lass mich dir ein Beispiel geben. Im Kongo wird ein Mineral gewonnen, das man zur Herstellung der Chips für Mobiltelefone benötigt. Zur Zeit ist der Kongo der Hauptlieferant, also kannst du dir sicher vorstellen, wie unerbittlich die Konkurrenten darum kämpfen.«

»Nein.« Brunetti schüttelte den Kopf. »Ich glaube nicht, dass ich mir das vorstellen kann.«

Antonin schwieg eine Weile. Dann endlich räumte er ein: »Nein, das kannst du wohl wirklich nicht, Guido. Hier in dieser geregelten Welt mit Polizei, eigenen Autos und Häusern, haben die Menschen wohl keinen Schimmer davon, was es heißt, in einer praktisch gesetzlosen Welt zu leben.« Und bevor Brunetti etwas einwenden konnte, fuhr der Priester fort: »Ich weiß, ich weiß, hier klagt man über die Mafia und ihre Willkürherrschaft, aber der sind immerhin Grenzen gesetzt – bis zu einem gewissen Grad jedenfalls –, was ihr Terrain und ihren Handlungsspielraum betrifft. Um den

Unterschied zu verstehen, musst du dir vielleicht vorstellen, wie es hier zuginge, wenn alle Macht allein in den Händen der Mafia läge. Wenn es keine Regierung gäbe, keine Polizei, keine Armee, nichts außer vagabundierenden Gangsterbanden, die sich einbilden, eine Waffe verleihe ihnen das Recht, sich zu nehmen, was immer sie wollen, Güter wie Menschen.«

»Und so hast du gelebt?«, fragte Brunetti.

»Anfangs nicht, nein. Zum Ende hin wurde es immer schlimmer. Vorher genossen wir doch einen gewissen Schutz. Und etwa ein Jahr lang hatten wir die UN-Blauhelme in der Nähe, die einigermaßen für Ruhe sorgten. Doch dann wurden sie abgezogen.«

»Und dann bist du fort?«, fragte Brunetti.

Der Priester rang nach Luft, als hätte man ihm einen Schlag versetzt. »Ja, dann bin ich fort«, sagte er. »Und nun muss ich mich mit den Problemen der Luxusgesellschaft befassen.«

»Was dir offenbar nicht liegt«, warf Brunetti ein.

»Ob es mir liegt oder nicht, ist ganz unerheblich, Guido. Worauf es ankommt, ist, sich ungeachtet aller Unterschiede klarzumachen, dass die Menschen hier wie dort in Nöten sind und dass reiche, gutgestellte Bürger ebenso leiden wie diese armen Teufel, die gar nichts besitzen und denen auch dieses Nichts noch genommen wird.«

»Auch wenn man die Probleme nicht wirklich für vergleichbar hält?«

Lächelnd und mit einem souveränen Achselzucken versetzte Antonin: »Der Glaube kann so ziemlich alles bewirken, mein Sohn.«

4

Glaube hin oder her, Brunetti wusste noch genauso wenig, was den Priester zu ihm geführt hatte, wie bei dessen Erscheinen. Er erkannte dagegen sehr wohl, dass der Padre ihn mit seinen Reden über das Elend der Kongolesen für sich einnehmen, sich sein Wohlwollen erschleichen wollte. Da die Not dieser Menschen selbst einen Stein erweichen würde, war Brunetti neugierig, wieso Antonin offenbar glaubte, sich mit seinen Schilderungen schon als besonders empfindsam zu empfehlen.

Die letzte Bemerkung des Padre ließ Brunetti unbeantwortet im Raum stehen. Auch der Priester blieb still und reglos sitzen. Vielleicht hielt er ja das, was auf Brunetti wie fromme Platitüden gewirkt hatte, für so tiefsinnig, dass es nur stumme Anerkennung verdiente.

Brunetti sah keine Veranlassung, das Schweigen zu brechen. Er wollte nichts von dem Priester, also ließ er ihn schmoren. Endlich sagte Antonin: »Ja, ich möchte deinen Rat einholen. Es geht, wie gesagt, um den Sohn einer Freundin.«

»In Ordnung«, erwiderte Brunetti sachlich. Doch als Antonin nicht weitersprach, fragte er: »Was hat er denn getan?«

Daraufhin presste der Priester die Lippen zusammen und schüttelte den Kopf, so als hätte Brunetti ihm eine Frage gestellt, die zu schwer, wenn nicht gar unmöglich zu beantworten war. Endlich sagte er: »Getan hat er eigentlich noch nichts. Es geht vielmehr um das, was er zu tun vorhat.«

Brunetti erwog die sich bietenden Möglichkeiten: Der

junge Mann – einmal angenommen, dass er noch jung war – mochte irgendein Verbrechen planen. Oder er hatte sich mit Leuten eingelassen, die ihm gefährlich werden konnten. War vielleicht in Drogengeschäfte verwickelt oder gar selber süchtig.

»Was hat er denn vor?«, fragte Brunetti schließlich.

»Er will seine Wohnung verkaufen.«

Die Venezianer waren bekannt für ihren Stolz auf die eigenen vier Wände, aber deswegen war es doch noch lange kein Verbrechen, eine Wohnung zu verkaufen. Außer natürlich, sie gehörte einem nicht.

Brunetti beschloss, diesem Hin und Her ein Ende zu machen, bevor Antonin seine Geduld über Gebühr strapazierte. »Vielleicht sagst du mir erst einmal, ob an diesem Verkauf irgendetwas faul ist?«

Antonin überlegte eine Weile, bevor er darauf antwortete. »Streng genommen nicht, nein.«

»Damit kann ich nun wirklich nichts anfangen.«

»Sicher nicht, nein. Also die Wohnung gehört ihm, mithin ist er gesetzlich berechtigt, sie zu verkaufen.«

»Gesetzlich?«, wiederholte Brunetti, weil der Priester dieses Wort eigens betont hatte.

»Er hat die Wohnung vor acht Jahren, an seinem zwanzigsten Geburtstag, von seinem Onkel geerbt. Und bewohnt sie zusammen mit seiner Lebensgefährtin und der gemeinsamen Tochter.«

»Gehört die Wohnung ihm oder dem Paar?«

»Ihm. Sie ist vor sechs Jahren bei ihm eingezogen, aber die Wohnung läuft weiter auf seinen Namen.«

»Und die beiden sind nicht verheiratet?« Brunetti setzte

das voraus, wollte es sich aber zur Sicherheit bestätigen lassen.

»Nein.«

»Und ist die Lebensgefährtin in der gemeinsamen Wohnung gemeldet?«

»Nein«, antwortete Antonin widerstrebend.

»Warum nicht?«

»Das ist kompliziert«, erwiderte der Priester.

»Wie die meisten Dinge im Leben. Also, warum nicht?«

»Nun, die Wohnung, in der sie zuvor mit ihren Eltern gelebt hatte, gehört der IRE. Als ihre Eltern dann nach Brescia zogen, ging der Mietvertrag auf sie über, weil sie arbeitslos war und ein Kind hatte.«

»Wann sind die Eltern weggezogen?«

»Vor zwei Jahren.«

»Als die Tochter schon mit diesem Mann zusammenlebte?«

»Ja.«

»Verstehe«, bemerkte Brunetti trocken. Die von der IRE verwalteten Sozialwohnungen waren für die Bedürftigsten unter Venedigs Bürgern gedacht. Doch im Lauf der Zeit hatten sich unter die Nutzer Anwälte, Architekten, Mitglieder der Stadtverwaltung oder gar Verwandte von IRE-Mitarbeitern eingeschlichen. Damit nicht genug, wurden viele der oft zu einem Spottpreis angemieteten Wohnungen mit beträchtlichem Gewinn untervermietet. »Die junge Frau wohnt also gar nicht mehr dort?«

»Nein«, gestand der Priester.

»Wer dann?«

»Bekannte von ihr«, antwortete Antonin.

»Aber der Mietvertrag läuft noch auf ihren Namen?«

»Ich glaube schon, ja.«

»Glaubst du es, oder weißt du's?«, erkundigte sich Brunetti freundlich.

Antonin reagierte spürbar gereizt. »Es sind Freunde von ihr«, entgegnete er schroff, »und sie brauchten ein Dach über dem Kopf.«

Brunetti unterdrückte den Einwand, so ergehe es den meisten Menschen, nur hätten sie in der Regel nicht das Glück, dass man ihnen eine Sozialwohnung zur Verfügung stellt. Stattdessen fragte er unverblümt: »Zahlen sie Miete?«

»Ich glaube schon.«

Brunetti holte hörbar tief Luft. Und der Priester bekräftigte hastig: »Ja doch, sie zahlen Miete.«

Was die Bürger auf Kosten der Stadt erwirtschafteten, brauchte Brunetti nicht zu kümmern. Aber es war immer nützlich zu wissen, wie sie es anstellten.

In die friedliche Atempause hinein sagte Antonin: »Aber das ist nicht das Problem. Es geht, wie gesagt, darum, dass er seine Wohnung verkaufen will.«

»Und warum?«

»Das ist ja genau der Punkt!«, rief der Priester. »Er möchte verkaufen, damit er jemandem das Geld geben kann.«

Brunetti dachte sofort an Wucherer, an Spielschulden. »Wem?«, fragte er.

»So einem Scharlatan aus Umbrien, der ihm eingeredet hat, er sei sein Vater.« Ehe Brunetti fragen konnte, ob es dafür irgendwelche Anhaltspunkte gebe, fügte der Priester hinzu: »Also sein geistiger Vater.«

Brunetti lebte mit einer Frau zusammen, deren stärkste

Waffe Ironie und, unter verschärften Bedingungen, Sarkasmus war. Wohl wissend, dass er im Lauf der Jahre mehr und mehr dazu neigte, sich aus demselben Arsenal zu bedienen, nahm Brunetti sich jetzt bewusst zurück: »Ist dieser Mann ein Geistlicher?«

Antonin wischte die Frage vom Tisch. »Weiß ich nicht, jedenfalls gibt er sich dafür aus. In Wahrheit aber ist er ein Schwindler, der Roberto eingeredet hat, er besäße einen direkten Draht zum Himmel.«

Für den Fall, dass dieses Gespräch unter irgendein Abkommen der Genfer Konvention fiel, die Brunetti nicht hätte verletzen wollen, verzichtete er auf den Hinweis, dass unter Antonins Amtsbrüdern so mancher Anspruch auf diesen direkten Draht erhob. Brunetti lehnte sich im Stuhl zurück und schlug die Beine übereinander. Die Situation hatte etwas Unwirkliches, das er mit seinem ausgeprägten Sinn fürs Absurde zu schätzen wusste. Antonins moralischer Kompass, den ein Betrug an der Stadt nicht einmal zum Zittern brachte, schlug aus wie wild bei der Vorstellung, Spendengelder könnten einer anderen Glaubensgemeinschaft als der eigenen zufließen. Brunetti hätte sich am liebsten vorgebeugt und den Priester gefragt, wie man denn als Laie echten Glauben von falschem unterscheiden solle, aber er hielt es für klüger abzuwarten, was Antonin zu sagen hatte. Also bemühte er sich um einen ausdruckslos-höflichen Gesichtsausdruck, der ihm nach eigener Einschätzung auch ganz gut gelang.

»Er hat ihn vor etwa einem Jahr kennengelernt«, fuhr Antonin fort und überließ es Brunetti, die Pronomen den entsprechenden Personen zuzuordnen. »Er – Roberto, der

Sohn meiner Freundin Patrizia – war da bereits mit einer dieser Erweckungsgruppen in Kontakt.«

»Wie die von Santi Apostoli?« Brunetti dachte an die Kirche in Cannaregio, die Treffpunkt einer christlichen Sekte war, die im Ruf stand, besonders bekehrungswütig zu sein.

»Eine hier ansässige Gruppe, ja, aber nicht die von Santi Apostoli«, erwiderte Antonin.

»Und dieser Mann aus Umbrien gehört auch dazu?«, fragte Brunetti.

»Weiß ich nicht«, entgegnete Antonin hastig, so als ob das gar nicht von Bedeutung sei. »Aber ich weiß, dass er Roberto schon um Geld anging, als sie sich kaum einen Monat kannten.«

»Würdest du mir auch verraten, woher du das weißt?«, fragte Brunetti.

»Von Patrizia.«

»Und wie hat sie's erfahren?«

»Emanuela, die Lebensgefährtin ihres Sohnes, hat es ihr gesagt.«

»Und hat sie es gemerkt, weil ein Loch in der Haushaltskasse war?« Brunetti wunderte sich, wieso Antonin ihm nicht klipp und klar sagte, um was es ging. Warum ließ er sich jedes Detail einzeln aus der Nase ziehen? Seine letzte Beichte fiel ihm ein, die er im Alter von zwölf Jahren abgelegt hatte. Während er dem Priester seine armseligen Kindersünden aufgezählt hatte, wollte der in allen Einzelheiten wissen, was Brunetti getan und was er dabei empfunden habe. Seine Stimme hatte dabei immer begehrlicher geklungen, bis irgendein Urinstinkt Brunetti vor irgendetwas Ungesundem und Gefährlichem warnte und ihn veranlasste, unter einem Vorwand den Beichtstuhl zu verlassen, um nie zurückzukehren.

Und nun fand er sich, Jahrzehnte später, in einer Parodie jener Szene wieder, bloß dass diesmal er es war, der die bohrenden Fragen stellte. Seine Gedanken schweiften ab zur Idee der Sünde und wie sie den Menschen nötigte, sein Handeln in Gut und Böse, Richtig und Falsch einzuteilen, und ihm ein Leben in einer Welt aufzwang, in der es nur Schwarz und Weiß gab.

Seine eigenen Kinder hatte Brunetti weder mit einem Katalog von Sünden beschweren wollen, deren man sich um keinen Preis schuldig machen durfte, noch mit Geboten, die blindlings zu befolgen waren. Stattdessen hatte er ihnen anhand von Beispielen zu erklären versucht, wie man durch sein Tun und Handeln Gutes, aber auch Böses bewirken könne. Wobei er mitunter schon bereuen musste, nicht den anderen Weg eingeschlagen zu haben, der für jedes Problem eine einfache Lösung bereithielt.

»…Er hat sie zum Verkauf angeboten. Wie ich schon sagte: Er will das Geld der Gemeinschaft spenden und mit diesen Leuten zusammenleben.«

»Ja, so weit habe ich's verstanden«, log Brunetti. »Aber wann? Und was wird aus dieser Emanuela und ihrer Tochter?«

»Patrizia meint, sie könnten zu ihr ziehen – sie hat eine Eigentumswohnung, aber nur eine kleine, bloß drei Zimmer, und für vier Personen wäre es da auf die Dauer entschieden zu eng.«

»Und gibt es keine andere Möglichkeit?« Brunetti dachte an die Sozialwohnung, die nun auf diese Emanuela lief.

»Nein, jedenfalls nicht, ohne immense Probleme herauf-
zubeschwören«, antwortete der Priester ausweichend.

Brunetti interpretierte das so, dass die jetzigen Nutzer der
Wohnung entweder eine schriftliche Vereinbarung mit dieser Emanuela getroffen hatten oder aber zu denen gehörten,
die im Fall einer Kündigung unfehlbar Ärger machen würden.

Brunetti setzte sein freundlichstes Lächeln auf und fragte:
»Sagtest du nicht, der Vater deiner Freundin Patrizia liege in
der Klinik, die du als Kaplan betreust?« Als Antonin nickte,
fuhr er fort: »Was ist denn mit dessen Wohnung? Könnten
sie nicht dort unterkommen? Immerhin ist er doch der
Großvater.« Brunetti betonte das so, als ließe allein das Ver-
wandtschaftsverhältnis eine solche Lösung zwingend erscheinen.

Als Antonin daraufhin nur den Kopf schüttelte, aber eine
Erklärung schuldig blieb, war Brunetti genötigt, sein Frage-
spiel fortzusetzen: »Und warum nicht?«

»Nach dem Tod seiner Frau – Patrizias Mutter – hat er
wieder geheiratet. Die jetzige Frau und Patrizia haben keinen… sie sind nie miteinander ausgekommen.«

»Verstehe«, murmelte Brunetti.

Seinem Eindruck nach handelte es sich um eine relativ all-
tägliche Geschichte: Eine Familie lief Gefahr, ihr Heim zu
verlieren, und musste eine neue Bleibe finden. Darin sah
Brunetti das Hauptproblem: ein obdachloses Kind und seine
Mutter, eine Wohnung, die sie würden räumen müssen, und
eine andere, in die sie nicht zurückkehren konnten. Die Lösung bestünde darin, ihnen eine neue Unterkunft zu besorgen, doch das schien Antonin nicht zu kümmern, oder wenn,

dann nur insofern, als es mit dem Immobiliengeschäft des jungen Mannes zu tun hatte.

»Wo ist denn die Wohnung, die dieser Roberto geerbt hat?«

»In einem Haus am Campo Santa Maria Mater Domini. Wenn man über die Brücke kommt, steht man direkt davor. Die Wohnung liegt im obersten Stock.«

»Wie groß?«

»Warum willst du das alles wissen, Guido?«, fragte der Priester zurück.

»Wie groß?«

»An die zweihundertfünfzig Quadratmeter.«

Je nach Bausubstanz, Zustand des Dachs, Zahl der Fenster nebst Aussicht und Zeitpunkt der letzten Renovierung konnte die Wohnung ein Vermögen wert sein. Genauso gut mochte es aber auch eine dringend überholungsbedürftige Bruchbude sein, deren Erneuerung eine Menge Geld verschlingen würde. Doch selbst dann wäre sie in der Lage ein Vermögen wert.

»Ich habe keine Ahnung, was sie wert sein könnte. Ich kenne mich da überhaupt nicht aus«, sagte Antonin nach längerem Schweigen.

Brunetti nickte scheinbar gutgläubig und verständnisvoll, obwohl bei der Entdeckung eines Venezianers, der nicht imstande war, den Wert einer Immobilie einzuschätzen, normalerweise die Telefone in der Redaktion des *Gazzettino* heiß laufen würden.

»Hast du eine Ahnung, wie viel Geld dein Roberto diesem Sektenpriester schon gegeben hat?«, fragte Brunetti.

»Nein«, erwiderte Antonin hastig, fügte dann aber hinzu:

»Patrizia will's mir nicht sagen. Ich glaube, es ist ihr peinlich.«

»Verstehe.« Brunetti schlug einen sehr ernsten Ton an. »Zu schade. Ein Jammer für alle Beteiligten.« Der Padre knetete zwei neue Falten in seinen Talar. »Was soll ich für dich tun, Antonin?«, fragte Brunetti.

Der Priester hielt den Blick gesenkt. »Ich möchte, dass du versuchst, Näheres über diesen Mann herauszufinden.«

»Den aus Umbrien?«

»Ja. Allerdings glaube ich nicht, dass er wirklich von dort stammt.«

»Ach, und woher dann?«

»Aus dem Süden. Kalabrien vielleicht. Oder auch Sizilien.«

»Hm-hm«, war alles, was Brunetti als Kommentar dazu riskierte.

Der Priester sah ihn an und ließ den Stoff aus seinen Fingern in den Schoß gleiten. »Ich kenne mich zwar mit den Dialekten da unten nicht aus, aber er klingt wie diese Filmschauspieler, die entweder aus dem Mezzogiorno stammen oder einen Süditaliener mimen.« Antonin stockte, suchte nach einer einleuchtenderen Erklärung. »Ich habe so lange im Ausland gelebt – vielleicht kann ich das gar nicht mehr richtig beurteilen. Aber so hört er sich an, jedenfalls wenn er sich volksnah gibt. Ansonsten spricht er meist hochitalienisch.« Antonin schnaubte verlegen. »Und das vermutlich besser als ich.«

»Wann hattest du denn Gelegenheit, ihn sprechen zu hören?« Brunetti hoffte, dass er die Frage unverfänglich genug formuliert hatte.

»Ich bin zu einem ihrer Treffen gegangen«, antwortete der Priester. »Am Campo San Giacomo dell'Orio, in der Wohnung eines ihrer Mitglieder, einer Frau, deren ganze Familie dieser Erweckungsgruppe beigetreten ist. Es begann nach sieben. Die Teilnehmer schienen sich untereinander alle zu kennen. Als Letzter kam der Anführer, dieser Mann, um den es mir geht, herein und sprach zu ihnen.«

»War der Sohn deiner Freundin auch da?«

»Ja, natürlich.«

»Seid ihr zusammen hingegangen?«

»Aber nein!«, wehrte Antonin ab. »Roberto hat mich damals ja noch gar nicht gekannt.« Und nach einer kurzen Pause setzte er hinzu: »Ich habe an dem Abend auch nicht mein Ordensgewand getragen.«

»Wie lange ist das jetzt her?«

»Etwa drei Monate.«

»Von Geld war nicht die Rede?«

»An dem Abend nicht, nein.«

»Bei anderer Gelegenheit aber schon?«

»Ja, bei meinem nächsten Besuch«, erwiderte Antonin, obwohl er soeben behauptet hatte, nur an einem einzigen Treffen teilgenommen zu haben. »Da rief dieser angebliche Bruder Leonardo die Versammlung auf, den Minderbegünstigten unter ihnen zu helfen. ›Minderbegünstigte‹, so hat er sie genannt, als wäre der Begriff ›Arme‹ eine Kränkung. Die Anwesenden müssen auf diesen Appell vorbereitet gewesen sein, denn einige hatten Kuverts dabei, die sie wie auf ein Stichwort hervorzogen und nach vorn durchreichten.«

»Und wie hat er darauf reagiert?«, fragte Brunetti, in dem sich jetzt echte Neugier regte.

»Er schien angenehm überrascht, obwohl das auch nur Schau gewesen sein kann.«

»Läuft das bei allen Treffen so ab?«, erkundigte sich Brunetti.

Antonin hob eine Hand in die Luft. »Ich habe nur noch an einem weiteren teilgenommen. Da war es allerdings genauso, ja.«

»Verstehe, verstehe«, murmelte Brunetti. »Und der Sohn deiner Freundin, geht der weiterhin zu diesen Treffen?«

»O ja. Patrizia beschwert sich andauernd darüber.«

Ohne auf den anklagenden Ton einzugehen, fragte Brunetti: »Kannst du mir mehr über diesen Bruder Leonardo sagen?«

»Er heißt mit Nachnamen Mutti, und das Mutterhaus seines angeblichen Ordens soll in Umbrien liegen.«

»Weißt du, ob der Orden in irgendeiner Verbindung zur Kirche steht?«

»Du meinst die katholische Kirche?«, fragte Antonin.

»Ja.«

»Nein, auf keinen Fall.« Die Antwort klang so entschieden, dass Brunetti nicht weiter nachhakte.

Nach längerem Schweigen fragte der Commissario: »Und was genau erwartest du jetzt von mir?«

»Ich möchte wissen, wer dieser Mann ist und ob er wirklich ein Mönch oder Ordensbruder ist, wie er behauptet.« Brunetti behielt sein Erstaunen darüber, dass der Priester diese Nachforschungen delegieren wollte, für sich: Hätte jemand, der sozusagen aus der Branche stammte, solche Informationen nicht viel leichter selbst beschaffen können?

»Hat die Gruppe auch einen Namen?«

»*Die Kinder Jesu Christi.*«

»Wo genau bei San Giacomo treffen sie sich denn?«

»Kennst du das Restaurant rechts von der Kirche?«

»Das mit den Tischen im Freien?«

»Ja. In der *calle* neben dem Restaurant ist es die erste Tür links. Auf dem Klingelschild steht Sambo.«

Brunetti notierte sich diese Angaben auf der Rückseite eines Umschlags, der auf seinem Schreibtisch lag. Der Mann hatte den Sarg seiner Mutter mit Weihwasser besprengt, hatte ihr in ihren letzten Tagen beigestanden, und darum fühlte Brunetti sich in seiner Schuld. »Ich will sehen, was ich tun kann«, sagte er und erhob sich.

Antonin stand ebenfalls auf und streckte die Hand aus.

Brunetti ergriff sie, war aber eingedenk der Fingernägel des Priesters froh, dass es nur zu einem kurzen und flüchtigen Händedruck kam. Er brachte Antonin zur Tür und sah ihm vom Treppenabsatz aus nach, wie er die Stufen hinunterstieg und aus seinem Blickfeld verschwand.

5

Brunetti ging zurück in sein Büro, aber statt hinter dem Schreibtisch Platz zu nehmen, bezog er Posten am Fenster. Nach wenigen Minuten erschien zwei Stockwerke tiefer, und selbst aus diesem spitzen Winkel an seinem langen schwarzen Talar leicht zu erkennen, der Priester am Fuß der Brücke zum Campo San Lorenzo. Wie der Padre mit beiden Händen seine Röcke raffte, während er langsam die Brücke erklomm, erinnerte er Brunetti an das umständliche Getue seiner Großmutter mit ihrer Schürze. Auf dem Scheitel der Brücke angekommen, ließ Antonin den Saum seines Gewandes fallen, legte eine Hand auf die Brüstung und blieb eine Weile so stehen.

Bestimmt würde sein bodenlanger Rock die Feuchtigkeit, die sich am Morgen auf der Brücke niedergeschlagen hatte, aufsaugen und unangenehm klamm werden. Während Brunetti den Priester auf der anderen Seite der Brücke zum Campo hinunterschreiten sah, fiel ihm ein, was Paola einmal nach einer Bahnfahrt von Padua nach Venedig über den langgewandeten Mullah geäußert hatte, der ihnen gegenübersaß und während der ganzen Reise mit seinen Gebetsperlen beschäftigt war. Sein blütenweißer Kaftan stellte jedes Oberhemd modebewusster Geschäftsleute in den Schatten, und um den vollkommenen Faltenwurf seines Rocks hätte selbst Signorina Elettra ihn beneidet.

Während sie die Stufen vor dem Bahnhofsgebäude hinunterschritten und der Mullah gravitätisch nach links schwenkte, sagte Paola: »Wenn der keine Frau hätte, die sein Kostüm in Ordnung hält, müsste er sich seinen Lebensunterhalt mit ehrlicher Arbeit verdienen.« Und als Brunetti zu bedenken gab, dass ihr multikulturelles Verständnis etwas zu wünschen übriglasse, entgegnete sie, die Hälfte aller Probleme und die meisten Gewalttaten wären aus der Welt geschafft, wenn die Männer ihre Wäsche selber bügeln müssten – »wobei Bügeln natürlich stellvertretend für alle Hausarbeiten steht«, setzte sie eilends hinzu.

Und wer hätte sie widerlegen können? Daheim hatte Brunetti, wie die meisten italienischen Männer, keinen Finger rühren müssen, weil seine Mutter den ganzen Haushalt allein bewältigte; was er als Kind zwar tagtäglich sah, aber nie richtig wahrnahm. Erst als er seinen Wehrdienst leistete, begriff er, dass weder sein Bett sich jeden Morgen von allein machte noch das Bad sich selber putzte. Später dann hatte er das Glück gehabt, eine Frau zu heiraten, die sich als große Verfechterin des Fairplay verstand und gern einräumte, dass ihre wenigen Lehrverpflichtungen ihr genügend Zeit ließen, einige Dinge im Haushalt selbst zu erledigen und diejenigen, zu denen sie keine Lust hatte, an eine Zugehfrau zu delegieren.

Sobald der Priester zwischen den Häusern auf der anderen Kanalseite verschwand, gab Brunetti sich einen Ruck und kehrte an den Schreibtisch zurück. Er beugte sich über das Schriftstück, das obenauf lag, doch bald schon glitten seine Gedanken so müßig dahin wie die Wolken über der San-Lorenzo-Kirche. Wer konnte über diese Sekte oder ihren Anführer Leonardo Mutti Bescheid wissen? Er überlegte, wer in der Questura Mitglied in einer Kirchengemeinschaft war, scheute aber davor zurück, Kollegen zu einem unfreiwilligen Bekenntnis zu verleiten. Stattdessen durchforschte er sein Gedächtnis nach irgendwelchen Bekannten, die als gläubig gelten konnten oder etwas mit der Kirche zu tun hatten, doch es wollte ihm kein einziger Name einfallen. Lag das nun an seiner eigenen Glaubensferne oder daran, dass er religiösen Menschen gegenüber intolerant war?

Er griff zum Telefon und wählte seine Privatnummer.

»*Pronto*«, meldete sich Paola beim vierten Klingeln.

»Kennen wir irgendwelche religiösen Leute?«

»Von Berufs wegen oder Gläubige?«

»Beides.«

»Ich kenne ein paar Kirchenmänner, aber die würden wohl kaum mit einem wie dir reden.« Paola war nicht die Frau, seine Gefühle zu schonen. »Aber wenn du einen Gläubigen suchst, könntest du dich an meine Mutter wenden.«

Paolas Eltern waren in Hongkong gewesen, als Brunettis Mutter starb; er und Paola hatten sie nicht benachrichtigt oder heimgeholt, weil sie den beiden ihren vermeintlichen Urlaub nicht verderben wollten. Auf irgendeinem Wege hatten die Faliers trotzdem von Signora Brunettis Tod erfahren, waren aber erst am Morgen nach der Beerdigung eingetroffen. Brunetti hatte mit beiden gesprochen, und die Aufrichtigkeit ihres Mitgefühls und die Herzlichkeit, mit der sie es zum Ausdruck brachten, hatten sein Herz erwärmt.

»Ja, natürlich«, sagte Brunetti. »Wie konnte ich das nur vergessen!«

»Ich glaube, sie vergisst es manchmal selber«, entgegnete Paola und legte auf.

Auswendig wählte Brunetti die Nummer von Conte und Contessa Falier und bekam einen der Sekretäre des Grafen an den Apparat. Ein paar Minuten musste er warten, dann hörte er die Contessa sagen: »Wie nett, dass du anrufst, Guido. Was kann ich für dich tun?«

Glaubten etwa alle in seiner Familie, er interessiere sich bloß im Rahmen seiner Polizeiarbeit für sie? Einen Moment lang war er versucht, seiner Schwiegermutter vorzuflunkern, er habe nur angerufen, um sich nach ihrem Befinden zu erkundigen und weil er wissen wollte, ob sie den Jetlag schon überwunden hätten. Aber er fürchtete, die Contessa würde den Schwindel durchschauen. »Ich hätte gern mit dir gesprochen«, antwortete er.

Erst nach Jahren hatte er sich ihr und dem Conte gegenüber zum familiären *tu* durchgerungen, aber es ging ihm noch immer nicht leicht über die Lippen. Bei der Contessa kostete es ihn jedoch weniger Überwindung, da er im Umgang mit ihr unbefangener war.

»Ja, worüber denn, Guido?«, fragte sie, hörbar interessiert.

»Religion«, erwiderte er in der Hoffnung, sie zu überraschen.

Ihre Antwort ließ lange auf sich warten, doch endlich versetzte sie in zwanglosem Plauderton: »Ach, ausgerechnet du – wer hätte das gedacht.« Und dann Schweigen.

»Es hat mit einer Ermittlung zu tun«, erklärte er hastig, obwohl das nicht ganz der Wahrheit entsprach.

Sie lachte. »Mein Gott, das brauchst du mir nicht eigens zu sagen, Guido.« Ihre Stimme verschwand einen Moment lang, so als hätte sie die Hörmuschel abgedeckt. Dann war sie wieder da: »Es ist gerade jemand bei mir, aber wenn's dir passt, könntest du in einer Stunde vorbeikommen.«

»Ja, sicher«, sagte er, froh über die Gelegenheit, dem Büro zu entfliehen. »Ich komme.«

»Schön«, antwortete sie, offenbar ehrlich erfreut, und legte auf.

Er hätte bleiben und den Papierkram erledigen, Akten abzeichnen und die Unterlagen durchgehen können, die sich mit jeder neuen Verbrechenswelle über seinen Schreibtisch wälzten. Stattdessen verließ er die Questura und begab sich auf die Riva degli Schiavoni, mitten in Pracht und Herrlichkeit.

Eine Fähre fuhr vorbei, und während er die Laster an Bord betrachtete, fand er es nicht einmal ungewöhnlich, dass Lieferwagen mit Tiefkühlgemüse oder Mineralwasser oder auch Käse und Milch in ihrer Zustellroute auf ein Fährschiff angewiesen waren.

Ein Pulk Touristen kam die Kirchenstufen herunter und umzingelte ihn kurz, bevor der Kultursog sie Richtung Schifffahrtsmuseum und Arsenale davontrug. Brunetti, der inmitten der wogenden Menge in eine Flaute geraten war, schaukelte noch ein paar Sekunden in ihrem Kielwasser und setzte dann seinen Weg zur Basilika fort.

Zu seiner Linken sah er einen Metallpfosten, an dem die Boote derer anlegten, die sich die Ankergebühr leisten konnten und mit ihren Yachten all jenen die Sicht auf San Giorgio versperrten, die in den Häusern rechts von ihm die unteren Stockwerke bewohnten. Da gerade kein Boot vor Anker lag, setzte Brunetti sich auf den Pfosten und genoss den Ausblick auf die Kirche, den Engel und den prächtigen

Kuppelreigen drüben, am anderen Ufer des Giudecca-Kanals. Er lehnte sich zurück, schlang die Finger um den Metallknauf, genoss die Wärme, die er abstrahlte, und sah den Booten zu, die auf den beiden Kanälen verkehrten, zwischen die sich die Landzunge mit der Salute-Kirche schob.

Bald schon brannte die Sonne so heiß durch seine dunkelgraue Hose, dass seine Oberschenkel förmlich zu glühen schienen. Abrupt stand er auf, schüttelte die Hitze aus den Hosenbeinen und setzte seinen Weg zur Piazza fort.

Im Café Florian trank er hinten an der Bar einen Espresso und nickte einem Kellner zu, dessen Name ihm nicht einfiel. Da es bereits nach elf war, hätte er sich auch schon *un'ombra* genehmigen können, doch wenn er nachher in den Palazzo der Schwiegereltern kam, wollte er lieber nach Kaffee als nach Wein riechen. Er zahlte und ging. Während er auf der Schwelle einen Moment innehielt, um sich für den Sprung in den Touristenstrom zu rüsten, fiel ihm der Golfstrom ein und wie oft seine Tochter davor warnte, dass er versiegen könne. Neben Paolas Verehrung für ihren Hausgott Henry James war Chiaras ökologisches Engagement das Äußerste an Religionsersatz, was seine Familie zu bieten hatte.

Mitunter erschreckte der stoische Gleichmut der Gesellschaft angesichts sich häufender Belege für Klimawandel und Erderwärmung auch Brunetti: Er und Paola hatten immerhin noch viele gute Jahre erlebt, aber wenn auch nur ein Teil dessen, was Chiara sich angelesen hatte, zutraf – welche Zukunft war seinen Kindern dann noch beschieden? Ja, was für eine Zukunft stand ihnen allen bevor? Und warum ließen sich nur so wenige von der zunehmend düsteren Nachrichtenlage aus der Ruhe bringen? Aber dann schweifte sein

Blick nach rechts, und die Fassade des Markusdoms verscheuchte alle pessimistischen Gedanken.

Von der Vaporetto-Station Vallaresso fuhr er mit der Linie 1 bis Ca' Rezzonico und ging von dort zu Fuß zum Campo San Barnaba. Die Stunde Wartefrist war inzwischen glücklich vertrödelt. Brunetti betätigte die Klingel neben dem *portone,* und bald schon näherten sich Schritte über den Hof. Das mächtige Tor schwang auf, und er trat ein. Luciana, die länger bei den Faliers in Diensten stand, als er seine Schwiegereltern kannte, hatte ihn eingelassen. Konnte es sein, dass sie seit ihrer letzten Begegnung – wie lange war das her, etwas über ein Jahr vielleicht – so sehr geschrumpft war? Jedenfalls bückte er sich tiefer als beim letzten Mal, als er sie jetzt auf beide Wangen küsste, bevor er ihre Rechte ergriff und zwischen seinen Händen hielt, während sie miteinander sprachen.

Sie stellte ihre Fragen nach den Kindern, und er beantwortete sie so gewissenhaft, wie er das seit der Geburt der beiden zu tun pflegte: Sie aßen tüchtig, lernten fleißig, waren wohlauf und wuchsen kräftig. Ob Luciana über die Erderwärmung Bescheid wusste? Und wenn ja: Machte sie sich Sorgen deswegen?

»Die Contessa erwartet Sie schon«, sagte Luciana, und es klang, als warte die Gräfin auf Weihnachten. Gleich darauf aber wandte Luciana sich wieder den wirklich wichtigen Themen zu: »Und die Kinder, sind sie wirklich beide gute Esser?«

»Und ob, Luciana! Wenn sie noch mehr Appetit hätten, müsste ich eine Hypothek aufnehmen, und Paola wäre gezwungen, Privatstunden zu geben«, beteuerte Brunetti. Dann lieferte er ihr eine so übertriebene Aufzählung all dessen, was die Kinder an einem Tag verdrücken konnten, dass Luciana sich vor Lachen die Hand vor den Mund hielt.

Immer noch kichernd geleitete sie ihn über den Hof und in den Palazzo. Brunetti sorgte dafür, dass seine Liste bis hinauf in den Korridor reichte, der zum Arbeitszimmer der Contessa führte. Hier blieb Luciana stehen. »So, jetzt muss ich mich wieder ums Mittagessen kümmern. Aber ich wollte mich doch vergewissern, dass alles in Ordnung ist bei Ihnen.« Zum Abschied tätschelte sie seinen Arm, bevor sie in Richtung Küchentrakt verschwand.

Brunetti brauchte jedes Mal sehr lange, um diesen Flur abzuschreiten, weil er sich an Goyas Radierungen über die *Schrecknisse des Krieges* nicht sattsehen konnte: Der Leichnam des Exekutierten, zusammengesunken vor dem Pfahl, an den man ihn gefesselt hatte; Kindergesichter, auf denen sich blankes Entsetzen malte; die Priester, die mit ihren langen, nackten Hälsen aussahen wie aufgescheuchte, fluchtbereite Geier. Wie war es möglich, dass solch grausamen Szenen so viel Schönheit innewohnte?

Er klopfte und hörte von drinnen Schritte. Als die Tür aufging, blickte Brunetti abermals auf eine Frau herab, die scheinbar über Nacht kleiner geworden war.

Sie küssten sich zur Begrüßung. Offenbar sah man Brunetti seine Verwunderung an, denn die Contessa sagte unvermittelt: »Keine Angst, Guido, es sind nur die flachen Schuhe, kein Fall von Altersschrumpfung. Wenigstens noch nicht.«

Brunetti schaute auf ihre Füße und sah, dass die Contessa zu seidig schimmernden, schwarzen Designerjeans und rotem Pullover tatsächlich Sportschuhe trug, noch dazu solche mit fluoreszierenden Silberstreifen an den Seiten, wie sie auf der Via XXII Marzo im Ausverkauf verramscht wurden. Sie kam seiner Frage zuvor: »Ich habe mich offenbar bei einer Dehnübung in meiner Yogaklasse übernommen und mir eine Sehnenentzündung eingehandelt. Nun muss ich zur Strafe Kinderschuhe tragen und darf eine Woche lang kein Yoga machen.« Mit einem verschwörerischen Lächeln setzte sie hinzu: »Ehrlich gesagt bin ich fast froh um eine kleine Auszeit von all dieser Konzentration und der positiven Energie. Mitunter ist das so anstrengend, dass ich's kaum erwarten kann, mich zu Hause bei einer Tasse Tee zu erholen. Meiner Seele tun diese Übungen bestimmt sehr gut, aber wäre es nicht viel einfacher, bequem hier zu sitzen und in den Werken der heiligen Teresa von Avila zu lesen?«

»Es ist doch hoffentlich nichts Ernstes?«, fragte Brunetti und deutete auf ihren Fuß. Auf eine Diskussion über die Seele seiner Schwiegermutter wollte er sich im Moment lieber nicht einlassen.

»Nein, nein, überhaupt nicht! Aber danke der Nachfrage, Guido«, sagte sie und führte ihn zu der Sitzgruppe mit Blick auf den Canal Grande. Sie humpelte nicht, ging aber langsamer als sonst. Von hinten wirkte sie, trotz der grauen Haare, wie eine wesentlich jüngere Frau – wohl nicht zuletzt dank ihrer Figur und vitalen Ausstrahlung. Seines Wissens hatte die Contessa sich nie einer Schönheitsoperation unterzogen – und wenn doch, dann war sie in den allerbesten Händen gewesen, denn die feinen Fältchen um ihre Augen unterstrichen nicht das Alter, sondern den Charakter ihres Gesichts.

Bevor sie Platz nahmen, fragte die Contessa: »Möchtest du etwas trinken? Kaffee vielleicht?«

»Nein, vielen Dank.«

Sie bedrängte ihn nicht weiter, sondern klopfte einladend auf das Sofa – seinen Lieblingsplatz wegen der Aussicht –, bevor sie sich in einem der ausladenden Sessel niederließ, wo ihre zierliche Gestalt beinahe zwischen den hohen Armlehnen verschwand. »Du wolltest dich mit mir über Religion unterhalten?«, fragte sie.

»Ja«, antwortete Brunetti, »gewissermaßen.«

»Ich höre?«

»Heute Morgen war jemand bei mir, der sich große Sorgen um einen jungen Mann macht, von dem er glaubt, er sei einem windigen Prediger, einem gewissen Leonardo Mutti aus Umbrien, auf den Leim gegangen – das sind wohlgemerkt seine Worte, nicht meine.«

Die Contessa hatte sich mit den Ellbogen auf die Armlehnen ihres Sessels gestützt; ihr Kinn ruhte auf den ineinander verschränkten Fingern.

»Mein Besucher hält diesen Prediger für einen Schwindler, dem es nur darum geht, den Leuten das Geld aus der Tasche zu ziehen, eben auch besagtem jungen Mann. Der ist angeblich drauf und dran, seine Wohnung zu verkaufen, um den Erlös dem Prediger auszuhändigen.«

Als die Contessa sich nicht dazu äußerte, fuhr Brunetti fort. »Da du dich mit Religion beschäftigst und« – er hielt inne, um die rechten Worte zu finden – »deinen Glauben praktizierst, dachte ich, du hättest vielleicht schon von diesem Prediger gehört.«

»Leonardo Mutti?«, fragte sie zurück.

»Ja.«

»Darf ich fragen, was du mit der Geschichte zu tun hast?«, erkundigte sie sich höflich. »Und ob du einen der beiden kennst, den Prediger oder diesen jungen Mann?«

»Nein, ich kenne nur denjenigen, der mir den Fall geschildert hat. Ein Jugendfreund von Sergio. Der junge Mann und dieser Mutti waren mir bislang völlig unbekannt.«

Sie nickte und drehte das Kinn zur Seite, als denke sie über das eben Gehörte nach. Endlich blickte sie ihren Schwiegersohn wieder an und fragte: »Du glaubst nicht, Guido, oder?«

»An Gott?«

»Ja.«

Alles, was Brunetti über die religiösen Überzeugungen der Contessa wusste, hatte er von Paola erfahren, und die hatte ihm eigentlich nur erzählt, dass ihre Mutter an Gott glaube und in ihrer, Paolas, Kindheit des Öfteren die Messe besucht habe. Warum sie selbst unter diesem Einfluss bestenfalls ein negatives Verhältnis zur Religion entwickelt hatte, erklärte Paola, wenn überhaupt, damit, dass sie »Glück und Grips« gehabt habe.

Da er das Thema noch nie mit der Contessa erörtert hatte, schickte Brunetti voraus: »Also, ich möchte dich nicht kränken.«

»Indem du dich als nicht gläubig bekennst?«

»Ja.«

»Wie sollte mich das kränken, Guido, wo es doch eine ganz und gar vernünftige Einstellung ist.«

Als sie sah, wie sehr sie ihn verblüfft hatte, verzogen sich ihre Falten zu einem sanften Lächeln. »Weißt du, Guido, ich für mein Teil habe mich entschlossen, an Gott zu glauben.

Und zwar trotz stichhaltiger gegenteiliger Indizien und ohne den geringsten Beweis – oder jedenfalls das, was ein vernünftiger Mensch als Beweis akzeptieren würde – für die Existenz Gottes. Mir fällt es so leichter, das Leben zu bejahen, gewisse Entscheidungen zu fällen und Verluste zu ertragen. Aber das gilt nur für mich persönlich, weshalb mir die andere Option – die, nicht zu glauben – ebenso einleuchtet.«

»Ich weiß nicht, ob es eine Option ist«, wandte Brunetti ein.

»Aber gewiss doch!«, bekräftigte sie mit dem gleichen nachsichtigen Lächeln – so als unterhielten sie sich über die Kinder und er hätte gerade eine von Chiaras schlauen Bemerkungen zitiert. »Wir sind beide mit denselben Beweisen oder Beweislücken konfrontiert, und indem jeder von uns sie auf eigene Weise auslegt, treffen wir selbstverständlich eine Wahl.«

»Und gehört zu deiner Wahl auch der Glaube an die Kirche?« Wohl wissend, dass die Faliers aufgrund ihrer gesellschaftlichen Stellung oft mit hochrangigen Klerikern in Berührung kamen, konnte Brunetti sich diese Frage nicht verkneifen.

»Um Himmels willen! Wer der vertraut, müsste von allen guten Geistern verlassen sein.«

Brunetti lachte laut auf. Als er verwirrt den Kopf schüttelte, legte sie erst richtig los: »Schau sie dir doch an, Guido, in ihrem possierlichen Aufzug mit Mitra, langen Gewändern, Römerkragen und Rosenkranz – alles nur Effekthascherei! Trotzdem verschaffen sie sich damit beim einfachen Volk Respekt. Wenn die Klerikalen gekleidet wären wie unsereiner und sich die Achtung ihrer Gemeinde durch ihr Tun und Handeln verdienen müssten, dann würden viele von ihnen ihr Amt niederlegen und sich ihren Lebensunterhalt in einem ordentlichen Beruf verdienen. Ohne Status und Privilegien, da bin ich sicher, wäre es bald geschehen um den geistlichen Stand.« Nach einer langen Pause setzte sie hinzu: »Außerdem glaube ich nicht, dass Gott von ihren Diensten profitiert.«

»Das scheint mir ein sehr hartes Urteil«, bemerkte Brunetti.

»Ach ja?« Die Contessa klang ehrlich verblüfft. »Sicher gibt es ein paar sehr nette und anständige Priester. Aber den Klerus als solchen sollte man, denke ich, tunlichst meiden.« Bevor Brunetti etwas einwerfen konnte, fuhr sie fort: »Außer natürlich, man wird durch gesellschaftliche Zwänge mit ihnen konfrontiert. In dem Fall gehört es sich wohl, sie zuvorkommend zu behandeln.« Brunetti, der mit ihren eigenwilligen Pausen vertraut war, wartete geduldig. »Ich glaube, es ist ihr Geltungsdrang, der mich so gegen sie aufbringt. Er verdirbt die Seele.«

»Würdest du so auch über einen Mann wie Leonardo Mutti urteilen?« Brunetti, der nie sicher war, wie er die Meinungsäußerungen der Contessa zu deuten hatte, fragte sich, ob das eben Gehörte womöglich der lange Auftakt zu irgendeiner Enthüllung über den Prediger sei.

Sie maß ihn mit einem raschen, prüfenden Blick. »Den Namen habe ich schon mal gehört. Ich muss mich nur darauf besinnen, von wem. Sowie es mir wieder einfällt, sage ich dir Bescheid.«

»Gibt es irgendeinen Weg, wie du …?«

»Wie ich meinem Gedächtnis auf die Sprünge helfen könnte?«

»Ja.«

»Ich werde mich bei Freunden umhören, die zu derlei Gemeinschaften tendieren.«

»Im Rahmen der Kirche?«

Ihre Antwort ließ lange auf sich warten. »Nein, ich dachte eher an – ja, wie soll ich's nennen, Guido? Die kirchliche Peripherie? Abseits vom Mainstream? Du hast diesem Mutti keinen Titel gegeben und auch keine Pfarrgemeinde genannt, der er angehört. Daraus schließe ich, dass er irgendwo am Rande, in einer Grauzone, operiert. Ein Vertreter der…« Wieder folgte eine lange Pause, die sie mit der Frage beendete: »›Religion light‹?«

Nach all ihren kritischen Äußerungen überraschte diese Formulierung Brunetti nicht mehr. »Hast du denn Freunde, die in diesem Dunstkreis verkehren?«

Die Contessa zuckte kaum merklich die Schultern. »Ich kenne etliche Leute, die sich für diesen Weg zu… zu Gott interessieren.«

»Du scheinst da skeptisch zu sein«, bemerkte Brunetti.

»Ach Guido, ich bin der Ansicht, dass die Gefahr von Ausrutschern – um es einmal schonend zu formulieren – sprunghaft ansteigt, sobald man sich von den etablierten Kirchen entfernt. Die haben immerhin noch einen Ruf zu verlieren, weshalb sie sich gegenseitig in Schach halten und die schlimmsten Auswüchse zu verhüten suchen, und sei es nur aus Eigennutz.«

»Und um nicht die Pferde scheu zu machen?«, fragte er.

»Ich rede nicht von Verstößen gegen das Zölibat oder dergleichen, Guido«, versetzte sie tadelnd, »sondern von Betrug. Wenn eine Organisation, die als Religionsverband auftritt, erst gar kein Ansehen zu verspielen und auch kein Interesse mehr daran hat, sich den Glauben und das Wohlwollen ihrer Anhänger zu erhalten, dann ist das wie die Büchse der Pandora. Leider durchschauen das die wenigsten. Aber du weißt ja selbst, wie unbedarft die Menschen sind.«

Die Frage rutschte ihm einfach so heraus: »Hat das, was du mir da gerade erzählt hast, irgendeinen Einfluss auf deinen und Orazios Umgang mit dem Klerus?« Und um seine unverblümte Neugier abzumildern, setzte Brunetti hinzu: »Immerhin pflegt ihr doch gesellschaftliche Kontakte zur Kirche, und Orazio hat vermutlich auch geschäftlich mit ihr zu tun?« Über die Quelle des Reichtums seiner Schwiegereltern hatte Brunetti in all den Jahren kaum etwas in Erfahrung gebracht. Er wusste, dass sie Häuser und Wohnungen besaßen sowie Pachtverträge für diverse Läden hier in der Stadt und dass der Conte häufig zur Inspektion von Konzernen und Fabriken ins Ausland berufen wurde. Ob aber auch die Kirche bei seinen finanziellen Transaktionen eine Rolle spielte, entzog sich seiner Kenntnis.

In den Zügen der Contessa malte sich jene gespielte Verwirrung, die er nur zu gut kannte. Allerdings hatte er sie noch nie dabei ertappt, wie sie diesen Ausdruck herstellte: so leicht und mühelos, als ob sie frischen Lippenstift auftragen würde. »Orazio predigt mir, seit wir uns kennen, dass Macht über Reichtum triumphiert«, versetzte die Contessa lächelnd. »Und ehrlich gesagt waren die Männer in meiner Familie seit jeher der gleichen Auffassung.« Wieder dieses verbindliche, aber fast ausdruckslose Lächeln: Wo hatte sie das nur gelernt? »Darum bin ich sicher, sie hat was für sich.«

Früher, am Beginn ihrer Bekanntschaft, war es Brunetti so vorgekommen, als hätte die Contessa nicht nur oftmals Mühe, den Reden anderer zu folgen, sondern sei sich auch über die eigenen Äußerungen vielfach nicht im Klaren. Überzeugt von seinem jugendlichen Scharfsinn, hatte er sie damals rasch zu durchschauen geglaubt und als frivole Gesellschaftsdame abgetan, zu deren Gunsten lediglich ihre liebevolle Hingabe an Mann und Tochter sprach. Erst als es im Lauf der Jahre immer wieder vorkam, dass Außenstehende sie genauso einschätzten wie er, begann Brunetti ihr aufmerksamer zuzuhören und entdeckte – durch abgedroschene Klischees und Verallgemeinerungen getarnt – so messerscharfe und tiefgründige Beobachtungen, dass es ihm den Atem verschlug. Mittlerweile hatte sie allerdings ihre Verstellungskunst derart perfektioniert, dass kaum mehr jemand sie zu demaskieren versuchte oder auch nur auf die Idee kam, dass es da etwas zu demaskieren gab.

»Möchtest du nicht doch etwas trinken?«, fragte die Contessa in Brunettis Gedanken hinein.

Er sah auf die Uhr und schüttelte den Kopf. »Nein danke, wirklich nicht. Ich gehe jetzt lieber nach Hause: Es ist Zeit zum Mittagessen.«

»Welch ein Glück für Paola, dass du hier in der Stadt arbeitest, Guido. So hat sie immer jemanden, den sie bekochen kann.« Ihr wehmütiger Tonfall hätte einen glauben machen können, sie wünsche sich nichts sehnlicher, als tagtäglich im Dienste ihrer Lieben am Herd zu stehen, ja dass sie jede freie Stunde über Kochbüchern brüte, um die Familie mit neuen

Rezepten zu verwöhnen. Dabei war Brunetti überzeugt, dass die Contessa seit Jahren keinen Fuß mehr in die Küche gesetzt hatte. An deren Betreten Luciana sie wahrscheinlich sowieso gehindert hätte.

Er erhob sich und sie ebenfalls. Während die Contessa ihn zur Tür begleitete, trug sie ihm Grüße an Paola und die Kinder auf. Brunetti bückte sich und küsste sie zum Abschied.

»Du hörst von mir, sobald ich etwas in Erfahrung bringe«, versprach sie, und er ging heim zum Mittagessen.

6

Auf dem letzten Treppenabsatz unterhalb ihrer Wohnung stiegen Brunetti immer noch keine Essensdüfte in die Nase. Falls Paola aus irgendeinem Grund nicht zum Kochen gekommen war, könnten sie vielleicht in ein Restaurant gehen. Keine zwei Minuten entfernt bot das Antico Panificio mittags Pizza an, und obwohl er die normalerweise lieber abends aß, war Brunetti heute durchaus geneigt, eine Ausnahme zu machen. Pizza mit Rucola und Speck wäre nicht schlecht oder die mit *mozzarella di bufala* und *pomodorini*. Während er die letzten Stufen erklomm, variierte Brunetti den Belag seiner Phantasiepizza eifrig weiter, und als er den Schlüssel ins Schloss steckte, war er bei Rucola, Pfeffersalami und Champignons angelangt, ohne zu wissen, woher ihm die letzten beiden Zutaten zugeflogen waren.

Doch jeder Gedanke an Pizza verflüchtigte sich, als er die Wohnungstür öffnete und Paola mit einer riesigen Salatschüssel im Wohnzimmer verschwinden sah. Offenbar hatte eins der Kinder in einem Anfall von selbstmörderischem Optimismus beschlossen, dass sie auf der Terrasse essen sollten. Ohne auch nur die Tür hinter sich zu schließen, sauste Brunetti mit drei Schritten den Flur entlang, steckte den Kopf ins Wohnzimmer und rief den dreien, die schon draußen saßen und ihn erwarteten, zu: »Mein Stuhl kommt in die Sonne!« Jetzt im Frühling bekam die große Terrasse nur über Mittag zwei Stunden Sonne, die noch dazu lediglich einen schmalen Streifen am Ende der Terrasse erreichte.

Dort war bloß für einen Stuhl Platz, den Brunetti, der es für ausgemachten Schwachsinn hielt, so früh im Jahr draußen zu essen, regelmäßig in Beschlag nahm.

Nachdem er auch diesmal seinen Anspruch geltend gemacht hatte, ging er zurück und schloss die Wohnungstür. Von der Terrasse klangen scharrende Geräusche herüber. Hier ins Wohnzimmer hatte fast den ganzen Vormittag die Sonne geschienen.

Sein Stuhl, dessen Rückenlehne von der Sonne erwärmt wurde, befand sich am Kopfende des Tisches. Auf dem Weg dorthin tätschelte Brunetti seiner Tochter die Schulter. Chiara trug einen dünnen Pulli, Raffi nur ein Baumwollhemd. Paola hatte über ihren Pullover immerhin noch eine Daunenweste gezogen, die wohl eigentlich Raffi gehörte. Wie war es nur möglich, dass so verfrorene Eltern wie er und Paola diese beiden tropischen Geschöpfe gezeugt hatten?

Brunetti genoss die Wärme auf seinem Rücken. Aus einer großen Schüssel, die mitten auf dem Tisch stand, häufte Paola gerade Fusilli mit grünen Oliven und Parmesan auf Chiaras Teller. Es war noch nicht ganz die Saison für ein solches Gericht, aber Brunettis Augen und Nase begrüßten es wohlgefällig. Nachdem sie Chiara den Teller hingestellt hatte, reichte Paola ihr ein Schüsselchen mit ganzen Basilikumblättern: Chiara nahm ein paar, zerzupfte sie und streute sie über die Pasta.

Erst nachdem Paola auch Raffi und Brunetti aufgetan hatte, die beide ebenfalls kleingerupftes Basilikum an ihre Pasta gaben, bediente sie sich selbst. Bevor sie sich hinsetzte, legte sie den Servierlöffel beiseite und deckte die Pastaschüssel mit einem Teller ab.

»*Buon appetito*«, wünschte Paola und begann zu essen. Schon bei den ersten Bissen nahm Brunetti den Geschmack mit allen Sinnen auf. Zuletzt hatten sie Fusilli mit Oliven und Parmesan gegen Ende des Sommers gegessen, und damals hatte er eine der letzten Flaschen Masi Rosato aufgemacht. Ob es noch zu früh im Jahr war für einen Rosé?, überlegte Brunetti. Doch dann sah er die Flasche auf dem Tisch und erkannte Farbe und Etikett.

»Danach gibt's noch *calamari ripieni*«, verkündete Paola, zweifellos um ihnen die Entscheidung zu erleichtern, wer die restliche Pasta bekam. Chiara, die tags zuvor Fisch und Meeresfrüchte in die Liste der Speisen aufgenommen hatte, die sie als Vegetarierin verschmähte, bat ebenso um eine zweite Portion Pasta wie Raffi, der anschließend sicher auch die Calamari seiner Schwester mit unvermindertem Appetit und reinen Gewissens verdrücken würde. Mit der Miene eines Mannes, der nicht im Traum daran dachte, seinen hungrigen Kindern etwas wegzuessen, schenkte Brunetti sich ein Glas Wein ein.

Chiara half beim Abräumen der Teller und kam mit einer Schüssel Gemüse aus der Küche zurück. Als Paola die Calamari brachte, glaubte Brunetti, die Möhren und den Lauch, ja vielleicht sogar die gehackten Garnelen, mit denen sie gefüllt waren, riechen zu können. Die Unterhaltung drehte sich um Schule, Schule und noch mal Schule, bis Brunetti einwarf, dass er am Vormittag bei der Contessa gewesen war und allen Grüße bestellen sollte. Paola wandte den Kopf und sah ihn durchdringend an, während er das sagte; die Kinder reagierten ganz unbefangen.

Als sie Chiara nach der Platte mit den Calamari greifen sah, lenkte Paola schnell Raffi ab, indem sie sich erkundigte, ob er und Sara Paganuzzi heute Abend wie geplant ins Kino gingen und er, wenn ja, zuvor noch etwas essen wolle. Wie sich herausstellte, war Sara leider eine Griechischübersetzung dazwischengekommen. Er, Raffi, würde ihr dabei helfen und war auch gleich bei Sara zum Abendessen eingeladen.

Paola erkundigte sich nach dem Text, woraus sich eine Diskussion über Fahrlässigkeiten und Verfehlungen im Peloponnesischen Krieg entspann, die beide so gefangennahm, dass sie gar nicht merkten, wie Brunetti und Chiara die Calamari aufaßen. Nicht einmal, dass Brunetti den leeren Teller seiner Tochter unter den eigenen schob, bekamen sie mit. Sobald Athen besiegt und seine Mauern niedergerissen waren, aß Raffi die Gemüseschüssel leer und erkundigte sich nach dem Dessert.

Doch inzwischen war die Sonne nicht nur von Brunettis Rücken verschwunden, sondern auch vom Himmel, der sich von Osten her zugezogen hatte. Paola stand auf und erklärte, während sie die Teller einsammelte, zum Nachtisch gebe es nur Obst, und das könnten sie auch drinnen essen. Erleichtert stieß Brunetti seinen Stuhl zurück und ging, in einer Hand die leere Gemüseschüssel, in der anderen die Weinflasche, zur Küche.

Der lange Aufenthalt im Freien hatte ihn frösteln gemacht, und er hatte keinen Appetit mehr auf Obst. Paola versprach, Kaffee zu kochen, während sie den Abwasch machte, und schickte ihn zum Zeitunglesen ins Wohnzimmer.

Dort fand sie ihn etwa zwanzig Minuten später. Die Zeitung lag ungeöffnet in seinem Schoß, und Brunetti starrte nach draußen, über die Dächer in den Himmel. Dabei schrie die Schlagzeile auf der heutigen Titelseite, die nähere Einzelheiten zur jüngst erfolgten Festnahme eines der führenden Mafiabosse verhieß, geradezu nach Aufmerksamkeit.

Paola blieb, in jeder Hand eine Kaffeetasse, hinter dem Sofa stehen und fragte: »Liest du die Kommentare zu eurem Triumph?«

Brunetti schloss die Augen. »Schöner Triumph!«, murmelte er.

»Da möchte man ernsthaft ans Auswandern denken, stimmt's?«, forschte sie weiter.

»Dreiundvierzig Jahre war er auf der Flucht, und dann schnappen sie ihn zwei Kilometer von seinem Wohnort entfernt.« Brunetti hob die Hand und ließ sie resigniert auf die Zeitung niederklatschen. »Dreiundvierzig Jahre, und die Politiker überschütten die Polizei mit Lobeshymnen. Ein Triumph!«

»Womöglich war ja mit dem Triumph die Mafia gemeint«, mutmaßte Paola. »Ach, es wäre alles so viel einfacher, wenn die gleich ihren eigenen Minister stellen dürften.« Nachdenklich hielt sie inne und fragte dann: »Bloß, wie sollte man den nennen? Schattenminister? Erpressungsminister?«

Sie stellte die Tassen auf den Tisch und setzte sich neben ihn.

Wider besseres Wissen fragte Brunetti: »Warum glaubst du, dass sie den nicht längst haben?«

»Wen?«

»Na, ihren eigenen Minister.«

Erschrocken sah sie ihn an, als ihr klar wurde, dass sie eben etwas gehört hatte, was er nicht hätte sagen dürfen. Paolas beredtes Schweigen zwang ihn schließlich zum Sprechen. »Es kursieren Gerüchte«, sagte er und griff nach seiner Tasse.

»Gerüchte?«

Brunetti nickte, ohne sie anzusehen, und nippte angelegentlich an seinem Kaffee.

Paola erkannte darin das Zeichen für einen dringend erwünschten Themenwechsel und fragte: »Was hattest du denn mit meiner Mutter zu besprechen?«

»Dieser Jugendfreund von Sergio – der Priester, der zur Beerdigung kam: Antonin Scallon –, er hat mich gebeten, jemanden zu überprüfen.«

»Arbeitest du jetzt für Opus Dei, Guido?«, fragte sie mit gespieltem Entsetzen.

Es dauerte ein paar Minuten, ihr Antonins Besuch und dessen Zweck zu erläutern, und währenddessen wurde ihm bewusst, wie unwohl er sich mit der Geschichte fühlte. Irgendetwas daran vertrug sich weder mit seiner Erinnerung an Antonin noch mit seinem Instinkt: Die angeblichen Beweggründe der Beteiligten erschienen ihm ebenso wenig glaubhaft wie die des Priesters für seinen Besuch bei ihm.

»Meinst du, Antonin hat was mit der Mutter dieses jungen Mannes?«, fragte Paola, als Brunetti ihr Scallons Version getreu wiedergegeben hatte.

»Das sieht dir ähnlich, einem Geistlichen an die Gurgel zu gehen«, sagte Brunetti nicht ohne Bewunderung.

»Ich glaube nicht, dass seine Gurgel was damit zu tun hat«, versetzte Paola und griff nach ihrer Kaffeetasse.

Brunetti musste grinsen. Statt des Obstes hätte er jetzt gern einen Grappa oder einen Cognac gehabt. »Gedacht habe ich an diese Möglichkeit schon auch«, gab er zu.

»Immerhin hat der arme Teufel zwanzig Jahre in Afrika verbracht.«

Paola hakte sofort ein: »Willst du damit sagen, im Umgang mit den niederen Rassen und ihrem Hang zu sexuellen Ausschweifungen musste er zum triebgesteuerten Lüstling mutieren?«

Brunetti lachte. Es amüsierte ihn, wie hartnäckig sie ihm immer wieder eine denkbar schlechte Meinung von der menschlichen Natur unterstellte. Auch wenn es sie inzwischen Überwindung kostete, den Vertretern der politischen Linken ihre Stimme zu geben, funktionierte Paolas Beschützerinstinkt gegenüber sozial Benachteiligten noch immer, und das freute ihn. »Ganz im Gegenteil! Ich vermute, er hat sich den Afrikanern so überlegen gefühlt, dass er keine näheren Beziehungen einging und folglich bei seiner Rückkehr der erstbesten Europäerin nachstieg, die ihm Beachtung schenkte.«

»Und das Zölibat?«

Wissend, dass sie es wusste, antwortete Brunetti: »Zölibat hat nichts mit Keuschheit zu tun, das brauche ich dir doch nicht zu sagen. Ihr Gelübde verpflichtet die Priester nur zur Ehelosigkeit – in der Praxis legen die meisten das dann sehr großzügig aus.«

Brunetti lehnte sich zurück und schloss die Augen. Nach einer Weile hörte er, wie Paola ihre Tasse auf den Tisch stellte. »Hältst du es für möglich, dass er die Wahrheit sagt und wirklich Angst hat, man könnte diesem jungen Mann sein Geld und seine Wohnung abschwindeln?«, fragte sie.

»Wie kommst du darauf?«

»Weil er gut zu deiner Mutter war, Guido.«

Verblüfft wandte Brunetti sich ihr zu. »Woher weißt du das?«

»Die Schwestern in der Klinik haben's mir erzählt. Und einmal, als ich sie besuchte, habe ich ihn dort getroffen. Er hielt ihre Hand, und sie sah sehr glücklich aus.«

Nach einer langen Pause entgegnete Brunetti widerstrebend: »Denkbar wäre es.« Doch statt sich näher mit dieser Möglichkeit zu befassen und weil er bald wieder fortmusste, kam er auf sein Dilemma vom Vormittag zu sprechen. »Stell dir vor, mir ist unter all meinen Bekannten keiner eingefallen, der sich freimütig zu seinem Glauben an Gott bekennen würde.«

»Angeber!«, erwiderte Paola, und schon fühlte er sich besser.

Auf dem Rückweg zur Questura wäre Brunetti zu gern irgendwo auf einen Cognac eingekehrt, aber er widerstand der Versuchung und war nicht wenig stolz auf so viel Selbstdisziplin. Da er ohnehin über den Campo SS. Giovanni e Paolo musste, beschloss er, bei Antonin im Pfarrhaus vorzusprechen. Im günstigsten Fall würde er ihn dort nicht antreffen und könnte ungehindert Erkundigungen über ihn einziehen.

Sein Wunsch ging tatsächlich in Erfüllung, denn als er die Haushälterin, die ihm die Tür öffnete, nach Padre Antonin fragte, hieß es, der sei außer Haus, aber wolle er vielleicht stattdessen mit dem *parroco* sprechen? Die weißhaarige Frau kam Brunetti bekannt vor, wenn er auch nicht wusste, woher. Endlich fiel es ihm ein. »Der Blumenstand am Rialto!«, rief er.

Sie lächelte so breit, dass ihre Falten in Unordnung gerieten. »Ja. Der gehört meiner Großnichte. Dienstags und samstags, wenn die Blumenlieferungen kommen, helfe ich aus.« Sie legte ihm eine Hand auf den Arm und fuhr fort: »Wir kennen uns schon seit Jahren, nicht wahr, Signore? Und natürlich kenne ich auch Ihre Frau und die Tochter. Ein sehr hübsches Mädchen.«

»Genau wie Ihre Großnichte, Signora!«

»Diesen Samstag bekommen wir wieder jede Menge Iris rein«, sagte die Frau, und es freute ihn, dass sie sich gemerkt hatte, welche Blumen er kaufte.

»Mit denen sichere ich den Familienfrieden«, antwortete er in gespielter Resignation.

»Soweit ich sehe, war das in all den Jahren kaum nötig, Signore, wenn Sie mir die Bemerkung gestatten.« Sie trat einen Schritt zurück und gab die Schwelle frei, so als sei es ausgemacht, dass er den Pfarrer sprechen wolle.

»Ich möchte den *parroco* aber nicht stören«, log Brunetti.

»Ach, das macht ihm nichts aus, Signore. Glauben Sie mir! Padre Stefano hat gerade zu Mittag gegessen, da hat er jetzt Zeit.« Sie schickte sich an, ihm vorauszugehen, drehte sich aber am Fuß der Treppe, die ins obere Stockwerk führte, noch einmal um und sagte mit gedämpfter Stimme: »Er freut sich, wenn er Besuch bekommt, ganz bestimmt.«

Während die Haushälterin oben haltmachte, um nach dem Treppensteigen wieder zu Atem zu kommen, bewunderte Brunetti ein Herz-Jesu-Bildnis an der Wand zu seiner Rechten. Der langhaarige Christus presste eine Hand aufs Herz und hielt die andere mit ausgestrecktem Zeigefinger hoch, so als wollte er den Kellner auf sich aufmerksam machen.

Die Schritte der Frau hallten im Korridor wider und scheuchten Brunetti aus seinen Betrachtungen auf. Plötzlich spürte er, wie kalt es in dem Flur war, kalt und klamm, als hätte der Frühling, der ansonsten so rührig Einzug hielt in der Stadt, noch keine Zeit gefunden, hier vorbeizuschauen. Jetzt verstand er auch, warum die Haushälterin zwei Pullover übereinander trug und dazu diese dicken braunen Strümpfe, die er seit Ewigkeiten nicht mehr gesehen hatte.

Vor einer Tür auf der rechten Seite blieb sie stehen, klopfte ein paarmal, wartete kurz und klopfte wieder, diesmal so heftig, dass ihre Fingerknöchel, wenn nicht gar die Türfüllung Schaden zu nehmen drohten. Offenbar rührte sich drinnen etwas, denn sie drückte die Klinke, trat ein und meldete laut und vernehmlich: »Da ist Besuch für Sie, Padre Stefano.«

Brunetti hörte eine Männerstimme antworten, konnte aber den Wortlaut nicht verstehen. Die Frau erschien wieder an der Tür und winkte ihn herein. »Möchten Sie etwas trinken, Signore? Der Padre hat seinen Kaffee schon gehabt, aber ich kann gern noch einen machen.«

»Das ist sehr freundlich von Ihnen, Signora«, antwortete Brunetti, »aber ich habe vorhin auf dem *campo* Kaffee getrunken.«

Sie schwankte unschlüssig zwischen den Erfordernissen der Gastfreundschaft und denen des Alters, weshalb Brunetti noch einmal nachlegte: »Wirklich, Signora, ich nehme Ihr Anerbieten für die Tat!«

Das schien sie zufriedenzustellen. Sie sei dann unten, falls er doch noch einen Wunsch habe, sagte sie und verließ das Zimmer.

Brunetti machte ein paar Schritte in die Richtung, aus der die Stimme gekommen war. Links von den Fenstern, die auf den *campo* gingen, aber mit dem Rücken zu ihnen saß ein alter Mann in einem tiefen Sessel, zwischen dessen Armstützen er ebenso verloren wirkte wie die Contessa in ihrem Lehnstuhl. Flaumweiches weißes Haar umrahmte eine natürliche Tonsur, die ebenfalls fast weiß war, genau wie der Teint des Alten. Kinderaugen blickten aus einem Asketengesicht, als der Pfarrer zu Brunetti aufsah und sich, die Hände auf die Armlehnen gestützt, zu erheben versuchte.

»Nicht doch, Padre, bitte bleiben Sie sitzen.« Ehe der alte Priester sich aus dem Sessel hieven konnte, eilte Brunetti hinzu, beugte sich vor und streckte ihm die Hand entgegen.

»Sehr erfreut, mein Sohn. Wie nett von Ihnen, dass Sie einen alten Mann besuchen kommen.« Padre Stefano hatte eine wohltönende, helle Tenorstimme, und er sprach Veneziano. Brunetti fasste die pergamentene Hand so behutsam, als fürchte er, sie zu zerdrücken.

Der *parroco* war wohl einst ein hochgewachsener Mann gewesen. Brunetti schloss das aus den Handgelenksknochen und der Spanne zwischen Fußknöchel und Knie. Das schwarze Skapulier über dem bodenlangen weißen Ordenskleid des Priesters war ganz verschlissen vom Alter und vom vielen Waschen. An einem der schwarzen Lederpantoffeln hatte sich die Sohle gelöst und hing schlaff wie eine Katzenzunge herunter.

»Aber bitte, setzen Sie sich doch!« Der Priester blickte verwirrt um sich, so als merke er jetzt erst, wo er sich befand, und suche verzweifelt nach einem Stuhl für seinen Gast.

Brunetti fand einen schweren hölzernen Lehnstuhl mit zerschlissenem Gobelinbezug und trug ihn herbei. Er setzte sich und lächelte den Pfarrer an, der sich vorbeugte und über die kurze Distanz hinweg Brunettis Knie tätschelte. »Wie schön, dass Sie gekommen sind, mein Sohn. Wie schön, dass Sie mich besuchen.« Nachdem er dieses Wunder eine Weile bestaunt hatte, fragte er: »Sind Sie gekommen, damit ich Ihnen die Beichte abnehme, mein Sohn?«

Lächelnd schüttelte Brunetti den Kopf. »Danke, Padre, nein danke.« Doch als er den Blick des Alten auffing, setzte er mit erhobener Stimme hinzu: »Ich habe schon gebeichtet, Padre. Aber es ist sehr gütig von Ihnen, dass Sie danach fragen.« Schließlich hatte er seine Beichte abgelegt, oder etwa nicht? Wie lange das her war, brauchte er diesem alten Mann ja nun wirklich nicht zu sagen.

Die Miene des Priesters erhellte sich. »Was kann ich denn dann für Sie tun?«, fragte er.

»Ich möchte mich nach Ihrem Gast erkundigen.«

»Gast?«, wiederholte der alte Mann, so als sei er nicht sicher, ob er das Wort oder seine Bedeutung richtig erfasst habe. Sein Blick glitt über Brunettis Schulter und schweifte suchend durch den Raum. Ein Gast?

»Ja, ganz recht. Padre Antonin Scallon.«

Der Gesichtsausdruck des Priesters veränderte sich; vielleicht war es nicht mehr als eine Straffung der Mundwinkel, eine Trübung des Blicks. »Padre Scallon?«, fragte er.

Dass er es nicht über sich brachte, seinen Gast beim Vornamen zu nennen, bestätigte Brunetti in all seinen Vorbehalten. Trotzdem tat er so, als ob ihm an der Reaktion des Priesters nichts aufgefallen wäre: »Ja, er kam nämlich letzte

Woche zur Beerdigung meiner Mutter, und dafür wollte ich ihm danken.« Erst während er die Reaktion des Alten auf seinen arglosen Ton prüfte, fiel ihm auf, wie ohrenbetäubend laut er gesprochen hatte. Um seinem Anliegen Nachdruck zu verleihen, fügte Brunetti noch hinzu: »Also, meine Frau hat gemeint, ich solle mich bei ihm bedanken.«

»Und wenn Ihre Frau Sie nicht geschickt hätte?«

Brunetti, der anfangs den Verstand des alten Mannes schon so schwach eingeschätzt hatte wie sein Gehör, sah sich durch die scharfsinnige Frage eines Besseren belehrt. Er überspielte seine Verlegenheit mit einem leichten Achselzucken. Eine Geste, die ihm im Nachhinein so ungehobelt erschien, dass er zu einer Erklärung ansetzte: »Es gehört sich so, Padre. Er ist immerhin mit meinem Bruder zur Schule gegangen, da sollte ihm schon jemand aus der Familie danken.«

»Und Ihr Bruder?«, forschte der alte Mann.

»Der war leider verhindert«, erwiderte Brunetti mit einer Miene, die kein Wässerchen trüben konnte. »Darum hat er mich gebeten.«

»So, so«, murmelte der Priester, den Blick auf die Hände in seinem Schoß gesenkt. Brunetti bemerkte erst jetzt, dass er in einer Hand einen Rosenkranz hielt. Als Padre Stefano wieder aufsah, fragte er: »Hatten Sie bei der Trauerfeier denn keine Gelegenheit dazu?«

»Nun ja, da waren wir alle … wie soll ich es ausdrücken? Wir waren sehr aufgewühlt, und so kam es, dass wir erst bei meinem Bruder zu Hause feststellten, dass keiner daran gedacht hatte, ihn einzuladen.«

»Aber verstand sich das denn nicht von selbst, wenn er doch die Trauermesse gelesen hat?«, fragte der alte Mann.

Brunetti mimte, so gut er konnte, den Verlegenen. »Die Messe hat der Gemeindepfarrer meiner Mutter gelesen, Padre. Padre Scallon«, fuhr er, nun seinerseits den offiziellen Titel verwendend, fort, »hat erst am Grab einen Segen gesprochen.«

»Ah, jetzt verstehe ich«, sagte der Priester. »Dann möchten Sie ihm also für diesen Segensspruch danken?«

»Ja. Aber wenn Padre Scallon nicht da ist, kann ich vielleicht ein andermal wiederkommen«, schlug Brunetti zum Schein vor.

»Sie könnten ihm auch eine Nachricht hinterlassen«, meinte der Priester.

»Ich weiß, ich weiß. Natürlich hätte ich ihm schreiben können. Aber mit seinem Kommen hat er unserer Mutter Respekt bezeugt, und dafür...« Brunetti ließ den Satz in der Schwebe. »Ich hoffe, Sie verstehen das, Padre.«

»Aber ja«, entgegnete der alte Mann mit einem so warmherzigen Lächeln, dass Brunetti sich wie eingehüllt fühlte. »Ich glaube, das kann ich gut verstehen.« Er senkte den Kopf und ließ ein paar Perlen des Rosenkranzes durch seine Finger gleiten. Dann schaute der Alte wieder zu Brunetti auf und fuhr fort: »Seltsam, der Tod unserer Mütter. Ihr Begräbnis ist meist das erste, an dem wir teilnehmen, und sicher glauben wir zu dem Zeitpunkt, es sei das Schlimmste, was uns widerfahren könnte. Doch wenn wir Glück haben, erweist es sich als das Beste.«

Brunetti ließ einen Moment verstreichen und bekannte dann: »Ich weiß nicht, ob ich Ihnen folgen kann, Padre.«

»Nun, hatten wir Glück, dann bleiben uns nur gute Erinnerungen und keine, die weh tun. Wenn dem so ist, fällt es, denke ich, leichter, jemanden gehen zu lassen. Und an eine Mutter haben wir ja in der Regel gute Erinnerungen. Im glücklichsten Fall sind auch wir gut zu ihr gewesen und brauchen uns nichts vorzuwerfen: Kommt gar nicht mal so selten vor.« Als Brunetti dazu schwieg, fragte er: »Und Sie, mein Sohn, waren Sie gut zu Ihrer Mutter?«

Brunetti fand, dass er dem alten Mann, nachdem er ihn schon wegen Antonin beschwindelt hatte, wenigstens in diesem Punkt die Wahrheit schuldete. »Ja, ich war gut zu ihr. Trotzdem: Jetzt, wo sie nicht mehr da ist, kommt es mir so vor, als sei ich nicht gut genug gewesen.«

Worauf der Priester mit einem nachsichtigen Lächeln antwortete: »Ach, gut genug sind wir doch nie – zu keinem Menschen, nicht wahr?«

Brunetti unterdrückte den Impuls, seine Hand auf den Arm des alten Mannes zu legen. Stattdessen fragte er: »Vermute ich richtig, dass Sie gewisse Vorbehalte gegen Antonin haben, Padre?« Und bevor der Priester antworten konnte, beeilte er sich hinzuzufügen: »Verzeihen Sie, wenn ich so direkt frage: Ich möchte Ihnen keinesfalls zu nahe treten. Sie brauchen auch nicht zu antworten, denn es geht mich ja eigentlich gar nichts an.«

Der Priester überlegte eine Weile, und dann verblüffte er Brunetti mit den Worten: »Wenn ich irgendwelche Vorbehalte habe, mein Sohn, dann gelten sie Ihnen und diesem verschleierten Verhör.« Er lächelte, wie um seine Worte abzumildern, und setzte hinzu: »Sie erkundigen sich nach Padre Scallon, aber wie mir scheint, haben Sie, ungeachtet all Ihrer Fragen, das Urteil über ihn längst gefällt.«

Nach einer kurzen Pause fuhr der alte Pfarrer fort: »Ich

halte Sie für einen aufrichtigen Mann. Umso mehr wundert es mich, dass Sie hierherkommen und mich in dieser Weise nach Scallon ausfragen: geleitet von einem Verdacht, den Sie zu verbergen suchen.« Mit einem Mal leuchteten die Augen des Priesters so hell, als wäre hinter ihnen ein Licht angezündet worden. »Darf ich Ihnen auch eine Frage stellen, mein Sohn?«

»Aber natürlich.« Brunetti hielt dem Blick des alten Mannes stand, auch wenn er am liebsten weggeguckt hätte.

»Sie kommen doch nicht etwa aus Rom?«

Da sie sich schon die ganze Zeit auf Veneziano unterhielten, war diese Frage Brunetti unerklärlich. »Nein, natürlich nicht!«, antwortete er. »Ich bin Venezianer, wie Sie.«

Der Priester schmunzelte, sei es über Brunettis Beteuerung oder die Vehemenz, mit der er sie vorbrachte.

»Nein, das meine ich nicht, mein Sohn. Ihre Abstammung verrät sich ja mit jedem Wort aus Ihrem Mund. Was ich wissen möchte, ist, ob Sie Rom vertreten?«

»Sie meinen die Regierung?«, fragte Brunetti verwirrt.

Padre Stefano zögerte eine Weile mit der Antwort. »Nein, die Kirche.«

»Wer, ich?«, rief Brunetti so schockiert, dass der alte Priester losprustete. Erst versuchte er es zu unterdrücken, doch dann konnte er sich nicht mehr halten. Sein Lachen klang erstaunlich tief, wie Wasser, das durch eine ferne Leitung rauscht. Er beugte sich vor und tätschelte Brunettis Knie, während er angestrengt um Fassung rang. »Verzeihen Sie, mein Sohn, verzeihen Sie«, bat er schließlich keuchend und wischte sich mit dem Saum seines Skapuliers die Tränen aus den Augenwinkeln. »Aber Sie haben ein bisschen was von einem Polizisten an sich. Deshalb kam mir der Verdacht, Sie könnten zu denen gehören.«

»Ich bin Polizist!«, erklärte Brunetti. »Aber ein richtiger.«

Aus irgendeinem Grund löste das einen neuerlichen Heiterkeitsausbruch aus. Es dauerte eine Weile, bevor Padre Stefano zu lachen aufhörte, und noch länger, bis Brunetti ihm den wahren Grund für sein Interesse an Antonin dargelegt hatte. Inzwischen beschäftigte der Argwohn des alten Pfarrers den Commissario genauso wie die ungeklärten Beweggründe Antonins.

Nachdem Brunetti geendet hatte, verfielen beide in ein behagliches Schweigen, das der alte Mann schließlich mit den Worten brach: »Antonin ist Gast in meinem Haus, also obliegen mir ihm gegenüber die Pflichten des Gastgebers.« So wie er das sagte, zweifelte Brunetti nicht daran, dass er seinen Gast, falls nötig, mit dem Leben verteidigen würde. »Die Umstände, deretwegen man ihn aus Afrika zurückbeorderte, sind einigermaßen undurchsichtig. Aber den amtlichen Papieren, in denen mir Padre Antonin« – Brunetti entging nicht, mit welcher Herzlichkeit der alte Mann jetzt Scallons Vornamen aussprach – »als mein Gast angekündigt wurde, konnte ich entnehmen, dass er in den Augen derjenigen, die ihn herschickten, seine Ehre verwirkt hatte.«

Der *parroco* hielt inne, als warte er auf Fragen. Als keine kamen, fuhr er fort. »Inzwischen lebt Padre Antonin schon eine ganze Weile bei mir, und ich habe nichts bemerkt, was die Ansicht seiner Kirchenoberen bestätigen würde. Er ist ein anständiger, freundlicher Mensch – vielleicht ein bisschen zu sehr von der Richtigkeit seines Urteils überzeugt, aber das gilt ja wohl für die meisten von uns. Erst im Alter lässt der eine oder andere auch Zweifel zu an dem, was er zu wissen glaubt.«

»Aber die Gewissheit, dass wir nie gut genug mit unseren Mitmenschen umgehen, die steht außer Zweifel?«, fragte Brunetti.

»So ist es.«

Brunetti verstand den Appell, der in dieser kurzen Antwort mitschwang, und nickte zustimmend. Aber er spürte auch die Erschöpfung, die sich unversehens eingeschlichen und Augen wie Mund des alten Mannes befallen hatte.

»Ich wüsste gern, wie weit man ihm trauen kann«, sagte Brunetti unvermittelt.

Padre Stefano verlagerte sein Gewicht von einer Seite des Sessels auf die andere, was bei seiner gebrechlichen Statur einem Verschieben von Knochen und dem sie verhüllenden Stoff gleichkam. »Ich glaube, er verdient es, dass man ihm nicht von vornherein misstraut, mein Sohn.« Und stillvergnügt vor sich hin schmunzelnd setzte der Priester hinzu: »Aber dazu rate ich in meinem Alter fast jedem und in Bezug auf so gut wie jeden.«

Brunetti konnte der Versuchung nicht widerstehen: »Außer sie kommen aus Rom?«, fragte er.

Das Gesicht des alten Priesters wurde wieder ernst, und er nickte.

»Dann werde ich Ihren Rat beherzigen«, sagte Brunetti, während er sich aus seinem Stuhl erhob. »Und ich danke Ihnen dafür.«

7

Auf dem Weg zur Questura dachte Brunetti nach über das, was er von Padre Stefano erfahren hatte. Nicht nur durch seine Arbeit als Kriminalist, sondern auch im Kampf mit den Tücken des täglichen Lebens hatte er im Lauf der Zeit die Fähigkeit eingebüßt, anderen Menschen spontan zu vertrauen. Oder vielleicht musste man sich diese Fähigkeit auch erarbeiten, so wie die Contessa sich, allen negativen Erfahrungen zum Trotz, ihren Glauben erkämpft hatte.

Brunetti wandte sich von seinen philosophischen Grübeleien wieder den Tatsachen zu: Letztlich hatte er von keiner Seite etwas über Antonin erfahren, das ihn verdächtig machte. Er war auf einer Beerdigung erschienen, um der verstorbenen Mutter eines alten Freundes seinen Segen zu spenden: Wieso konnte er, Brunetti, dies nicht als einen Akt schlichter Herzensgüte akzeptieren? Aus dem aggressiven Rüpel, der Antonin als Kind gewesen war, war ein Priester geworden.

Ungeachtet seiner gläubigen Mutter hegte Brunetti große Vorbehalte gegen die Kirche, für die sein Vater nur Verachtung empfunden hatte. Seine schlimmen Kriegserfahrungen hatten ihm jeglichen Respekt vor mächtigen Institutionen geraubt. Brunettis Mutter hatte sich den Ansichten ihres Mannes nie widersetzt, so wie sie auch nie ein gutes Wort über den Klerus verloren hatte – und das, obwohl sie sonst an fast allen Menschen irgendetwas Gutes entdeckte, einmal sogar an einem Politiker. Begleitet von solchen Gedanken und Erinnerungen kehrte Brunetti an seinen Arbeitsplatz zurück.

Auf seinem Schreibtisch in der Questura fand der Commissario die schon mit Bangen erwartete Hiobsbotschaft vor, die Vice-Questore Giuseppe Patta als Ertrag seiner Berliner Konferenz formuliert und wohl telefonisch aus seiner Suite im Adlon übermittelt hatte: Ihre wöchentliche Schulung zur Kriminalitätskontrolle würde sich nächste Woche der Mafia widmen, höchstwahrscheinlich mit der Maßgabe, sie mit Stumpf und Stiel auszurotten – ein Ziel, an dem man sich in Italien schon seit über hundert Jahren die Zähne ausbiss.

Pattas Nachricht war vermutlich auf dem Umweg über Signorina Elettras Hotel in Abano Terme als Mail in die Questura gelangt:

Wir befinden uns im Kriegszustand mit der Mafia, die als Staat im Staat zu betrachten ist.

Sämtliche Einheiten sind zu mobilisieren.

Optimale Koordinierung aller Bevollmächtigten unter besonderer Berücksichtigung folgender Punkte:

1. Verbindungsmann ernennen.
2. Innenministerium, Carabinieri sowie Guardia di Finanza vernetzen und Kontakte pflegen.
3. Sonderfinanzierung gemäß Artikel 41 beantragen.
4. Interkulturelle Dynamik forcieren.

Hier stockte Brunetti. Was genau hatte man sich unter »interkultureller Dynamik« vorzustellen? Zwar wusste er aus leidvoller Erfahrung, dass man auf Sizilien eine andere Sicht der Dinge vertrat als hier im Veneto, doch um diese Kluft zu überbrücken, war wohl kaum ein interkulturelles Was-auch-immer vonnöten. Aber bei der Aussicht auf Sonderfinanzierung hatte Patta natürlich gleich wieder seinen Vorteil gewittert.

Als Nächstes widmete sich Brunetti dem Stapel von Protokollen und Zeugenaussagen zu einer Messerstecherei, die sich in der letzten Woche vor einer Bar an der Riva della Giudecca zugetragen hatte. Der Kampf endete für beide Kontrahenten im Krankenhaus: Dem einen hatte ein Fischschupper die Lunge durchbohrt, und der andere drohte auf Grund einer Verletzung, die vom selben Tatwerkzeug herrührte, ein Auge zu verlieren.

Vier Zeugen hatten übereinstimmend ausgesagt, während eines Streits habe einer der zwei Beteiligten das Messer gezückt, zugestochen und es dann fallen lassen, woraufhin sein Gegner es aufhob und seinerseits zustach. Aber bei der Frage, wem das Messer gehörte, wer es als Erster benutzt habe und wie der Kampf im Einzelnen verlaufen sei, deckten die Aussagen sich nicht mehr. Der Bruder und der Cousin eines der beiden Widersacher waren in der Bar gewesen, als der Streit ausbrach, und behaupteten, der andere sei auf ihn losgegangen, während dessen Schwager und Freund versicherten, jener sei ganz ohne eigenes Zutun attackiert worden. So sprachen beidseits sie der Wahrheit Hohn... Auf dem Griff des Messers wurden Fingerabdrücke, an der Schneide Blutspuren von beiden Männern sichergestellt. Sechs weitere Gäste der Bar, allesamt Giudeccaner, konnten sich nicht erinnern, irgendetwas gehört oder gesehen zu haben, und die beiden albanischen Gastarbeiter, die auf ein Bier hereingeschaut hatten, waren nach der ersten Befragung verschwunden, bevor man ihre Papiere kontrollieren konnte.

Kopfschüttelnd verweilte Brunetti über den letzten Seiten der Vernehmungsprotokolle: Verblüffend, wie sehr die kulturelle Dynamik auf der Giudecca der auf Sizilien glich!

Als er aufblickte, stand Vianello in der Tür. »Hast du was über diese Messerstecherei gehört?«, fragte Brunetti und wedelte mit den Seiten des Protokolls, zum Zeichen, dass Vianello sich setzen solle.

»Du meinst diese beiden Idioten, die sich gegenseitig krankenhausreif gemetzelt haben?«

»Ja.«

»Einer von denen war in Porto Marghera als Hafenarbeiter beschäftigt. Hat Frachtschiffe entladen, aber wie ich hörte, mussten sie ihn entlassen.«

»Weshalb?«, fragte Brunetti.

»Das Übliche: Zu viel Alkohol bei zu wenig Grips, und außerdem zu viel Warenschwund auf seiner Schicht.«

»Welcher von beiden ist denn das?«

»Der, der ein Auge verloren hat«, antwortete Vianello. »Ein gewisser Carlo Ruffo. Ich bin ihm mal begegnet.«

»Bist du sicher?«, fragte Brunetti. Das medizinische Gutachten in der Akte hatte das Auge nur als gefährdet eingestuft. »Ich meine, was das Auge angeht.«

»Glaub' schon, ja. Ruffo hat sich im Krankenhaus an irgendwas infiziert, und soviel ich gehört habe, bestand keine Hoffnung, das Auge noch zu retten. Im Gegenteil, die Infektion hat offenbar auch aufs andere Auge übergegriffen.«

»Heißt das, er wird blind?«, hakte Brunetti nach.

»Gut möglich. Blind und gewalttätig.«

»Merkwürdige Verbindung.«

»Hat doch bei Samson auch funktioniert«, gab Vianello unerwartet bibelfest zurück und fuhr dann fort: »Wie ich diesen Ruffo einschätze, würde der sich auch noch schlagen, wenn er blind, stumm und taub wäre.«

»Du meinst also, er hat angefangen?«

Vianello zuckte vielsagend die Achseln. »Wenn nicht er, dann der andere. Kommt am Ende aufs selbe raus.«

»Also noch ein Schlägertyp?«

»So hört man's, nur dass er sich normalerweise an Frau und Kindern abreagiert.«

Brunetti überlegte kurz. »Klingt ja, als sei das alles allgemein bekannt.«

»Auf der Giudecca schon, ja.«

»Und da schreitet niemand ein?«

Wieder dieses Schulterzucken. »Die Leute dort mischen sich nicht ein. Und was uns angeht, so halten sie uns sowieso für machtlos, womit sie vermutlich recht haben.« Vianello schlug die Beine übereinander und lehnte sich zurück. »Wenn ich jemals die Hand gegen Nadia erhöbe, würde sie mich binnen zwei Sekunden mit dem Küchenmesser an die Wand nageln.« Nach einer kleinen Denkpause setzte er hinzu: »Vielleicht sollten ja mehr Frauen so reagieren.«

Brunetti, der für eine solche Diskussion gerade gar nicht aufgelegt war, fragte stattdessen: »Wem mag wohl das Messer gehört haben – was meinst du?«

»Ich tippe auf Ruffo. Jedenfalls hat der, soviel ich gehört habe, immer ein Messer bei sich.«

»Und der andere, dieser Bormio?« Brunetti erinnerte sich, den Namen im Protokoll gelesen zu haben.

»Mit dem verhält sich's genauso, wie die Leute sagen.«

»Nämlich?«

»Er ist ein Unruhestifter und ein Haustyrann, wie ich schon sagte, aber er würde sich angeblich niemals mit jemandem anlegen, der stärker ist als er.« Vianello verschränkte die Arme über der Brust. »Darum setze ich auf Ruffo.«

»Warum es wohl ausgerechnet immer dort zu solchen Raufereien kommt?«, sinnierte Brunetti, ohne die Giudecca eigens beim Namen zu nennen.

Vianello hob die Hände, als fühle er sich überfragt, und ließ sie dann wieder in den Schoß sinken. »Keine Ahnung! Vielleicht, weil's größtenteils ein Arbeiterviertel ist? Leute, die tagein, tagaus hart anpacken müssen, haben vielleicht weniger Hemmungen, ihre Konflikte tätlich auszutragen. Oder es ist Macht der Gewohnheit, dass sie ihre Streitigkeiten so regeln: Man schlägt zu oder zückt ein Messer.«

Da Brunetti dem kaum etwas hinzuzufügen hatte, wechselte er das Thema. »Bist du übrigens wegen der neuen Richtlinien raufgekommen?«

Vianello nickte, ohne die Augen zu verdrehen. »Ja. Ich war neugierig, was du dahinter vermutest.«

»Du meinst, außer dass ein bequemer Posten für Scarpa dabei rausspringen dürfte?« Brunetti war selbst erstaunt über den Zynismus, der in seiner Gegenfrage mitschwang. Aber es stimmte schon: Falls Patta die Absicht hatte, von dem derzeitigen Wirbel um die Mafia zu profitieren, dann würde er garantiert dafür sorgen, dass auch sein Adlatus und Landsmann, Tenente Scarpa, tüchtig absahnte.

»Einen Sizilianer in eine Spezialeinheit gegen die Mafia

zu berufen, das hat schon fast was Poetisches, findest du nicht?«, fragte Vianello scheinheilig.

Im Bewusstsein seiner Stellung hielt Brunetti sich zurück. »Dass Scarpa wie ein Sizilianer denkt, können wir nicht mit Sicherheit behaupten«, antwortete er. Obwohl er sich ganz sicher war.

»Nein«, bestätigte Vianello, nur um genüsslich seinen Kommentar nachzuschieben: »Bei dem können wir uns überhaupt nie sicher sein.« Dann erkundigte er sich in ernsterem Ton: »Was hältst du übrigens von diesem Tamtam in den Zeitungen?«

»Paola hat sich schon über unseren ›Triumph‹ amüsiert«, entgegnete Brunetti.

»Es ist wirklich zum Heulen, nicht? Dreiundvierzig Jahre hat's gedauert, diesen Kerl zu fassen. Dabei steht heute im *Gazzettino*, dass er sich in Frankreich hat operieren lassen und sogar die Klinikrechnung an seine Krankenversicherung in Palermo schickte.«

»Und die hat sie erstattet, hab ich recht?«, fragte Brunetti.

»Was glaubst du, hat er in diesen dreiundvierzig Jahren gemacht?«

»Nun ja«, antwortete Brunetti gepresst, fast so, als würde ihm gleich die Stimme versagen, »als Kopf der sizilianischen Mafia hat er, nehme ich an, ein trautes Familienleben geführt; den Kindern bei den Hausaufgaben geholfen, darauf geachtet, dass sie zur Erstkommunion gehen. Wenn er stirbt, wird es zweifellos eine ergreifende Trauerfeier geben, wieder im Familienkreis, die Messe wird ein Bischof oder gar ein Kardinal lesen, und dann wird man ihn mit feierlichem Pomp zu Grabe tragen und für seinen Seelenfrieden beten.« Zum Schluss schwankte Brunettis Stimme zwischen Abscheu und Verzweiflung.

Vianello dagegen fragte ganz ruhig: »Glaubst du, dass ihn einer von seinen eigenen Leuten verpfiffen hat?«

Brunetti nickte. »Das wäre einleuchtend. Ein junger – oder jedenfalls jüngerer – Bandenchef drängt an die Macht und möchte den Laden selber schmeißen. Wobei ihm der alte Mann natürlich im Weg war: lästig, den vor der Nase zu haben. Die Mafia arbeitet heute wie ein multinationales Unternehmen, mit Hochleistungscomputern, eigenen Anwälten und Wirtschaftsprüfern. Nur dieser alte Kauz hockt da in einem besseren Hühnerstall und verfasst Botschaften auf Papierschnipseln. Klar, dass sie den loswerden wollten. Hat sie wahrscheinlich nur einen Anruf gekostet.«

»Und wie geht's jetzt weiter?« Vianello fragte es, als wolle er den Zynismus seines Vorgesetzten bis auf den Grund ausloten.

»Tja, wie sagt Lampedusa: Damit alles beim Alten bleibt, muss scheinbar alles anders werden.«

»So geht es fast immer in diesem Land, oder?«, entgegnete Vianello.

Brunetti nickte, dann schlug er mit den Handflächen auf die Schreibtischplatte. »Komm, gehen wir einen Kaffee trinken!«

Während sie an der Bar in ihren Tassen rührten, berichtete Brunetti dem Ispettore von seinen Gesprächen mit den beiden Priestern.

Als der Commissario geendet hatte, fragte Vianello: »Wirst du's machen?«

»Was? Diesen Mutti durchleuchten?«

»Ja.« Vianello schwenkte den letzten Schluck Kaffee in seiner Tasse und trank aus.

»Wahrscheinlich.«

»Interessant, wie du die Sache angehst«, bemerkte Vianello.

»Wie meinst du das?«

»Nun, dieser Padre Antonin bittet dich, diesen Mutti unter die Lupe zu nehmen. Aber wenn ich's recht verstanden habe, hast du bisher nur versucht, etwas über Padre Antonin herauszufinden.«

»Und das findest du merkwürdig?«, fragte Brunetti.

»Ja, weil du einfach davon ausgehst, dass an seinem Ersuchen irgendwas faul war oder zumindest verdächtig. Oder dass mit ihm selbst was nicht stimmt.«

»Ja, genau den Verdacht habe ich«, entgegnete Brunetti mit Nachdruck.

»Aber was macht dich denn so misstrauisch?«

Brunetti brauchte eine Weile, um darauf eine Antwort zu finden. Endlich begann er: »Ich erinnere mich…«

»An ein Erlebnis aus deiner Kindheit?«, unterbrach Vianello. »Also ich würde mich höchst ungern danach beurteilen lassen, wie ich damals war. Ein ausgemachter Trottel war ich!«

Da es Vianello offenbar sehr ernst war, unterließ es Brunetti, den Inspektor mit der von ihm gewählten Vergangenheitsform aufzuziehen. Stattdessen sagte er: »Ich weiß, das klingt wenig überzeugend, aber es war vor allem seine Art, die mich misstrauisch gemacht hat.« Unzufrieden mit dieser Aussage, kaum dass er sie gemacht hatte, setzte er hinzu:

»Nein, es ist mehr als das! Ich glaube, es war die Selbstverständlichkeit, mit der er Mutti als Dieb oder Betrüger hinstellte, nur weil der junge Roberto Coppi ihm Geld gegeben hat.«

»Und warum macht dich das so misstrauisch?«, fragte Vianello.

»Weil ich die ganze Zeit, die Antonin auf mich einredete, das Gefühl hatte, wenn der junge Mann *ihm* das Geld gegeben hätte, wäre alles in schönster Ordnung.«

»Du erwartest doch hoffentlich nicht, dass Habgier bei einem Priester mich überrascht?«

Schmunzelnd stellte Brunetti seine Tasse ab. »Du meinst also, ich sollte den anderen unter die Lupe nehmen?«

Vianello antwortete mit einem kaum wahrnehmbaren Schulterzucken. »Du hast mir immer eingebleut, man solle der Spur des Geldes folgen, und in dem Fall führt die Spur doch wohl eindeutig zu diesem Mutti.«

Brunetti langte in seine Tasche und warf ein paar Münzen auf die Theke. »Da könntest du recht haben, Lorenzo«, sagte er. »Vielleicht sollten wir uns mal einen Eindruck davon verschaffen, was bei seinen Veranstaltungen so abgeht?«

»Du meinst Mutti?«, fragte Vianello verblüfft.

»Ja!«

Vianello machte den Mund auf, als wolle er widersprechen, presste dann aber die Lippen fest zusammen. »Du denkst an eine dieser religiösen Veranstaltungen?«

»Ja«, antwortete Brunetti. Und als Vianello nicht reagierte, half er nach: »Na, was meinst du?«

Vianello sah ihm in die Augen und antwortete: »Wenn wir da hingehen, sollten wir unsere Frauen mitnehmen.« Und bevor Brunetti Einspruch erheben konnte, fügte der Ispettore hinzu: »Männer wirken immer harmlos, wenn sie in weiblicher Begleitung sind.«

Brunetti wandte sich ab, damit Vianello sein Grinsen nicht mitbekam. Draußen vor der Bar fragte er: »Und du glaubst, du könntest Nadia dazu überreden?«

»Wenn ich vorher das Brotmesser verstecke.«

8

Informationen über die Treffen der religiösen Vereinigung, der Leonardo Mutti vorstand, waren weit schwieriger zu beschaffen, als Brunetti gedacht hatte. Antonin wollte er nicht in seine Recherchen einweihen, im Telefonbuch standen *Die Kinder Jesu Christi* nicht, und mit seinen bescheidenen Computerkenntnissen fand der Commissario auch keine Webseite. Als er sich bei den uniformierten Beamten umhörte, wusste Piantoni als Einziger etwas beizusteuern, weil ein Cousin von ihm einer ähnlichen Gemeinschaft beigetreten war.

Schließlich blieb Brunetti nichts weiter übrig, als das Haus am Campo San Giacomo dell'Orio aufzusuchen, das der Gruppe als Treffpunkt diente – eine Aussicht, die ihn so verstimmte, als befände sich der *campo* sonstwo und nicht bloße zehn Minuten von seiner Wohnung entfernt. Wie seltsam, dass manche Gegenden der Stadt einem so fern vorkamen, während es zu anderen, die in Wahrheit viel weiter weg lagen, nur ein Katzensprung zu sein schien. Brunetti etwa empfand schon den Gedanken an eine Fahrt zur Giudecca als Strapaze. Aber San Pietro di Castello, wohin er je nach Bootsfahrplan fast eine halbe Stunde brauchte, lag für ihn gleich um die Ecke. Vielleicht war es eine Frage der Gewohnheit, dass ihm Orte, an denen er schon als Junge gespielt hatte oder wo seine Freunde wohnten, näher erschienen. In Bezug auf San Giacomo dell' Orio musste der Polizist in ihm zugeben, dass seine Abneigung womöglich damit zusammenhing, dass hier früher angeblich freizügig mit Drogen gehandelt worden war und die Anwohner seinerzeit nicht nur als arm galten, sondern auch häufiger mit dem Gesetz in Konflikt gerieten als die Bürger in anderen Stadtteilen.

Die Drogendealer waren inzwischen verschwunden (zumindest glaubte das die Polizei), und mit ihnen hatten viele der früheren Bewohner die Gegend verlassen und einer gutbetuchten Klientel Platz gemacht, die aber nicht aus Venedig stammte. Zwei volle Tage ließ Brunetti verstreichen, bevor er sich – halb belustigt, halb beschämt, weil er so eine Staatsaktion daraus machte – endlich doch zu seinem Erkundungsgang aufraffte.

Da er keinen Grund zur Eile sah, beschloss er, am Campo San Cassiano einen Blick auf *Die Kreuzigung* von Tintoretto zu werfen. Es hatte ihn immer schon beeindruckt, wie verdrossen dieser Christus dreinblickte, der so raffiniert hoch über dem Wald der aufgepflanzten Lanzen an seinem Kreuz drapiert war. Der Heiland schien endlich den Warnungen Glauben zu schenken, wonach bei dieser ganzen Geschichte mit der Menschwerdung nichts Gutes herauskommen würde; er sah aus, als könne er nicht schnell genug wieder aufs Gottsein umsatteln.

Brunettis Blick wanderte zu den Kreuzwegstationen an der anderen Wand, wo der tote Christus bei der Kreuzabnahme aussah, als stelle er sich nur schlafend und werde jeden Moment quicklebendig aufspringen und Überraschung! rufen. Anscheinend hatten nur ganz wenige Maler die Toten aufmerksam genug studiert, um ihre entsetzliche Wehrlosigkeit zu erkennen. Brunetti dagegen war immer wieder betroffen von der Hilflosigkeit der Toten, die sich mit ihren starren Gliedern und steifen Fingern nicht mehr zur Wehr setzen, ja nicht einmal mehr ihre Blöße bedecken konnten.

Als er nach einer Weile wieder ins Freie kam, legten sich die Sonnenstrahlen wie ein Segen auf seine Schultern. Am Campo Santa Maria Mater Domini spähte er durch ein Fenster nach der Treppe zu jener Wohnung, die sie als Frischvermählte besichtigt und, eingeschüchtert von ihrer Größe, von der Miete ganz zu schweigen, fluchtartig wieder verlassen hatten.

Und weiter ging's der Nase nach: Über den Ponte del Forner, vorbei an der einzig verbliebenen Werkstatt, wo man noch ein Bügeleisen repariert bekam, und dann auf den Campo San Giacomo dell'Orio. Er vergewisserte sich, dass ihm noch Zeit blieb für einen Blick in die Kirche, in der er seit Jahren nicht mehr gewesen war.

Gleich hinter dem Eingang rechts stieß er auf einen Holzverschlag, der aussah wie ein Mauthäuschen in einem Kinderbuch. Darin saß, über ein Buch gebeugt, eine dunkelhaarige junge Frau. Rechts von dem Fenster, hinter dem sie ihren Platz hatte, hing eine Preisliste; eine rote Samtkordel versperrte den Zugang zum Kircheninnern.

»Zweifünfzig, bitte«, sagte sie, von ihrer Lektüre aufblickend.

»Gilt das auch für Ortsansässige?«, fragte Brunetti hörbar entrüstet. Das war schließlich eine Kirche!

»Die haben freien Eintritt«, beruhigte ihn die junge Frau. »Darf ich Ihre *carta d'identità* sehen?«

Ohne seine wachsende Irritation zu verbergen, zückte Brunetti die Brieftasche, klappte sie auf und tastete nach dem verlangten Ausweis. Doch dann fiel ihm ein, dass der ja zum Fotokopieren in der Questura war: Die Kopie brauchte er für sein Gesuch um Erneuerung seines Waffenscheins.

Also fischte er stattdessen den Dienstausweis aus der Brieftasche und schob ihn unter dem Schalter durch.

»Was ist das?«, fragte sie. Ihre Stimme klang unvoreingenommen; sie hatte ein angenehmes, ja hübsches Gesicht.

»Das ist mein Polizeiausweis. Ich bin Commissario.«

»Tut mir leid«, entgegnete sie mit der Andeutung eines Lächelns, »aber Sie brauchen eine *carta d'identità*.« Damit schob sie ihm den Ausweis wieder zu und ergänzte, den Blick abermals auf ihn gerichtet: »Und zwar eine gültige.«

Jahrelang hatte sich Brunetti, wann immer er vor Pattas Schreibtisch zitiert wurde, darin geübt, verkehrt herum zu lesen. So entzifferte er jetzt mühelos den Titel am oberen Rand des aufgeschlagenen Buches: *Washington Square*. »Lesen Sie das für Ihr Studium?«, fragte er.

Völlig verwirrt wanderte ihr Blick von seinem Dienstausweis zu ihrer Lektüre. Doch dann begriff sie und nickte. »Ja, für ein Seminar über den amerikanischen Roman.«

»Aha!« Ohne ein weiteres Wort nahm Brunetti seinen Ausweis an sich und verstaute ihn mitsamt der Brieftasche in der Gesäßtasche. Eine Studentin aus dem Seminar seiner Frau!

Er kramte ein paar Münzen aus der Hosentasche und zählte das Eintrittsgeld ab. Mit einem gemurmelten »*Grazie*« schob die junge Frau ein Ticket unter dem Glasfenster durch und vertiefte sich wieder in ihre Lektüre.

»*Prego*«, antwortete er und schritt durch den Spalt in der Absperrung ins Kirchenschiff.

Zwanzig Minuten später trat er wieder ins Freie, umrundete die Kirche und hielt auf das Restaurant zu. Antonins Wegbeschreibung folgend, bog er linker Hand in die nächste *calle* ein, wo er gleich wieder links beim ersten Eingang die Namensschilder studierte. Und da stand es: »Sambo«, die zweite Klingel von unten.

Brunetti vergewisserte sich noch einmal, wie spät es war, und läutete dann. Nach einem kurzen Moment meldete sich eine Frauenstimme: »*Sì?*«

Brunetti antwortete im venezianischen Dialekt. »Signora, können Sie mir sagen, ob ich hier richtig bin für die Treffen der Freunde von Bruder Leonardo?« Der beflissene Eifer in seiner Stimme konnte vielerlei Gründe haben.

»Ja, das ist hier«, bestätigte sie. »Hätten Sie Interesse daran, sich uns anzuschließen?«

»Großes Interesse, Signora.«

»Wir treffen uns dienstags«, sagte sie und setzte rasch hinzu: »Sie müssen schon entschuldigen, wenn ich Sie nicht hereinbitte, aber es ist höchste Zeit, dass die Kinder ihr Essen bekommen.«

»Nein, nein, ich bin es, der sich entschuldigen muss, Signora«, wehrte Brunetti ab. »Ich weiß, wie das ist mit Kindern – also gehen Sie nur und kümmern sich ums Essen. Wenn Sie mir bloß noch rasch sagen würden, wann am Dienstag?«

»Um halb acht«, lautete die Antwort. »Damit die Teilnehmer zum Abendessen wieder zu Hause sind.«

»Verstehe«, erwiderte Brunetti. »Gut, und nun versorgen Sie Ihre Kinder, Signora. Bitte! Wir sehen uns dann am Dienstag«, schloss er so liebenswürdig er konnte.

Als er sich schon zum Gehen wandte, hörte er eine blecherne Stimme fragen: »Wie war bitte Ihr Name, Signore?«

Er murmelte etwas Unverständliches, dem er allerdings ein »-etti« anhängte, denn er wollte nicht lügen. Und wenn, dann erst am Dienstag.

9

Vianello und Brunetti trafen sich am Dienstagabend um Viertel nach sieben vor der Banca di Roma. Beide in Begleitung ihrer Frauen, die zwar nicht gerade begeistert gewesen waren, aber immerhin neugierig genug, um sich anzuschließen.

Paola und Nadia tauschten Wangenküsse, bevor man zu viert dem Rialto den Rücken kehrte und den Weg nach San Giacomo dell'Orio antrat. Die Frauen blieben bald schon hinter Vianello und Brunetti zurück, betrachteten die Schaufenster, verglichen die Auslagen und stellten einmal mehr fest, wie sehr die Geschäfte sich in den letzten Jahren gewandelt und dem Touristengeschmack angepasst hatten. »Immerhin ist der noch da«, meinte Paola, als sie bewundernd vor den Pyramiden aus getrockneten Früchten im Fenster des Feinkosthändlers Mascari stehen blieb.

Nadia, die mindestens einen Kopf kleiner war als Paola und sehr viel rundlicher, entgegnete: »Meine Mutter erinnert sich noch an die Zeit, da alles, was hier über den Ladentisch ging, in Zeitungspapier eingeschlagen wurde. Sie lebt inzwischen bei meinem Bruder in Dolo, aber ihre Feigen müssen auch heute noch von Mascari sein. Ohne deren Schriftzug auf dem Einwickelpapier rührt sie keine an.« Mit einem nachsichtigen Kopfschütteln eilte Nadia den Männern nach, die schon fast außer Sicht waren.

Auf dem Campo San Giacomo dell'Orio machten Brunetti und Vianello halt und warteten, bis die Frauen sie eingeholt hatten. Man gruppierte sich wieder paarweise, und Brunetti übernahm die Führung durch die enge *calle* bis vor das Haus, in dem die Treffen der *Kinder Jesu Christi* stattfanden. Er klingelte bei Sambo, und sie wurden eingelassen, ohne dass jemand nach ihrem Namen gefragt hätte. Der Hausflur war recht unscheinbar: weiß und orange gemusterte Marmorfliesen, dunkle Holztäfelung mit Spuren von Feuchtigkeitsschäden und schummrige Beleuchtung.

Auf dem zweiten Treppenabsatz drang Stimmengemurmel durch eine angelehnte Wohnungstür. Unschlüssig, ob er klopfen solle, steckte Brunetti den Kopf durch den Spalt und rief: »Signora Sambo?« Als niemand antwortete, wagte er sich einen Schritt weit vor und wiederholte: »Signora Sambo?«

Eine kleine Frau mit hellbraunem Haar trat aus einer Tür zur Rechten. Lächelnd begrüßte sie alle vier der Reihe nach, indem sie deren ausgestreckte Hände mit ihren beiden umschloss, sie sodann auf die Wange küsste und feierlich verkündete: »Willkommen in unserem Heim.« Was bei ihr so klang, als wäre ihr Zuhause irgendwie auch das der Besucher.

Sie hatte dunkelbraune Augen, deren äußere Lidfalten nach unten zeigten, was ihrem Gesicht einen orientalischen Anstrich verlieh, obwohl die schmale Nase und der helle Teint nur europäischer Herkunft sein konnten. »Kommen Sie nur herein! Ich mache Sie gleich mit den anderen bekannt.« Wieder lächelte sie, ein Lächeln, das große Freude über ihr Kommen ausdrückte, bevor sie sich umwandte und ihnen vorausging ins Innere der Wohnung.

Brunetti und Vianello waren unterwegs übereingekommen, sich mit Rücksicht auf ein etwaiges juristisches Nachspiel unter ihren richtigen Namen einzuführen. Was sich jedoch erübrigte durch die bedingungslose Gastfreundschaft dieser Frau, die keinerlei Fragen stellte.

Das Zimmer, in das Signora Sambo sie geleitete, verfügte über eine großzügige Fensterfront, die leider nur auf die Fenster von gegenüber blickte. Ungefähr zwanzig Personen waren bereits anwesend. Vor einer Wand stand ein Tisch, bestückt mit Gläsern, Mineralwasser und Obstsäften. Ein paar Reihen Klappstühle waren mit dem Rücken zu den Fenstern auf einen einzelnen steiflehnigen Sessel hin ausgerichtet.

»Darf ich Ihnen etwas zu trinken anbieten?«, fragte ihre Gastgeberin. Und brachte ihren Wünschen entsprechend Saft für die Damen und Mineralwasser für die Herren. Ein Blick in die Runde verriet Brunetti, dass dies der allgemeinen Wahl entsprach.

Wie Vianello und er trugen auch die anderen Männer alle Anzug und Krawatte; von den Frauen waren manche in Hosen erschienen, die Röcke der übrigen reichten zumeist bis unters Knie. Keine Bärte, kein Tattoo weit und breit und schon gar kein Piercing, obwohl einige der Anwesenden deutlich unter dreißig waren. Die Damen trugen, wenn überhaupt, dann nur sehr dezentes Make-up und hochgeschlossene Blusen oder Pullis.

Als Brunetti sich nach Paola umsah, fand er sie bereits in angeregtem Gespräch mit einem Mann und einer Frau mittleren Alters. Nicht weit von ihr drehte Vianello sein Glas in der Hand, während Nadia lächelnd einer weißhaarigen Frau zuhörte, die ihr vertraulich eine Hand auf den Arm gelegt hatte.

Der Raum war mit Keramiktellern dekoriert, die alle den Namenszug eines Restaurants oder einer Pizzeria trugen. Der unmittelbar neben Brunetti zeigte ein Paar in traditioneller Tracht: Die Frau trug hochhackige Schuhe zum langen Rock, der Mann Pluderhosen und einen breitkrempigen Hut. Ein Stück weiter wölbte sich über einem rauchenden Vulkan in rosigen Lettern die Aufschrift »Pizzeria Vesuvio«. Über dem Lehnstuhl hing ein großes Kruzifix, hinter dem zwei gekreuzte Olivenzweige klemmten. Seitwärts führte eine Tür zur Küche, wo auf der Anrichte Glasbehälter mit Pasta, Reis und Zucker standen sowie noch mehr Fruchtsaft in großen Tetrapaks.

Brunetti wandte seine Aufmerksamkeit wieder Paola zu und hörte die Frau neben ihr sagen: »…besonders, wenn Sie Kinder haben.«

Ihr Begleiter nickte zustimmend, und Paola flötete: »Ganz meine Meinung!«

Dann sank plötzlich der Geräuschpegel, die Unterhaltung geriet ins Stocken, und als Brunetti sich, ebenso wie Paola vor ihm, nach der Ursache umsah, entdeckte er einen hochgewachsenen Mann, der am anderen Ende des Zimmers eingetreten war und gerade mit dem Rücken zu den Anwesenden die Tür ins Schloss zog. Brunetti sah graues, sehr kurz geschorenes Haar, einen schmalen Streifen Weiß über dem Kragen eines schwarzen Jacketts und sehr lange Beine in weiten schwarzen Hosen. Sobald der Mann sich umwandte, fielen seine buschigen, grauen Augenbrauen auf, die hell schimmerten, heller noch als die Haare, und die große Nase, die aus seinem glattrasierten Gesicht vorsprang. Die dunklen Augen wirkten im Kontrast zu Haar und Brauen fast schwarz; die Lippen so weich und entspannt, als könnten sie sich jeden Moment wie von selbst zu einem Lächeln formen.

Während der Mann langsam den Raum durchquerte, nickte er einigen wenigen Personen zu, hielt ein- oder zweimal kurz inne, um jemandem mit ein paar Worten die Hand auf den Arm zu legen, und steuerte doch immer zügig den Sessel an, der den Stuhlreihen gegenüberstand.

In stillschweigendem Einvernehmen stellten alle Anwesenden ihre Gläser ab und begaben sich zu den akkurat ausgerichteten Klappstühlen. Brunetti, Vianello und ihre Frauen schlossen sich den anderen an und belegten vier Randplätze in der letzten Reihe. Von hier konnten sie nicht nur den Mann vorne im Sessel sehen, sondern auch einige Gesichter der Leute schräg vor ihnen.

Der hochgewachsene Mann wartete einen Moment vor der Versammlung, deren Reihen er mit wohlwollendem Blick überflog. Dann hob er seine rechte Hand so, dass drei abgespreizte Finger auf die Anwesenden zeigten – eine Geste, die Brunetti aus zahllosen Darstellungen des auferstandenen Christus kannte. Indessen machte der Mann keine Anstalten, über den Köpfen seiner Zuhörer das Kreuz zu schlagen.

Das Lächeln, das seinen Mund verheißungsvoll umspielt hatte, brach hervor, sobald er zu sprechen begann. »Es ist mir eine große Freude, wieder unter euch zu sein, meine Freunde, denn nun können wir gemeinsam über den Vorsatz, ein wenig Gutes in die Welt zu tragen, nachdenken. Wie ihr alle wisst, leben wir in einer Zeit, in der gerade dort, wo es am dringendsten nottäte, leider nicht viel Gutes anzutreffen ist. Nicht zuletzt deshalb, weil jene, die als leuchtendes Beispiel vorangehen sollten, dieser Pflicht nicht nachkommen.«

Wen er dabei im Visier hatte, verriet der Mann nicht. Dachte er an Politiker? Geistliche? Ärzte? Brunetti hielt auch Filmproduzenten oder Fernsehkomiker nicht für ausgeschlossen.

»Bevor ihr nun in mich dringt und wissen wollt, von wem ich spreche«, fuhr der Mann, die ungestellte Frage mit erhobenen Händen abwehrend, fort, »lasst mich klarstellen, dass von uns selbst die Rede ist, ja, von uns, die wir in diesem Raum versammelt sind.« Er lächelte vor Stolz über den Streich, den er seinem Publikum gespielt hatte und den dieses nun ebenso lustig finden sollte.

»Wir können nicht verlangen, dass Politiker, Geistliche und andere hohe Würdenträger vorbildlich handeln, solange wir uns nicht selbst frohen Herzens in den Dienst des Guten stellen.« Er legte eine lange Pause ein, bevor er ergänzte: »Und nicht einmal dann dürfen wir uns zum Richter aufschwingen. Die Einzigen, auf die wir bedingungslos einwirken können, sind wir selbst. Nicht unsere Ehefrauen oder Ehemänner, nicht unsere Kinder, Angehörigen oder Freunde, Arbeitskollegen oder die Politiker, denen wir unsere Stimme gegeben haben. Natürlich dürfen wir ihnen unsere Meinung sagen und uns auch beklagen, wenn sie unserem Empfinden zuwiderhandeln. Wir können über unsere Nachbarn lästern« – hier suggerierte sein komplizenhaftes Lächeln, dass auch er dieser Untugend fröne –, »aber ihr Verhalten beeinflussen können wir nicht, jedenfalls nicht im positiven Sinne. Gutsein lässt sich nicht erzwingen: Auf störrische Menschen kann man schließlich nicht mit dem Stock einprügeln wie auf einen Esel oder ein Pferd. Gewiss, manches lässt sich mit Druck erreichen: So können wir Kinder dazu bringen, ihre Hausaufgaben zu machen, oder Menschen für karitative Zwecke mobilisieren. Aber was passiert, wenn wir den Prügel wegstecken? Spenden die Leute dann immer noch? Und machen die Kinder weiter ihre Hausaufgaben?«

Etliche Personen vor Brunetti schüttelten den Kopf oder wandten sich flüsternd an ihre Nachbarn. Er blickte hinüber zu Paola und hörte sie sagen: »Geschickt macht er das, nicht wahr?«

»…werden wir letztlich nur uns selbst dazu bewegen, Gutes zu tun, weil jeder nur sich selbst davon überzeugen kann, Gutes tun zu *wollen*. Ich bitte um Nachsicht, meine Freunde, wenn ich mit dieser Binsenwahrheit eure Intelligenz beleidige. Aber es ist und bleibt eine Wahrheit, die – eben weil sie so selbstverständlich ist – leicht, ja allzu leicht übersehen wird: Wir können einen anderen Menschen in seinem Willen nicht beeinflussen.

Viele von euch denken jetzt bestimmt: Er hat leicht reden. Und ich gebe euch recht, ja ich gehe sogar noch weiter: Wer sich nur hinstellt und dazu aufruft, Gutes zu tun, der macht es sich *zu* leicht. Etwas anderes dagegen ist ungemein schwer, nämlich zu erkennen, was überhaupt gut ist. Diejenigen von euch, die studierter sind als ich – und das sind wohl die meisten –«, schob er mit gebührender Bescheidenheit ein, »wissen natürlich, dass die Philosophen darüber seit Tausenden von Jahren gestritten haben und immer noch streiten.

Doch während die Philosophen sich befehden und kluge Abhandlungen verfassen, können wir – ihr und ich – mit dem Herzen begreifen, was gut sein bedeutet. In dem Moment, wo wir etwas sehen oder hören, spüren, ja wissen wir, ob es gut ist oder nicht.«

Der Mann schloss die Augen, und als er sie wieder öffnete, schien er den Boden vor seinen Füßen zu erkunden. »Es steht mir nicht zu, euch darüber zu belehren, was gut ist und was nicht. Aber ich versichere euch, dass das Gute einen jeden bereichert, denjenigen, der es empfängt, ebenso wie den, der es vollbringt. Nicht mit irdischen Gütern wie einem größeren Haus oder einem schnelleren Auto, sondern kraft der Gewissheit, das Gute in der Welt ein Stück weit vermehrt zu haben. Beide, Geber wie Empfänger, gehen glücklich und beschenkt aus dieser Erfahrung hervor und werden es im Leben leichter haben.«

Er hob den Blick und fasste jedes der Gesichter vor ihm einzeln ins Auge. »Gutes tun, das ist unser Leitsatz, der sich schlicht auf Nächstenliebe und Herzensgüte stützt. Wir, die wir hier im Geiste Christi versammelt sind, finden unsere Vorbilder in den Evangelien, den Seligpreisungen und darin, was Jesus Christus uns durch sein Wirken in der Welt vorgelebt hat. Er war ein Quell der Nachsicht und Vergebung. Sein Zorn aber richtete sich – die wenigen Male, die er hervorbrach –, stets gegen Vergehen, die auch wir für Unrecht halten: Mit der Religion Geschäfte machen, unschuldige Kinder verderben.«

Nach einer längeren Pause fuhr er fort: »Manchmal bitten mich Glaubensfreunde um Rat, wie sie sich verhalten sollen.« Sein nachsichtiges Lächeln erklärte die bloße Frage für abwegig. »Alles, was ich darauf antworten könnte, hat Christus uns bereits vorgelebt. Also tue ich das Naheliegende und fordere die Sinnsucher auf, sich an meinen Chef zu wenden.« Er lachte, und seine Zuhörer stimmten ein.

»Oder vielleicht sollte ich besser sagen ›an unseren Chef‹, denn sicher ist er ja auch für euch, die ihr heute Abend hier versammelt seid, der Einzige, der uns lehren kann, wie man Gutes tut. Und er hat nie einen Stock benutzt, kein Gedanke daran! Sondern uns nur die Augen geöffnet für das Gute und für unsere Freiheit, den Weg des Guten zu beschreiten.«

Der Redner verstummte, hob eine Hand auf Schulterhöhe und ließ sie wieder sinken.

Als das Schweigen sich in die Länge zog, glaubte Brunetti schon, der Vortrag sei zu Ende, und wandte sich nach Paola um. Doch da ergriff der Mann erneut das Wort, wobei sich der Nachtrag kaum vom Bisherigen unterschied. Er zitierte Bibelstellen als Belege für die Barmherzigkeit und Güte Jesu Christi und hob den Geist der Menschenliebe hervor, der Ihn beseelt und auf Seiner Erdenmission geleitet habe. Er sprach eindringlich vom Kreuz, das der Menschensohn auf sich genommen, und von dem Leid, das er freiwillig erduldet habe, einzig und allein, damit Gutes daraus entstünde. Es gebe, versicherte er, kaum ein größeres Geschenk als diese Krönung aller guten Werke: die Erlösung der Menschheit.

Und immerzu flocht er seine Pointe ein, dass Christus nie einen Stock gebraucht habe. Ohne die unerschütterliche Eintracht zwischen Redner und Publikum hätte die aufdringliche Wiederholung leicht abgeschmackt wirken können. Aber im Verein mit dem Vortragston, der schon den bloßen Gedanken an einen gewalttätigen Christus ad absurdum führte, machte der schlichte Vergleich dem Publikum großen Eindruck. Selbst Brunetti, der die Argumentation für abwegig hielt, bewunderte deren rhetorische Schlagkraft.

Eine weitere Viertelstunde verstrich, in der Brunettis Aufmerksamkeit sich vom Sprecher auf das Publikum verlagerte. Er bemerkte zustimmendes Nicken, sah Köpfe sich nach links oder rechts neigen, während die Zuhörer miteinander tuschelten, und Männer ihre Hände auf die der Frau an ihrer Seite legten. Eine Frau holte ein Taschentuch aus ihrer Handtasche und wischte sich die Augen. Nach noch einmal fünf Minuten senkte der Redner den Kopf, legte die Handflächen aneinander und führte sie an die Lippen.

Brunetti erwartete Beifall, doch der war offenbar nicht vorgesehen. Stattdessen erhob sich Signora Sambo, die in der ersten Reihe gesessen hatte, trat einen Schritt nach vorn und wandte sich an ihre Gäste. »Ich glaube, heute Abend haben wir alle sehr viel Stoff zum Nachdenken bekommen.« Sie lächelte die Leute an, sah kurz hinunter auf ihre Schuhe und dann wieder zu ihren Gästen hin. Brunetti spürte ihre Nervosität und begriff, dass es ihr schwer fiel, frei vor einer größeren Versammlung zu sprechen.

Auf Signora Sambos Gesicht erschien ein zaghaftes Lächeln. »Aber wir alle haben Familien, die auf uns warten, und anderweitige Pflichten, weshalb es wohl an der Zeit ist, dass wir uns wieder hinaus in die Welt begeben« – ihr Lächeln wurde immer verkrampfter – »und in unserem täglichen Bemühen fortfahren, den Menschen in unserer Umgebung – Familie, Freunden, aber auch Fremden – Gutes zu tun.«

Es war ungeschickt formuliert, und sie wusste das, aber soweit es sich an den Mienen der Anwesenden ablesen ließ, schien keiner sich daran zu stören. Die Leute erhoben sich von ihren Plätzen; einige gingen und wechselten ein paar Worte mit Signora Sambo, während andere das Gespräch mit dem Mann im Sessel suchten, der zuvorkommend aufstand, als seine Anhänger sich um ihn scharten.

Brunetti und Vianello verständigten sich mit einem Blick und verließen, nachdem sie ihre Frauen eingesammelt hatten, als Erste die Wohnung.

10

Im Gänsemarsch traten sie auf die Gasse und legten schweigend die kurze Strecke zum Campo San Giacomo dell'Orio zurück. Als sie in die enge *calle* einbogen, die sie wieder zum Rialto bringen würde, sah Brunetti, wie Paola, die vorausging, verstohlen über die Schulter spähte, als wolle sie sich vergewissern, dass kein Mitglied der *Kinder Jesu Christi* hinter ihnen war. Sobald sie sich unbeobachtet wusste, blieb Paola stehen und wartete, bis Brunetti aufschloss. Mit gesenktem Kopf lehnte sie ihre Stirn an seine Brust und sprach dumpf in seine Jacke hinein: »Ich allein kann mich dazu bewegen, Gutes zu tun, indem ich meinem Körper Alkohol zuführe. Und ich laufe Amok, wenn mir dieses gute Werk nicht zuteil wird. Ich sterbe, ich gehe elendig zugrunde, falls ich nicht auf der Stelle einen Drink bekomme.«

Ohne eine Miene zu verziehen, tätschelte Nadia ihr begütigend die Schulter. »Ich schließe mich an«, sagte sie. Und an Brunetti gewandt: »Tun Sie ein gutes Werk, indem Sie Ihrer Frau und mir das Leben retten und uns einen Drink beschaffen.«

»Prosecco?«, schlug Brunetti vor.

»Das Himmelreich ist Ihnen gewiss!«, jubelte Nadia.

Brunetti war, gelinde gesagt, verblüfft. Er kannte Nadia fast so lange wie Vianello, hatte aber bisher nur sehr förmlich mit ihr verkehrt: Er rief sie an, wenn er ihren Mann suchte, erkundigte sich gelegentlich bei ihr nach Leuten, mit denen sie bekannt war. Doch hatte er sie wohl nie als Person wahrgenommen, als ein eigenständiges Wesen mit Geist und Verstand und offenbar auch Humor. Denn irgendwie – und es war ihm vor sich selber peinlich, das zuzugeben – war sie immer ein Anhängsel von Vianello gewesen.

Paola telefonierte ab und zu mit ihr; die beiden trafen sich hin und wieder auf einen Kaffee oder gingen zusammen spazieren, so viel wusste Brunetti. Aber Paola erzählte ihm nie, worüber sie sich unterhielten. Oder er hatte nie danach gefragt. Und so stand er nun, nach all den Jahren, einer Fremden gegenüber.

Brunetti führte seine Begleiter in eine linker Hand gelegene Bar und bestellte viermal Prosecco. Als die Getränke kamen, leerten beide Paare ihre Gläser in einem Zug, ohne sich mit Anstoßen und Trinksprüchen aufzuhalten, und stellten sie mit einem erleichterten Seufzer auf die Theke zurück.

»Na, und?«, ließ sich Vianello vernehmen. Eine Frage, die keiner der drei anderen auf die Qualität des Prosecco bezog.

»Es war alles sehr gekonnt«, sagte Paola, »und sehr gefühlsbetont.«

»Alles sehr positiv und herzerwärmend«, warf Nadia ein. »Er hat an niemandem Kritik geübt, das Wort Sünde nicht einmal in den Mund genommen. Alles sehr erhebend.«

»Bei Dickens gibt es einen Prediger«, fuhr Paola nachdenklich fort. »In *Bleak House*, glaube ich.« Die Art, wie sie jetzt die Augen schloss, war Brunetti so vertraut, dass er nachgerade sah, wie sie die Tausende von Buchseiten durchblätterte, die in ihrem Gedächtnis gespeichert waren.

Paola schlug die Augen wieder auf und sagte: »Sein Name fällt mir nicht ein, aber die Frau von Snagsby, dem Advokatenschreiber, ist ihm hörig, und so macht er sich als Dauergast an ihrer Tafel breit, wo er die meiste Zeit hochtrabende Phrasen drechselt und rhetorische Fragen über Tugend und Religion aufwirft. Der arme Snagsby würde ihm einen Pfahl ins Herz rammen, wenn er nicht so unter der Fuchtel seiner Frau stünde, dass er nicht einmal daran zu denken wagt.«

»Und?«, fragte Brunetti, gespannt, warum Paola sie alle an den Tisch von diesem ominösen Snagsby geschleppt hatte.

»Und an diesen Priester erinnert mich der Mann, den wir gerade gehört haben – dieser Bruder Leonardo, falls er's denn war«, schloss Paola. Tatsächlich hatte weder Signora Sambo den Mann vorgestellt, noch hatte einer der Anwesenden im Verlauf des Abends seinen Namen genannt.

»Nichts, was er gesagt hat, war in irgendeiner Weise bemerkenswert. Er hat die gleichen frommen Sprüche abgesondert, wie sie in den Leitartikeln der *Famiglia Cristiana* stehen«, fuhr Paola fort. Und Brunetti wunderte sich, woher um alles in der Welt sie die kannte. »Aber die Masche zieht, zweifellos. Es ist genau das, was die Leute hören wollen«, schloss Paola.

»Wieso eigentlich?« Vianello winkte dem Barmann und beschrieb einen Kreis über den vier Gläsern.

»Weil es so schön bequem ist«, antwortete Paola. »Man braucht nur das Richtige zu *fühlen*, weiter nichts. Und darauf bilden sie sich dann Wunder was ein.« Voller Abscheu fügte sie hinzu: »Das ist alles so furchtbar amerikanisch.«

»Wieso amerikanisch?«, fragte Nadia und nahm sich eins der vollen Gläser, die der Barmann gebracht hatte.

»Weil die Amerikaner Gefühle schon für wichtiger nehmen als Taten. Zumindest erscheint ihnen beides gleichwertig, und sie erwarten für ihre Betroffenheit genauso viel Anerkennung wie für zielstrebiges Handeln. Wie hieß doch gleich der Spruch, den dieser Medienpräsident immer im Mund führte: ›Ich fühle euren Schmerz‹? Als ob sich dadurch irgendwas ändern würde. Gott, es ist zum junge Hunde kriegen!« Paola griff nach ihrem Glas und nahm einen kräftigen Schluck.

»Man muss nur sein Herz auf der Zunge tragen«, fuhr sie fort, »und mit seinem zartbesaiteten, sensiblen Gemüt hausieren gehen. Dann braucht man keinen Finger mehr zu rühren. Man stellt seine kostbaren Empfindungen zur Schau und lässt sich von aller Welt dafür bejubeln, dass man die gleichen Regungen hat wie jedes ganz normale fühlende Wesen.«

Brunetti hatte Paola selten so wütend erlebt. »Sachte, sachte«, beschwichtigte er und nippte an seinem Prosecco.

Ihr Kopf fuhr zu ihm herum, sie starrte ihn entgeistert an. Doch dann sah er, wie sie sich ihren ungestümen Wortschwall ins Gedächtnis rief. Bevor sie zu einer Antwort ansetzte, nahm sie noch einen kräftigen Schluck. »Ich glaube, dieser geballte Vortrag über das Gute war zu viel des Guten. So was bekommt mir nicht und bringt meine schlechtesten Seiten zum Vorschein.«

Alle lachten befreit, und das Gespräch wurde allgemeiner.

»Ein Redner, der sich um die Fakten drückt, macht mich immer nervös«, sagte Nadia.

»Darum hört sie sich grundsätzlich keine Politikerreden an.« Vianello legte den Arm um seine Frau und zog sie an sich.

»Hältst du sie so bei der Stange, Lorenzo?«, fragte Paola.

»Indem du ihr jeden Morgen eine Liste mit Fakten auftischst?«

Brunetti blickte gespannt zu Vianello. »Ich bin«, antwortete der, »selbst kein großer Freund von Predigern und von verschleierten Predigten erst recht nicht.«

»Aber er hat doch keine Predigt gehalten, oder?«, fragte Nadia. »Jedenfalls keine richtige.«

»Nein, da haben Sie recht«, antwortete Brunetti. »Aber wir dürfen nicht vergessen, dass heute Abend vier Personen im Publikum saßen, die er nie zuvor gesehen hatte. Möglich, dass er erst herausfinden will, wer wir sind, bevor er alle Register zieht.«

»Und wer beschwert sich immer, dass ich ihm eine schlechte Meinung von der menschlichen Natur andichten würde?«, erkundigte sich Paola.

»Es ist ja nur eine Vermutung«, entgegnete Brunetti. »Man hat mir erzählt, dass in der Regel eine Kollekte stattfindet oder die Leute ihm am Ende seines Vortrags Umschläge zustecken. Heute Abend ist nichts dergleichen geschehen.«

»Zumindest nicht, solange wir dort waren«, warf Nadia ein.

»Stimmt«, bestätigte Brunetti.

»Also, was machen wir?«, fragte Paola. Und an Brunetti gewandt, fuhr sie fort: »Falls du verlangst, dass ich noch mal da hingehe, dann ist unsere Ehe in Gefahr.«

»Echte Gefahr oder gespielte?«

Paola presste die Lippen zusammen, während sie sich ihre Antwort überlegte. »Gespielte, nehme ich an«, gestand sie schließlich. »Aber wenn ich dieses Theater ein zweites Mal durchstehen müsste, würde ich mich vorher aus lauter Verzweiflung über den Kochsherry hermachen.«

»Den trinkst du doch auch so«, entgegnete er, und damit war das Gespräch über Bruder Leonardo beendet.

11

Am nächsten Morgen hatte Brunetti kaum an seinem Schreibtisch Platz genommen, als das Telefon klingelte. Signorina Elettra, frisch aus Abano zurück, teilte ihm mit, der Vice-Questore, seinerseits gerade von der Interpol-Konferenz in Berlin heimgekehrt, bitte ihn um eine kurze Unterredung. Diese wohlgesetzte, neutrale Formulierung ließ Brunetti aufhorchen: Sie hatte weder etwas von Pattas gewohnt hochfahrender Polterei noch von jener dick aufgetragenen falschen Liebenswürdigkeit, mit der er sich dringend benötigte Gefälligkeiten zu erschleichen pflegte.

Die Neugier führte Brunetti nach unten, ins Büro von Signorina Elettra. Wo er sofort eine Veränderung wahrnahm, auch wenn es einen Moment dauerte, bis er sie ausfindig gemacht hatte: Auf dem Schreibtisch stand anstelle ihres geräumigen Computergehäuses nur mehr ein superschlanker schwarzer Bildschirm. Und statt der klobigen grauen Tastatur setzte ein elegantes schwarzes Rechteck mit flachen Tasten alles daran, unsichtbar zu erscheinen.

Signorina Elettras Garderobe war auf die neue Tastatur abgestimmt: Zum grau-schwarz gemusterten Pullover (den gleichen hatte ihm Paola vor einer Woche im Schaufenster von Loro Piana gezeigt) trug sie eine schwarze Hose, und die Spitzen der schwarzen Lackpumps, die darunter hervorblitzten, waren eine Kreuzung zwischen Schuh und Dolch.

»Haben Sie eine Ahnung, worüber er mit mir reden will?«, fiel Brunetti mit der Tür ins Haus.

Signorina Elettra löste ihren Blick vom Bildschirm. Brunetti sah zu, wie ihr Lächeln erlosch und einer steifen, hochkonzentrierten Miene Platz machte. »Ich glaube, der Vice-Questore interessiert sich neuerdings für *multi-cultural sensitivity*, Commissario«, erklärte sie.

»Berlin?«, fragte Brunetti.

»Die Notizen über die Konferenz, die er mir als Grundlage für seinen Bericht an den Questore gegeben hat, lassen darauf schließen.«

»Multikulturelle Sensibilität?«

»Ganz recht.«

»Und was versteht man darunter?«

Gedankenverloren langte Signorina Elettra nach einem Bleistift, fasste ihn an der Spitze und klopfte mit dem Radiergummiende auf ein Blatt Papier auf ihrem Schreibtisch. »Wenn ich seine Aufzeichnungen richtig deute, heißt es, dass demnächst neue Weisungen für den Umgang unserer Polizeibeamten mit den *extracomunitari* erlassen werden.«

»Nur mit den *extracomunitari* oder mit allen Ausländern?«, fragte Brunetti.

»Nein, Europäer oder Amerikaner kommen nicht vor, Commissario. Für die, die gemeint sind, war, glaube ich, früher der Ausdruck ›Dritte Welt‹ oder ›Die Armen‹ gebräuchlich.«

»Heute ersetzt durch ›*extracomunitari*‹?«

»Genau!«

»Verstehe«, sagte Brunetti, der gern gewusst hätte, ob das Blatt Papier unter dem Radiergummi zu Pattas Bericht gehörte. »Und gibt es auch schon Richtlinien dafür, in welcher Form sich diese Sensibilität äußern soll?«

»Ich glaube, es geht darum, wie ein Beamter bei einer Festnahme die zu verhaftende Person behandelt, Commissario.«

»Aha«, murmelte Brunetti und versteckte seine Frage hinter der Betonung.

»Das aktuelle Denkmodell«, begann sie und legte einen so übertriebenen Nachdruck auf das Wort, als wolle sie es als Zielscheibe an die Wand nageln, »sieht die Angehörigen von Minderheitengruppen offenbar als Opfer von…« Sie brach ab und zog das Blatt Papier zu Rate. »Ah ja, hier steht es«, fuhr sie fort und deutete mit dem Radiergummi auf die Mitte der Seite. »›…von ungebührlichen verbalen Übergriffen seitens der Vollzugsbeamten‹«, schloss sie.

»Was, bitte, sind verbale Übergriffe?«, fragte Brunetti.

»Berechtigte Frage, Commissario!«, seufzte sie und beugte sich vor, um abermals das Schriftstück zu konsultieren. »›Der durch die erlittene Demütigung verursachte Schaden ist so gravierend, dass selbst diejenigen, die keine unmittelbare Erinnerung an den Willkürakt bewahren, dessen Wirkung verinnerlichen, so dass jede weitere Diskriminierung ihr Selbstwertgefühl nachhaltig beschädigt, namentlich in Fällen, wo dieses an Rasse, religiöse, kulturelle oder Stammestraditionen gekoppelt ist.‹«

Sie blickte auf. »Soll ich fortfahren, Commissario?«

»Wenn Sie meinen, dass es irgendeinen Sinn hat – nur zu!«

»Ob es Sinn ergibt, kann ich nicht versprechen, aber es ist immerhin ein Absatz drin, der Sie interessieren könnte.«

»Ich bin ganz Ohr«, versicherte Brunetti.

Daraufhin schob sie das oberste Blatt beiseite und fuhr mit dem Radiergummi suchend an dem darunter entlang.

»Ah, hier ist es! ›Die stetig wachsende ethnische und kulturelle Vielfalt in unserer Gesellschaft macht es dringlicher denn je, dass die Ordnungskräfte dem breiten Spektrum unserer neuen Mitbürger mit Toleranz und Offenheit begegnen. Nur durch liberale Akzeptanz und Aufgeschlossenheit gegenüber anderen Lebensformen können wir all jenen, die ihre Zukunft bei uns suchen, glaubhaft vermitteln, dass sie hier willkommen sind.‹« Lächelnd blickte Signorina Elettra auf.

»Und was heißt das im Klartext?«, fragte er.

»Nun, ich habe ja seine gesamten Aufzeichnungen gelesen, und nach dem, was folgt, läuft es wohl darauf hinaus, dass es bald noch schwerer werden wird, *extracomunitari* für irgendwelche Straftaten zu belangen.«

Verglichen mit dem Kauderwelsch in all den Akten, die täglich über seinen Schreibtisch schwappten, war ihre Antwort so klar und eindeutig, dass es Brunetti schier den Atem verschlug. »Verstehe«, murmelte er nach einer Pause. Und obwohl er durch ihren Anruf von vorhin bereits im Bilde war, erkundigte er sich mit einem Kopfnicken zu Pattas Büro hin: »Ist er da?«

»Ja, und er erwartet Sie«, antwortete Signorina Elettra ohne jedes Zeichen der Reue dafür, dass sie Brunetti davon abgehalten hatte, dem Ruf seines Vorgesetzten unverzüglich zu folgen.

Brunetti klopfte und betrat, sowie von drinnen Pattas Stimme erklang, dessen Dienstzimmer. Der Vice-Questore posierte so würdevoll hinter seinem Schreibtisch, als wäre er aus Stein gehauen. »Ah, guten Morgen, Commissario!«, grüßte er. »Bitte, nehmen Sie doch Platz.«

Da er sah, dass Patta etliche Schriftstücke vor sich liegen hatte, wählte Brunetti den Stuhl, der dem Schreibtisch am nächsten stand. Patta hatte ihn mit seinem Dienstgrad angesprochen: Das mochte ein Zeichen von Wertschätzung sein und somit Gutes verheißen; falls Patta damit auf seine untergeordnete Position anspielte, konnte es aber auch genauso gut ein schlechtes Omen sein. Pattas Miene wirkte durchaus freundlich, doch darauf war kein Verlass: Bekanntlich aalten sich auch Klapperschlangen gern auf einem Felsen in der Sonne.

»War der Aufenthalt in Berlin ein Gewinn für Sie, Dottore?«, fragte Brunetti.

»O ja, Brunetti!« Patta lehnte sich in seinem Sessel zurück, streckte die Beine aus und schlug die Füße übereinander. »Ja, durchaus. Es tut gut, von Zeit zu Zeit über den eigenen Tellerrand hinauszuschauen und mit unseren Kollegen aus anderen Ländern in Fühlung zu treten. Sich ihre Sicht der Dinge anzuhören.«

»Und gab es viele interessante Präsentationen?«, fragte Brunetti, weil ihm nichts anderes einfiel.

»Man lernt nicht aus den Präsentationen, Brunetti, sondern durch Gespräche im kleinen Kreis, aus dem, was die Kollegen über die Situation in ihren Ländern, auf ihren Straßen berichten.« Patta geriet zusehends in Fahrt: »So gewinnt man Einblick. Vernetzung, Brunetti: Das ist das Zauberwort! Vernetzung.«

Patta sprach Italienisch und einen besonders schwer verständlichen Palermitaner Dialekt; dazu kamen ein paar Brocken Englisch sowie die eine oder andere französische Wendung, vornehmlich aus dem Bereich der Gastronomie. In welcher Sprache er sich in Berlin im Vernetzen geübt haben mochte, war Brunetti schleierhaft.

»Ganz recht, Vice-Questore. Ich verstehe.« Brunetti war gespannt, was Patta mit seiner Liebenswürdigkeit bezweckte. In der Vergangenheit hatte er sie meistens eingesetzt, um ehrgeizige neue Projekte zu lancieren, die die Statistik aufpolierten.

»Ich brauche Sie nicht daran zu erinnern«, sagte Patta, und seine Stimme troff vor Leutseligkeit, »wie wichtig es ist, dass wir uns hier vor Ort verstärkt partikularen Interessen widmen.« Brunetti horchte auf. »Wir brauchen einen innovativen Zugang zu Fragen der Akkulturation und müssen eine praktische Methodologie entwickeln, die uns in die Lage versetzt, unsere Botschaft einer breiteren Öffentlichkeit zu vermitteln.«

Brunetti nickte und nahm seine Unterlippe zwischen Daumen und Zeigefinger – so wie es Filmschauspieler zu tun pflegen, wenn sie auf der Leinwand jemanden mimen, der angestrengt nachdenkt. Bei ihm wirkte das wohl leider nicht ganz überzeugend, denn Patta sah ihn nur unverwandt an, ohne seine Rede fortzusetzen. Brunetti warf ein gedankenschweres »Hmhm« in die Waagschale.

Das genügte offenbar: »Zu diesem Zweck werde ich eine Spezialeinheit gründen, die sich ausschließlich mit den genannten Problemen befasst«, erklärte Patta.

Für Brunetti war es ein Leichtes, von Filmen auf Bücher umzuschalten, und so erinnerte er sich jetzt an die Szene aus *1984*, in der Winston Smith, um selbst der grausamen Rattenfolter zu entgehen, schreit: »Macht es mit Julia! Nicht mit mir!« Bei der Vorstellung, in dieser Spezialeinheit mitwirken zu müssen, hätte auch Brunetti seinen Vorgesetzten um ein Haar auf Knien angefleht: »Machen Sie es mit Vianello! Nicht mit mir!«

Doch Patta kam ihm zuvor. »Da es sich, wie gesagt, um eine innovative Maßnahme handelt, habe ich beschlossen, einen Kollegen aus dem Mannschaftsstand an die Spitze dieser Einheit zu stellen. Einen erfahrenen, im Dienst erprobten Beamten, der unsere Stadt würdig repräsentiert.« Brunetti nickte in vollem Einverständnis.

»Alvise«, fuhr der Vice-Questore fort und starrte vor sich hin, als sähe er sein innovatives Projekt schon irgendwo verwirklicht, »erfüllt beide Voraussetzungen.« Pattas Blick fand zu Brunetti zurück, dem es inzwischen gelungen war, jede Spur von Erstaunen aus seinem Gesicht zu tilgen. »Worin Sie mir sicher zustimmen werden, Commissario.«

»Das tut er, zweifellos«, sagte Brunetti und verkniff sich jeglichen Hinweis auf Intelligenz oder gesunden Menschenverstand.

»Sehr schön!« Patta schien sichtlich zufrieden. »Freut mich, dass wir einer Meinung sind.« Und vor lauter Freude über Brunettis scheinbare Zustimmung vergaß der Vice-Questore das »ausnahmsweise« nachzuschicken, das Brunetti erwartet hatte.

»Diese Regelung erfordert es natürlich, Sergente Alvise von seinen sonstigen Pflichten zu entbinden«, fuhr Patta fort. Und erkundigte sich dann in einem raren Anflug von Vertraulichkeit: »Glauben Sie, er wird ein Einzelbüro brauchen?«

Brunetti tat so, als dächte er ernsthaft nach, bevor er antwortete: »Nein, Vice-Questore. Ich glaube, Sergente Alvise würde lieber mit seinen Kollegen zusammenbleiben.« Und als stünde Pattas Einverständnis außer Frage, setzte er hinzu: »Auf die Weise kann er auch weiterhin von deren Leistungen profitieren.«

»Das hatte ich natürlich auch bedacht«, entgegnete Patta. »Alvise ist schließlich ein Teamarbeiter, nicht wahr?«

»Ja, das ist er«, pflichtete Brunetti ihm bei, während er sich den Kopf darüber zerbrach, wie um alles in der Welt Patta auf Alvise gekommen sein mochte. Was hatte ihn veranlasst, von allen Polizisten der Questura ausgerechnet Alvise für diese Aufgabe oder überhaupt irgendeine Aufgabe auszuwählen?

»Ist er Ihnen besonders empfohlen worden?«, fragte Brunetti mit aufrichtiger Neugier.

»Ja«, antwortete Patta. »Der Tenente – der bei diesem Projekt sein Führungsbeamter sein wird – hielt ihn für optimal geeignet.«

Brunetti war wie vor den Kopf geschlagen. Warum wollte Scarpa – denn von keinem anderen Tenente würde Patta in so familiärem Ton sprechen – eine Niete wie Alvise in seiner Projektgruppe haben? Allerdings wusste er ja noch gar nicht, worum es bei diesem Projekt ging und ob Scarpa nicht womöglich vorhatte, es in den Sand zu setzen. »Ist diese Spezialeinheit als europäisches Unternehmen geplant?«, fragte er.

»Selbstverständlich«, antwortete Patta. »Aber unsere Visionen gehen über Europas Grenzen hinaus: globale Ideen, globale Kooperationen. Es ist höchste Zeit, dass unsere verschlafene Stadt den Anschluss an die europäische Liga findet, meinen Sie nicht auch?«

»Zweifellos.« Brunetti setzte sein bestes Lächeln auf. Wie hieß es doch einmal so schön: der Damm zum Festland sei eine gute Sache, weil ohne ihn Europa abgeschnitten wäre. »Die Finanzierung wird demnach von der EU bestritten?«, fragte er.

»Aber sicher«, erwiderte Patta nicht ohne Stolz. »Das ist eine der Prämien, die ich von der Konferenz mitgebracht habe.« Beifallheischend sah er Brunetti an.

Diesmal war Brunettis Lächeln echt, ein Lächeln, wie es sich einstellt, wenn ein Problem gelöst ist. Europäisches Geld, Regierungszuschüsse, der Goldregen aus den Tresoren des großzügigen und erstaunlich desinteressierten Brüsseler Parlaments, die sorglose Freigebigkeit der Bürokraten.

»Wie ungemein klug«, lobte Brunetti den Schachzug des Tenente. »Und ich bin sicher, Alvise wird sich als idealer Kandidat erweisen.«

Pattas Lächeln wurde, wenn möglich, noch breiter. »Das werde ich dem Tenente ausrichten«, versprach er.

Brunettis Lächeln hätte nicht wohlwollender sein können, wäre es echt gewesen.

12

Signorina Elettra war völlig bestürzt, als sie von Alvises Ernennung hörte. Und als die Nachricht in den nächsten Tagen in der Questura die Runde machte, reagierten eigentlich alle so wie sie. Alvise als Leiter einer Spezialeinheit, Alvise als Leiter einer Spezialeinheit: Wer immer davon erfuhr, musste es ebenso zwanghaft wiederholen wie jener Knabe, dem als Erstem König Midas' Eselsohren aufgefallen waren. Doch eine Woche verging und dann noch eine, ohne dass Näheres über die geplante Spezialeinheit durchgesickert wäre. Trotzdem verfolgte die Belegschaft atemlos vor Spannung, wie Alvise zögerlich die ersten Sprossen der Karriereleiter erklomm.

Der Sergente wurde häufig zusammen mit Tenente Scarpa gesehen, und Kollegen hörten, wie er seinen Vorgesetzten duzte, eine Vertraulichkeit, die sonst keinem Mitglied der uniformierten Truppe gestattet und von deren Seite auch nicht erwünscht war. Der sonst so redselige Alvise war sehr zurückhaltend, was seine neuen Aufgaben anging; über Sinn oder Zweck der Spezialeinheit konnte oder wollte er nichts verlauten lassen. Er und Scarpa verbrachten viel Zeit im winzigen Büro des Tenente, wo man sie Akten wälzen sah, während Scarpa nicht selten gleichzeitig telefonierte. Zurückhaltung und Diskretion waren zwei Eigenschaften, die man Alvise von Haus aus nicht zugeschrieben hätte, und doch bestimmten sie alsbald sein Verhalten.

Allein, der Reiz des Neuen hielt nie lange an in der Questura, und so dauerte es auch diesmal nur ein paar Tage, bis kaum mehr jemand Alvises Tun und Treiben Beachtung schenkte. Brunetti indes litt Tantalusqualen bei dem Gedanken an die Gelder aus Brüssel. Da Scarpa das Projekt überwachte, würde er auch über die Verwendung der Subventionen entscheiden, und Brunetti hätte gar zu gern gewusst, in welche Kanäle der Geldsegen fließen sollte.

Berlin hatte bei Patta offenbar irgendeine verborgene Schleuse geöffnet; jedenfalls quoll plötzlich eine Flut von Memos, Mahnungen, Vermerken und Anregungen aus seinem Büro. Umgekehrt traten die von ihm angeforderten Statistiken über Verbrechensraten und Täterprofile ganz neue Protokolllawinen los, und da Patta ein Mann der alten Schule war, wurde nichts davon per Mail abgewickelt, sondern Berge von Papier wälzten sich treppauf und treppab, wanderten in die Büros der Questura hinein und wieder hinaus. Bis der Nachrichtenstrom auf einmal so plötzlich versiegte, wie er losgebrochen war, und alles wieder seinen gewohnten Gang ging. Einzig Alvise behielt den Sonderstatus als Kopf seiner Ein-Mann-Spezialeinheit.

Über alledem hatte Brunetti Padre Antonins Bitte völlig vergessen. Nicht einmal als er und Paola eines Abends bei ihren Eltern, die am nächsten Tag nach Palermo reisen wollten, zum Essen eingeladen waren, dachte er daran, sich bei der Contessa zu erkundigen, ob sie inzwischen etwas in Erfahrung gebracht habe. Und sie bot von sich aus auch keine Informationen an.

Am Morgen nach dem Essen bei den Faliers traf Brunetti um halb neun vor der Questura ein. Es war Donnerstag und der

Himmel verhangen. Noch bevor er das Gebäude betreten konnte, kam Vianello herausgestürmt, der sich im Laufen die Jacke überzog. »Was ist los?«, fragte Brunetti.

»Ich weiß nicht«, antwortete der Ispettore, packte ihn am Arm und schob ihn Richtung Kanal, wo Foa, der Bootsführer, an Deck einer Polizeibarkasse stand und die Leinen löste. Als er Brunetti sah, hob Foa die Hand an die Mütze, richtete aber das Wort an Vianello. »Wohin, Lorenzo?«

»Rauf zum Palazzo Benzon«, antwortete der Inspektor.

Der Bootsführer streckte die Hand aus und half den beiden an Bord, bevor er den Motor anwarf und die Barkasse in den Kanal hinauslenkte. Im Markusbecken steuerte er nach rechts, aber da waren Brunetti und Vianello schon vor dem Regen in die Kabine geflüchtet.

»Was ist los?«, wiederholte Brunetti mit gepresster Stimme. Vianellos spürbare Nervosität hatte ihn angesteckt.

»Jemand hat eine Leiche im Wasser gesehen.«

»Dort drüben?«

»Ja.«

»Was ist passiert?«

»Ich weiß es nicht. Die Meldung kam erst vor wenigen Minuten rein. Von einem Fahrgast der Linie 1. Sie hatten gerade von Sant'Angelo abgelegt. Der Mann stand draußen, und kurz vor dem Palazzo Volpi sah er bei der Ufertreppe etwas im Wasser treiben. Er sagt, es sah aus wie eine Leiche.«

»Und er hat uns alarmiert?«

»Nein, den Notruf. Aber die Carabinieri hatten kein Boot frei, also haben sie uns verständigt.«

»Gibt es sonst noch Zeugen?«

Vianello blickte aus dem Fenster auf seiner Seite. Der

Regen war noch heftiger geworden, und der Nordwind peitschte schwere Tropfen gegen die Scheiben. »Der Mann hat gesagt, er stand draußen.« Vianello sparte sich den Hinweis, dass sich bei dem Wetter die wenigsten an Deck aufhalten würden.

»Verstehe«, entgegnete Brunetti. »Und die Carabinieri?«

»Die schicken ein Boot, sobald sie eins frei haben.«

Plötzlich hielt es Brunetti nicht länger in der Kabine; er sprang auf, öffnete die Tür und stellte sich auf die unterste Treppenstufe, wo er immerhin noch teilweise vor dem Regen geschützt war. Sie fuhren am Palazzo Mocenigo vorbei, dann am Anleger Sant'Angelo und kamen endlich auf gleiche Höhe mit der Ufertreppe, die links vom Palazzo Benzon ins Wasser führte.

Bevor Brunetti ihn anweisen konnte, das Tempo zu drosseln, hatte Foa den Motor bereits abgestellt, und sie glitten lautlos auf die Stufen zu. Die Stille dauerte allerdings nur wenige Sekunden; dann warf Foa den Motor wieder an, setzte im Rückwärtsgang mit gebremster Fahrt zurück und brachte das Boot wenige Meter vor der Landungstreppe endgültig zum Stehen.

Der Bootsführer beugte sich über die Reling. Nach einer Weile hob er den Arm und deutete auf die Wasseroberfläche. Brunetti wagte sich, dicht gefolgt von Vianello, hinaus in den Regen. Sie traten neben Foa und folgten mit den Augen seinem ausgestreckten Arm.

Ein helles, zerzaustes Etwas trieb, algengleich, etwa einen Meter links von der Treppe im Wasser. Was immer es war – der Regen, der aufs Wasser prasselte, machte es unkenntlich.

Eine Plastiktüte? Zeitungsfetzen? Dann, nicht weit entfernt, noch etwas. Ein Fuß.

Er war ganz deutlich zu sehen: ein kleiner Fuß und, darüber, ein Knöchel.

»Bringen Sie mich zur Calle Traghetto«, wies Brunetti den Bootsführer an. »Ich versuche, von dort aus ranzukommen.«

Schweigend legte Foa vom Ufer ab und fuhr den Kanal entlang bis zur Landungstreppe am Ende der nächsten *calle*. Da gerade Ebbe war, ragten die beiden mit Algen bewachsenen Stufen zur Gasse hinauf aus dem Wasser. Brunetti hatte die Wahl: Entweder er versuchte, mit einem Sprung auf die vom Regen schlüpfrige Uferbefestigung zu hechten; oder er erklomm, auf Vianellos Arm gestützt, die algenbedeckten Tritte. Er entschied sich für Letzteres, erschrak aber heftig, als sein rechter Fuß gleich auf der ersten Stufe wegrutschte und gegen die Treppenwand prallte. Er taumelte nach vorn und wäre ohne Vianellos eisernen Griff im Wasser gelandet. Brunetti versuchte, sich mit der freien Hand abzustützen, doch auch sie glitt auf dem Algenbelag aus und schlug gegen die Treppenwand. Sobald er festen Boden unter den Füßen und den Regen auf seinem Rücken spürte, hielt er inne, bis das Zittern in seinen Knien nachließ.

Hinter ihm stieß ein Wellenschlag das Boot mit dumpfem Prall gegen die Uferbefestigung. Brunetti wandte sich nach Vianello um und half nun ihm beim Aussteigen. Ohne abzurutschen, erklomm der Ispettore die Stufen, und Brunetti stützte ihn, bis auch er sicher oben anlangte.

Sie gingen bis zur nächsten Ecke, bogen zweimal kurz hintereinander rechts ab und wandten sich wieder Richtung

Kanal. Als sie ans Wasser gelangten, waren die Schultern ihrer Jacken triefnass. Foa hielt sich mit dem Boot ein Stück weit vom Ufer entfernt in Bereitschaft.

Brunetti tastete sich an der Hausmauer entlang und spähte angestrengt ins Wasser. Das schemenhafte Bündel war noch da, trieb rechts von ihm etwa einen Meter neben der untersten Stufe. Von dort aus müsste es, wenn Vianello ihn sicherte, erreichbar sein.

Er löste sich von der Mauer, setzte vorsichtig einen Fuß ins Wasser und nahm die Treppe in Angriff; das Wasser reichte ihm bis zu den Knien. Plötzlich war Vianello neben ihm und hielt sein linkes Handgelenk umklammert. Brunetti beugte sich nach rechts, holte weit aus und haschte nach dem lichten Schatten im Wasser. Klatschend landete das rechte Vorderteil seiner Jacke im Wasser, während ihm das eisige Nass bis zu den Oberschenkeln reichte.

Seide! Es fühlte sich an wie Seide. Brunetti schlang seine Finger um die Strähnen und zog sachte daran. Er spürte keinen Widerstand und zog, während er sich aufrichtete, das Geflecht mühelos näher. Als es so dicht herangetrieben war, dass er eine Stufe höher steigen konnte, breiteten die Seidensträhnen sich aus und umschlossen sein Handgelenk. Ein Frachtkahn tuckerte Richtung Rialto vorbei, ohne dass der Mann am Steuer von den Männern am Ufer Notiz nahm. Brunetti gab Vianello ein Zeichen, woraufhin der ihn losließ und neben ihn ins Wasser watete. Ein vorsichtiger Ruck Brunettis genügte, und das Bündel kam noch näher. Nicht weit von der trudelnden Seide erblickten sie wieder den Fuß. Dann schwappte die Kielwelle des Obstkahns herüber, der Fuß drehte sich und trieb langsam auf Vianello zu.

»Himmel hilf!«, murmelte der Inspektor. Er trat auf die untere Treppenstufe, bückte sich, umschloss den Knöchel mit der Hand und zog sachte daran. Mit regennassem Gesicht sah er zu Brunetti auf und sagte: »Ich mach das schon.«

Brunetti ließ das Seidengespinst los, hielt sich aber dicht neben seinem Freund, um ihn festzuhalten, falls er auf dem glitschigen Algenteppich ausrutschte. Vianello beugte sich vor, schob beide Arme unter den Körper und hievte ihn aus dem Wasser. Ein langes Stück Stoff baumelte von den Beinen herab und wickelte sich um Vianellos Hose. Mit der Leiche auf den Armen stieg der Inspektor rückwärts die Treppe hinauf an Land. Er und seine Last trieften vor Nässe.

Ein paar Schritte vom Kanal entfernt ließ Vianello sich auf die Knie nieder und legte die Leiche vor sich auf dem Boden ab. Die lange Rockbahn schälte sich von seinen Beinen und glitt auf den Körper des Mädchens nieder. Ein Fuß steckte in einer billigen rosa Plastiksandale, der andere war bloß, aber ein paar helle Streifen auf der Haut zeigten an, wo die Riemchen sie vor der Sonne geschützt hatten. Die Jacke war bis zum Hals zugeknöpft, doch es gab nichts mehr, was sie hätte wärmen können.

Das Mädchen war klein und zierlich, mit blonden Haaren, die sich fächerförmig um ihren Kopf ausbreiteten. Brunetti blickte in ihr Gesicht, dann wieder auf die Füße und auf ihre Hände, bevor er sich endlich eingestand, dass sie noch ein Kind war.

Vianello erhob sich so schwerfällig wie ein alter Mann. Plötzlich vernahmen die beiden ein anschwellendes Geräusch, dann trat wieder Stille ein, und nur der Regen prasselte aufs Wasser. Sie blickten auf, und da war Foa mit ihrem

Boot, das nur eine Haaresbreite neben der Ufermauer schaukelte.

»Bestellen Sie Bocchese her«, rief Brunetti dem Bootsführer zu und wunderte sich, dass seine Stimme ganz normal klang. »Wir brauchen die Spurensicherung. Und einen Arzt.«

Foa winkte zum Zeichen, dass er verstanden habe, und griff nach seinem Funkgerät. »Vielleicht sollte er zurückfahren und sie abholen«, schlug Vianello vor. »Hier kann er ja doch nichts ausrichten.«

Noch während Brunetti dem Bootsführer auftrug, die Kriminaltechniker herzubringen, war klar, dass von ihnen beiden keiner mit zurückfahren würde. Sobald die Barkasse außer Sicht war, entfernten sie sich ein Stück weit von der kleinen Leiche und stellten sich in einem Hauseingang unter, behielten aber die *calle* im Auge, um jeden, der sich unbefugt nähern sollte, aufhalten zu können. Doch nur oben an der Ecke gingen hin und wieder Leute vorbei, die auf dem Weg zum oder vom Campo San Beneto waren, möglicherweise auf der Suche nach dem seit Ewigkeiten geschlossenen Fortuny-Museum. Der Regen schreckte die Touristen ab, die sonst gern vom Ende der *calle* aus einen Blick auf den Canal Grande warfen.

Obwohl Vianello nach etwa zwanzig Minuten heftig zu schlottern begann, lehnte er Brunettis Vorschlag, in der Calle della Mandola einen Kaffee trinken zu gehen, rundheraus ab. Seine Sturheit reizte Brunetti. »Dann hole ich eben einen«, entschied er schroff und zog ohne ein weiteres Wort ab. Der Regen machte ihm nichts mehr aus, ja das Glucksen in seinen Schuhen leistete ihm Gesellschaft, während er der breiteren Gasse zustrebte und die erste Bar am Weg betrat.

Der Barmann machte erst große Augen und dann eine Bemerkung über den Regen, aber Brunetti ging nicht darauf ein, sondern bestellte einen *caffè corretto* und einen zweiten zum Mitnehmen. Der Barmann brachte beide gleichzeitig, und Brunetti gab jeweils drei Stück Zucker hinein. Nachdem er seine Tasse hastig geleert und die Rechnung beglichen hatte, wandte er sich zum Gehen. Der Barmann rief ihm nach, er könne sich den braunen Schirm neben der Tür ausborgen und ihn bei Gelegenheit zurückbringen.

Dankbar für den Schirm kehrte Brunetti ans Wasser zurück. Wortlos reichte er Vianello den Kaffee. Der Inspektor pulte die Serviette vom Becher und stürzte das heiße Getränk wie Medizin hinunter. Er setzte zum Sprechen an, wurde aber von Motorengeräusch zu ihrer Linken unterbrochen.

Und dann kam auch schon die Polizeibarkasse ins Blickfeld: Foa stand am Ruder, und hinter den Fenstern der Kabine erkannten sie die Umrisse der übrigen Männer. Foa steuerte das Boot zur Calle Traghetto hinunter. Brunetti und Vianello erwarteten die Spurensicherung im Schutz des Hauseingangs, den sie erst verließen, als der erste Kriminaltechniker mit seinem schweren Metallkoffer um die Ecke bog. Ihm folgten Laborchef Bocchese und Dottor Rizzardi, der Gerichtsmediziner. Hinter ihnen kamen noch zwei Mitglieder der Tatortgruppe in weißen Einweganzügen, auch sie beladen mit den schweren Gerätschaften ihres harten Berufs. Alle Männer trugen hohe Gummistiefel.

Ehe Brunetti noch fragen konnte, wie sie es so schnell hierhergeschafft hatten, erklärte der Mediziner: »Bocchese hat mich zu Hause angerufen und sich erboten, mich an der

Salute abzuholen.« Damit ging er an Brunetti vorbei zu der am Boden liegenden Leiche. Rizzardis Schritt verlangsamte sich, als er sie erkennen konnte. »Ich hasse Kinder«, murmelte er. Eine Aussage, für die von den Übrigen keiner eine Übersetzung brauchte: Sie alle hassten es, wenn Kinder betroffen waren.

Brunetti bemerkte erst jetzt, dass außer ihm niemand einen Schirm trug. Es hatte aufgehört zu regnen, und vermutlich war es auch wärmer geworden, was er durch die feuchtkalten Kleider, die ihm am Leib klebten, allerdings nicht spürte. Doch Vianello neben ihm zitterte nicht mehr.

Als sie sich der Leiche näherten, sagte Brunetti: »Vianello hat sie da rausgezogen, aber sie ist vielleicht nicht hier ins Wasser gelangt.« Wenn doch, dann hätten er und Vianello mit ihrer Rutschpartie auf den glitschigen Stufen jegliche Spuren eines möglichen Tathergangs gründlich zerstört.

Bocchese, Rizzardi und einer der Kriminaltechniker knieten um die Leiche nieder, was bei Brunetti eine makabre Assoziation an die Weisen aus dem Morgenland auslöste und an die unzähligen Gemälde, auf denen er drei Männer vor einem anderen Kind hatte knien sehen. Er verscheuchte den Gedanken und trat neben Rizzardi.

»Zehn?«, fragte der Doktor, den Blick unverwandt auf das Gesicht des Mädchens gerichtet. Brunetti versuchte sich zu erinnern, wie Chiara als Zehnjährige ausgesehen hatte, wie klein sie gewesen war, aber sein Gedächtnis ließ ihn im Stich.

Die Augen des Mädchens waren geschlossen, dennoch sah sie keinesfalls wie eine Schlafende aus. Woher kam wohl dieser Mythos, dass die Toten aussähen, als ob sie schliefen? Nein, die Toten sahen tot aus: Um sie war eine Stille, die das

Leben nicht nachzuahmen vermochte. Schlechte Maler, sentimentale Literatur gaukelten einem Bilder von friedlich schlafenden Toten vor – eine Illusion, die keiner echten Leiche standhielt.

Rizzardi hob eine Hand des Mädchens und tastete nach dem Puls, eine absurde Formalität, die Brunetti gleichwohl seltsam berührte. Der Doktor vermerkte die Uhrzeit, bevor er die Hand des Mädchens wieder auf dem Pflaster ablegte und eins ihrer Augenlider hochzog. Brunetti sah eine grüne oder blaue Iris aufblitzen, die Rizzardi jedoch gleich wieder verdeckte. Mit beiden Händen presste er die Kiefer auseinander, spähte in die Mundhöhle und drückte dann mehrmals fest auf die Brust des Mädchens. Doch aus ihrem Mund sickerte kein Wasser, falls er das denn wirklich erwartet hatte.

Der Gerichtsmediziner hob eine Bahn des durchnässten Rocks hoch und schlug sie bis übers Knie zurück. Der Rest klebte unter ihrem Körper fest, und er rührte nicht daran. Als Nächstes streifte er die Pulloverbündchen zurück, doch ihre Gelenke wiesen keinerlei Male oder Narben auf. Rizzardi griff abermals nach der Hand des Mädchens; diesmal drehte er sie um und untersuchte die Innenfläche. Hier, wie auch an der anderen Handfläche, fand er Hautabschürfungen: mögliche Indizien dafür, dass das Mädchen über unebenen Grund geschleift worden war. Rizzardi beugte sich tiefer und nahm die Fingernägel in Augenschein, bevor er die Hände wieder auf dem Pflaster ablegte.

Stumm reichte Bocchese dem Doktor zwei durchsichtige Plastiktüten, die er über die Hände des Mädchens zog und zuband. »Habt ihr eine Vermisstenmeldung, ein Kind betreffend?«, erkundigte sich Rizzardi.

»Bis einschließlich gestern nicht, soviel ich weiß«, antwortete Brunetti. Fragend sah er Vianello an, doch der schüttelte nur den Kopf.

»Könnte ein Touristenkind sein«, spekulierte Rizzardi. »Aus dem Norden vielleicht – Haare und Augen sind jedenfalls ziemlich hell.«

Das traf auch auf Paola zu, dachte Brunetti, behielt es aber für sich.

Der Gerichtsmediziner richtete sich auf, und genau in dem Moment brach die Sonne durch die restlichen Wolken und erhellte die Szene: eine Gruppe von Männern, die eine Kinderleiche umstanden. Bocchese senkte den Blick zu Boden, und als er sah, dass sein Schatten auf dem Gesicht des Mädchens lag, wich er hastig zurück.

»Gesicherte Angaben kann ich erst nach der Obduktion machen«, erklärte Rizzardi, und Brunetti fiel auf, dass er diesmal auf seine üblichen Redewendungen wie »muss sie erst aufschneiden« oder »mal reinschauen« verzichtete.

Trotzdem konnte er sich die Frage nicht verkneifen: »Hast du schon irgendeine Vermutung, Ettore?«

Der Doktor schüttelte den Kopf. »Keine Anzeichen von Gewalteinwirkung, außer an den Händen.«

Vianello gab ein fragendes Geräusch von sich.

»Die Schrammen«, erläuterte Rizzardi. »Die könnten uns Aufschluss darüber geben, wo sie zu Tode kam.« Und an Bocchese gewandt setzte er hinzu: »Hoffentlich finden wir was, das Ihnen einen Anhaltspunkt liefert, Bocchese.«

Bocchese, der nie sonderlich gesprächig war, hatte seit seinem Eintreffen noch kein Wort gesagt. So direkt angesprochen, schien er wie aus einer Trance zu erwachen. Den Blick auf sein Team gerichtet, erkundigte er sich bei Brunetti: »Sind Sie so weit fertig?«

»Ja.«

Worauf Bocchese seine Leute anwies: »Also los, Jungs, dann macht eure Fotos.«

13

Man verliert keine Kinder«, sagte Paola am selben Abend vor dem Essen, nachdem er ihr berichtet hatte, was geschehen war. »Die Leute verlegen ihre Schlüssel oder Handys, sie verlieren ihre Brieftasche oder lassen sie sich klauen, aber seine Kinder verliert man nicht, schon gar nicht, wenn die erst zehn Jahre alt sind.« Paola hielt inne, während sie sich eine Zwiebel auf dem Schneidebrett zurechtlegte, und fuhr dann fort: »Ich kann mir das wirklich nicht vorstellen. Es sei denn, es hätte sich zugetragen wie bei dieser Episode im Lukas-Evangelium, wo Jesus mit seinen Eltern nach Jerusalem geht und er ihnen auf dem Heimweg abhandenkommt.«

Großer Gott, die Frau las einfach alles, was ihr in die Finger kam!

»Als sie ihn endlich wiederfanden«, sagte Paola, während sie der Zwiebel die Haut abzog und anfing, sie kleinzuhacken, »da war er in den Tempel zurückgekehrt und predigte den Schriftgelehrten.«

»Und du glaubst, so könnte es auch bei diesem kleinen Mädchen gewesen sein?«, fragte Brunetti.

»Aber nein!« Paola legte das Messer hin und sah ihn an. »Ich habe wohl einfach Angst, mir etwas anderes vorzustellen.«

»Wie dass sie womöglich ermordet wurde?«

Paola bückte sich und nahm eine große Pfanne aus dem Unterschrank. »Sei so gut, Guido, ich kann darüber nicht reden. Zumindest jetzt nicht.«

»Kann ich dir was helfen?«, fragte er und hoffte, sie würde nein sagen.

»Gib mir ein Glas Wein und dann geh und lies was«, sagte sie, und er folgte ihr aufs Wort.

Angestachelt von den heftigen Attacken seiner Frau gegen den angeblich so unsäglichen Schrott im zeitgenössischen Theater und Kino, hatte Brunetti vor einigen Monaten beschlossen, die griechischen Dramatiker wiederzulesen. Schließlich waren sie die Väter des Theaters gewesen, was sie vielleicht zu den Großvätern des Kinos machte, eine Nachkommenschaft, die Brunetti ihnen nur ungern anhängte.

Angefangen hatte er mit *Lysistrata* – was Paolas herzliche Zustimmung fand –, dann kam die *Orestie*, an der ihm zu schaffen machte, dass schon vor zweitausend Jahren offenbar niemand so recht wusste, was Gerechtigkeit bedeutet. Als Nächstes *Die Wolken*, in denen Sokrates so köstlich verulkt wurde, und jetzt war er bei den *Troerinnen* angelangt, wo, wie er wusste, kein Platz mehr für Späße war.

Sie hatten schon etwas auf dem Kasten, diese Griechen! Sie wussten, was Gnade bedeutet, auch wenn sie sich mit der Rache noch besser auskannten. Sie wussten, dass das Glück wie in einem Narrentanz davonspringt und wiederkehrt, nur um abermals zu entwischen. Und sie wussten, dass immerwährendes Glück niemandem vergönnt ist.

Das Buch sank auf seine Brust, und er starrte aus dem Fenster in die zunehmende Dunkelheit. Dem Bericht vom Tod des Astyanax fühlte er sich heute Abend nicht gewachsen. Brunetti schloss die Augen, und aus dem Dunkel hinter seinen Lidern tauchte das tote Mädchen auf, ja er glaubte, wieder ihre seidigen Haarsträhnen um sein Handgelenk zu spüren.

Mit mehr Getöse, als eine Tür beim Öffnen machen sollte, flog die Wohnungstür auf, und Chiara polterte herein. Für Brunetti war es ein Rätsel, wie ein so zartgliedriges Persönchen beständig solchen Krach veranstalten konnte. Dauernd prallte sie irgendwo dagegen, ließ Bücher fallen oder blätterte so geräuschvoll darin, dass sie es mit dem Lärmpegel einer Vespa hätte aufnehmen können, und schaffte es regelmäßig, mit dem Besteck schrill über den Teller zu kratzen.

Er hörte, wie sie vor der Tür zum Wohnzimmer innehielt, und rief: »*Ciao, angelo mio!*«

Ihre Hand patschte ein paarmal gegen die Wand, und dann ging das Licht in der Ecke an. »*Ciao, papà*«, sagte sie. »Versteckst du dich vor *mamma*?« Er sah sie in der Tür stehen, die kleinere Ausgabe ihrer Mutter, nur dass auf einmal der Unterschied kaum mehr ins Gewicht fiel. Wann war sie diese letzten paar Zentimeter gewachsen, und wieso hatte er das bisher nicht mitbekommen?

»Nein, ich sitze nur hier und lese«, antwortete er.

»Im Dunkeln?«, fragte sie. »Cleverer Trick!«

»Na ja«, räumte Brunetti ein, »zuerst habe ich gelesen, aber dann wollte ich ein bisschen nachdenken über das, was ich gelesen hatte.«

»So wie sie uns das in der Schule immer predigen?«, fragte sie unbefangen, während sie näher kam und sich neben ihm aufs Sofa plumpsen ließ.

»Das ist doch wohl eine Scheinfrage?«, mutmaßte Brunetti, während er sich hinüberbeugte und sie auf die Wange küsste.

Chiara brach in schallendes Gelächter aus. »Na klar! Wozu würde man denn überhaupt lesen, wenn man sich nicht auch

Gedanken macht über das, was man liest?« Sie lehnte sich zurück, legte die Füße neben seine auf den Tisch und wackelte damit hin und her. »Trotzdem beknien die Lehrer uns dauernd: ›Setzt euch auseinander mit dem, was ihr lest. Diese Bücher sollen euch als Vorbild dienen, sollen euer Leben bereichern.‹« Bei diesen letzten Sätzen hatte sich ihre Stimme gesenkt, und der venezianische Tonfall war einem so reinen Florentiner Akzent gewichen, dass selbst Dante seine Freude daran gehabt hätte.

»Ja, und?«, forschte Brunetti.

»Wenn du mir sagst, wie mein Mathebuch mein Leben bereichern kann, dann nehme ich ein für allemal die Füße vom Tisch. Versprochen!« Chiara kippte ihren linken Fuß nach außen und tippte ein paarmal gegen seinen rechten, wie um ihn daran zu erinnern, dass Paola keine Füße auf dem Tisch duldete.

»Deine Lehrer wollen das, glaube ich, in einem allgemeineren Sinn verstanden wissen«, begann Brunetti.

»Das sagst du immer, wenn du sie verteidigen willst.«

»Vor allem, wenn sie Unsinn verzapfen?«, fragte er.

»Ja. Meistens.«

»Und machen das viele?«, forschte er weiter.

Diesmal ließ Chiaras Antwort auf sich warten. »Nein, ich glaube nicht. Am schlimmsten ist wohl Professoressa Manfredi.« Das war Chiaras Geschichtslehrerin, deren Thesen schon für jede Menge Diskussionsstoff bei Tisch gesorgt hatten. »Aber alle wissen ja, dass sie zur Lega gehört und uns unbedingt dazu kriegen möchte, dass wir, sobald wir alt genug sind und wählen dürfen, für die Abspaltung Norditaliens stimmen und dafür, alle Ausländer rauszuwerfen.«

»Und hört von deinen Klassenkameraden irgendwer auf das, was sie sagt?«

»Nein, nicht mal die, deren Eltern tatsächlich die Lega wählen.« Chiara überlegte einen Moment und fuhr dann fort: »Piero Raffardi hat sie mal mit ihrem Mann in einem Laden gesehen, wo sie für ihn einen Anzug kaufen wollten. Er ist offenbar so ein mickriges Männchen mit Schnurrbart, und jedes Mal, wenn er was anprobierte, beklagte er sich über die horrenden Preise. Piero war in der Kabine gleich nebenan, und als er sah, wer der Mann und in wessen Begleitung er war, da beschloss er, in seiner Umkleide zu bleiben und die beiden zu belauschen.« Brunetti konnte sich gut vorstellen, welchen Spaß es einem Schüler machte, seine Lehrerin zu bespitzeln, besonders eine wie Professoressa Manfredi, ein Schreckgespenst für die meisten in Chiaras Klasse.

Sie wandte ihm den Kopf zu und fragte: »Du erklärst mir jetzt aber nicht, dass es unhöflich ist zu lauschen?«

»Das weißt du ohnehin«, entgegnete er ruhig. »Aber unter diesen Umständen konnte Piero wohl nicht widerstehen.«

Darauf folgte ein langes Schweigen, unterbrochen nur durch die Geräusche aus der Küche. »Wieso sagt ihr, du und *mamma*, uns eigentlich nie, was richtig ist und was falsch?«, fragte Chiara unvermittelt.

Ihr Ton verriet nicht, wie ernst die Frage gemeint war. »Ich glaube«, antwortete Brunetti nach einigem Zögern, »das tun wir schon, Chiara.«

»Nein, tut ihr nicht«, widersprach sie. »Und als ich *mamma* einmal direkt darauf angesprochen habe, da hat sie bloß dieses blöde *Bleak House* zitiert.« Mit einer Stimme, die der von Paola täuschend ähnlich klang, deklamierte sie: »›Weiß, dass ein Besen ein Besen ist, und weiß, dass es eine Sünde ist zu lügen.‹« Und wieder in ihre natürliche Stimmlage wechselnd, fragte sie: »Was soll das eigentlich bedeuten?«

Ob es das wohl noch ein zweites Mal gab oder je gegeben hatte? Eine Ehefrau, deren Moralkodex sich auf den englischen Roman stützte? Brunetti beschloss, seiner Tochter diese Frage zu ersparen, und sagte stattdessen: »Ich glaube, es bedeutet, man soll seine Arbeit, egal welche, ernst nehmen, und man soll nicht lügen.«

»Ja, schon, aber wie steht's mit: Du sollst nicht töten oder nicht begehren deines Nächsten Weib?«

Brunetti ließ sich tiefer in die Sofapolster sinken, während er die Frage überdachte. Nach einer Weile antwortete er: »Also eine Möglichkeit wäre, all das, die gesamten Zehn Gebote, als gesonderte Beispiele für die eine allgemeingültige Regel zu sehen.«

»Meinst du so was wie Dickens' Goldene Regel?«, fragte Chiara lachend.

»Nun ja, so könnte man's auch nennen«, räumte Brunetti ein. »Wer brav seiner Arbeit nachgeht, wird kaum seinem Nachbarn nach dem Leben trachten. Und in deinem Fall besteht wohl nicht die Gefahr, dass du viel Lebenszeit darauf verschwenden wirst, deines Nächsten Weib zu begehren.«

»Ach, *papà*, kannst du denn nie ernst sein?«, klagte sie.

»Nicht mit hungrigem Magen!«, erwiderte Brunetti und erhob sich.

14

Am nächsten Morgen las Brunetti als Erstes im Büro die Zeitungsberichte über die Auffindung der Mädchenleiche. Beim *Gazzettino* hatte es zeitlich nicht mehr für die Titelseite gereicht, doch dafür beschwor der Aufmacher des Lokalteils in schreiend roten Lettern »Ein Rätsel«. In dem Artikel war der Zeitpunkt des Leichenfundes nicht richtig angegeben, Brunettis Name falsch geschrieben, und das Foto von der Landungstreppe stimmte auch nicht. Beim Alter des Mädchens war von einer Fünfjährigen die Rede, während die überregionalen Zeitungen wahlweise von zwölf und neun Jahren sprachen. Die Obduktion sollte angeblich noch an diesem Tag stattfinden, und die Polizei bat die Bevölkerung um Hinweise auf die Identität eines Kindes mit dunklen Haaren und Augen.

Das Telefon klingelte, und Brunetti meldete sich mit Namen.

»Ah, Guido«, hörte er seine Schwiegermutter sagen. »Seit wir aus den Besetzten Gebieten zurück sind, hatte ich vor, dich anzurufen! Aber hier war so viel zu tun, und dann kamen Chiara und Raffi zum Essen, und ich hatte so viel Spaß mit ihnen, dass es mir glatt entfallen ist. Dabei hätte der Besuch der Kinder mich ja wahrhaftig an dich erinnern sollen, nicht wahr?«

»Ich dachte, ihr wart in Palermo.« Ungeachtet dieser prosaischen Antwort war Brunetti zunächst einmal froh, dass die Contessa offenbar die Zeitungen noch nicht gelesen hatte. Im Übrigen war es ihm ein Rätsel, wie Paolas Eltern in der kurzen Zeit seit ihrer Rückkehr aus Sizilien gleich noch eine Reise eingeschoben hatten.

Das Lachen der Contessa klang melodisch, heller als ihre Sprechstimme und sehr anmutig. »Oh, tut mir leid, Guido, ich wollte dich nicht verwirren! Aber weißt du, Orazio hat sich angewöhnt, Sizilien und Kalabrien die ›Besetzten Gebiete‹ zu nennen. Da beide in der Hand der Mafia sind und die Regierung sich dort absolut nicht durchsetzen kann, hält er das für die korrekte Bezeichnung.« Die Contessa hielt einen Moment inne, bevor sie ergänzte: »Und bei Lichte besehen, liegt er damit ja auch nicht ganz falsch, oder?«

»Gilt dieser Name nur für den Hausgebrauch, oder verwendet er ihn auch in der Öffentlichkeit?«, fragte Brunetti, der sich kein Urteil darüber erlauben wollte, wie treffend die Formulierung seines Schwiegervaters war. Wie er es überhaupt vermied, sich zur politischen Haltung des Conte zu äußern.

»Oh, das kann ich dir nicht sagen, dazu bin ich bei Orazios öffentlichen Auftritten viel zu selten dabei. Aber du weißt ja, wie diskret er ist. Gut möglich also, dass er diese Bezeichnung nur mir gegenüber gebraucht. Allerdings«, setzte sie in gedämpftem Ton hinzu, »kennst du sie jetzt auch. Vielleicht wäre es klug, Orazio entscheiden zu lassen, wie weit er sie publik machen möchte?«

So liebenswürdig hatte noch niemand Brunetti zur Diskretion verpflichtet. »Selbstverständlich«, bekräftigte er. »Aber was war eigentlich der Grund deines Anrufs?«

»Dieser religiöse Prediger«, antwortete die Contessa.

»Leonardo Mutti?«

»Ja«, bestätigte sie und überraschte ihn dann mit dem Zusatz: »Und außerdem noch ein gewisser Antonin Scallon.«

Brunetti war überzeugt, dass er bei seinem ersten Gespräch mit der Contessa Antonins Namen mit keiner Silbe erwähnt, sondern lediglich von einem alten Freund seines Bruders gesprochen hatte. Wenn ein Name gefallen war, dann nur der von Bruder Leonardo.

»Ja?«, erkundigte sich Brunetti. »Und was hast du herausgefunden?« Die Frage, wie die Contessa von seinem Interesse an Padre Antonin erfahren habe, stellte er erst einmal zurück.

»Zufällig hat sich eine Freundin von mir ebenfalls von Bruder Leonardos Lehren beeinflussen lassen. Oder man könnte auch sagen, sie ist ihm ins Netz gegangen.« Wieder enthielt sich Brunetti jeden Kommentars.

»Und über die ... nun, nennen wir es Schwärmerei meiner Freundin für Bruder Leonardo ist dieser Padre Antonin auf sie aufmerksam geworden.« Bevor Brunetti nachhaken konnte, erläuterte die Contessa: »Der Padre ist ein Freund ihrer Familie. Während seiner Zeit in Afrika hat er ihnen jede Weihnachten diese grässlichen Rundbriefe geschickt. Und sie haben ihm vermutlich Geld zukommen lassen, auch wenn ich das nicht mit Bestimmtheit sagen kann. Jedenfalls habe ich mich bei meiner Freundin nach Bruder Leonardo erkundigt, und da hat sie mir erzählt, wie überrascht sie war, als Padre Antonin sie auf ihn ansprach.«

»Und was hat er gesagt?«

»Nichts Konkretes«, entgegnete die Contessa. »Aber sie hatte den Eindruck, dass er sie davor warnen wollte, sich zu sehr auf Bruder Leonardo einzulassen, diese Mahnung aber gleichzeitig um jeden Preis zu verschleiern suchte.«

»Wird sie auf ihn hören?«, fragte Brunetti.

»Natürlich nicht, Guido! Du solltest inzwischen wissen, dass es sinnlos ist, den Leuten, wenn sie einmal in meinem Alter sind, ihre – nun ja – Passionen ausreden zu wollen.«

Dass sie diese Halsstarrigkeit so großmütig auf Menschen ihres Alters beschränkte, ließ ihn schmunzeln. »Weißt du, ob er irgendetwas Konkretes über Bruder Leonardo hat verlauten lassen?«

Wieder lachte die Contessa. »Nichts, was die Grenzen klerikaler Eintracht überschritten und gegen den guten Geschmack verstoßen hätte. Oder gegen Orazios Devise, sich nicht abfällig über einen Kollegen zu äußern.«

In ernsterem Ton fuhr sie fort: »Damit du dir nicht länger den Kopf darüber zerbrechen musst, woher ich weiß, dass du dich für Padre Antonin interessierst, Guido, will ich's dir verraten: Paola hat mir erzählt, dass er auf der Beerdigung deiner Mutter war und dich später aufgesucht hat.«

Worauf Brunetti schlicht danke sagte und dann die Frage anschloss: »Wie äußert sich denn deine Freundin über Mutti?«

Die Contessa schwieg einen Moment, bevor sie antwortete: »Sie hat vor zwei Jahren einen Enkelsohn verloren und braucht so viel Trost, wie sie nur irgend finden kann. Wenn also dieser Bruder Leonardo mit seinen Predigten ihren Kummer lindert, kann ich das nur gutheißen.«

»War auch von Geld die Rede?«

»Du meinst seitens Bruder Leonardo? Meiner Freundin gegenüber?«

»Ja.«

»Sie hat nichts dergleichen erwähnt. Und ich kann sie auf keinen Fall danach fragen.«

Brunetti, der sowohl den Vorwurf wie auch die Warnung aus ihrem Ton heraushörte, sagte bloß: »Wenn dir sonst noch was zu Ohren kommt…«

»Sicher«, unterbrach sie ihn, bevor er seine Bitte zu Ende bringen konnte. »Und du grüße bitte Paola und die Kinder von mir, ja?«

»Versprochen«, antwortete er, und dann hatte die Contessa auch schon aufgelegt.

Nachdem er Antonins Auftrag schon abgehakt hatte, wurde Brunetti durch dieses Telefonat wieder an ihn und seine Bitte erinnert. Er hatte in der Vergangenheit mit vermeintlich uneigennützigen Zeugen mehr schlechte als gute Erfahrungen gemacht, erst recht dann, wenn Geld im Spiel war. In diesem Fall wusste er nur von der einen Geldspende, die Bruder Leonardo von Patrizias Sohn empfangen sollte. Brunetti trat ans Fenster und betrachtete nachdenklich die Fassade von San Lorenzo: Es fiel ihm schwer zu glauben, dass Antonin aufrichtig um das Wohlergehen dieses jungen Mannes besorgt war. Um ehrlich zu sein, hatte er Mühe, Antonin aufrichtige Besorgnis für irgendjemanden außer ihm selbst zuzubilligen.

Er erinnerte sich an das, was die Contessa gesagt hatte: Es sei schwer, Leuten ihres Alters ihre – wie hatte sie es doch gleich genannt? – ihre Passionen auszureden. Brunetti tauschte Passionen gegen Vorurteile, richtete den so geänderten Satz gegen sich selbst und sah, wie recht sie hatte.

Unvermittelt fiel ihm wieder ein, dass er unter seinen Freunden in der Stadt nicht einen praktizierenden Christen hatte finden können. Kurz entschlossen ging er nach unten, um Signorina Elettra zu fragen, ob sie ihm vielleicht mit jemandem aus ihrem Bekanntenkreis weiterhelfen könne.

»Einen Christen?«, wiederholte sie verblüfft. Sie hatte die Zeitungsberichte über das tote kleine Mädchen nicht erwähnt, und Brunetti war froh, nicht mit ihr darüber sprechen zu müssen.

»Ja. Also jemanden, der gläubig ist und zur Messe geht.«

Vielleicht um ihre Gedanken zu sammeln, ließ sie den Blick erst einmal zu der Blumenvase auf dem Fensterbrett schweifen. Dann wandte sie sich ihm wieder zu: »Darf ich fragen, wozu Sie so jemanden brauchen?«

»Ich möchte Informationen über einen Geistlichen einholen.« Als Signorina Elettra darauf nur mit Schweigen reagierte, ergänzte er: »Eine Privatangelegenheit.«

»Aha!«, hauchte sie.

»Soll heißen?«, erkundigte er sich lächelnd.

Sie antwortete erst auf das Lächeln, dann auf seine Frage. »Es heißt, dass ich nicht weiß, ob Gläubige die richtigen Ansprechpartner sind, wenn Sie etwas über die Geistlichkeit erfahren wollen. Jedenfalls sofern es Ihnen um die Wahrheit zu tun ist.«

»Haben Sie jemanden im Auge?«, fragte Brunetti.

Sie stützte das Kinn in die Hand und zog die Lippen ein, wie immer, wenn sie angestrengt nachdachte. Als sie wieder aufblickte, spielte ein zuckersüßes Lächeln um ihren Mund. »Sogar zwei«, erklärte sie triumphierend. »Von denen einer durchaus keine Sympathien für den Klerus hegt.« Bevor

Brunetti sich dazu äußern konnte, fuhr sie fort: »Der andere vertritt einen versöhnlicheren Standpunkt. Was sicher daran liegt, dass er über weniger erschöpfende Informationen verfügt.«

»Darf ich fragen, um wen es sich dabei handelt?«

»Um einen praktizierenden und einen ehemaligen Priester.«

»Und wer vertritt welche Meinung?«, forschte Brunetti weiter.

Sie richtete sich in ihrem Sessel auf, als wolle sie die Frage aus seiner Perspektive betrachten. Dann sagte sie: »Die weniger spannende Konstellation wäre wohl die mit dem Expriester in der kritischen Rolle, oder?«

»Sie entspräche sicher den gängigen Erwartungen«, bestätigte Brunetti.

Signorina Elettra nickte. »Und doch sieht die Wahrheit anders aus: Es ist nämlich der noch amtierende Priester, der eine … nun ja, eher gegnerische Haltung zu seinen Kollegen einnimmt.« Zerstreut zog sie den Ärmel ihres Blazers über die Armbanduhr. »Ja«, erklärte sie dann sehr bestimmt, »ich glaube, er könnte die nützlicheren Informationen liefern.«

»Und welche Art Informationen wären das?«

»Er hat Zugang zu den Akten der Kurie, sowohl hier wie in Rom. Die entsprechen unseren Personalakten, nur dass wir uns weniger um das Privatleben unserer Mitarbeiter kümmern, als es dort offenbar üblich ist.« Erläuternd setzte sie hinzu: »Das schließe ich zumindest aus dem, was er verlauten lässt. Ich selbst hatte noch keinen Einblick in die Akten.«

»Aber er hat Ihnen gesagt, was drin steht?«

»Einiges davon. Doch immer ohne Namensnennung.« Und mit einem schelmischen Lächeln fuhr sie fort: »Er erwähnt stets nur die Titel, und zwar sowohl die der Beschuldigten wie auch die der Kläger: Kardinal, Bischof, Monsignore, Messdiener.«

Jetzt konnte Brunetti nicht länger an sich halten. »Darf ich fragen, warum Sie sich für diese Akten interessieren, Signorina?« Er war sich nie sicher, wie weit ihre Neugier reichte oder worauf sie abzielte.

»Es ist wie mit den Stasiakten«, lautete ihre verblüffende Antwort. »Seit dem Fall der Mauer hören wir immer wieder von Privatpersonen, die ihre Akten angefordert und nachgelesen haben, wer sie zu DDR-Zeiten bespitzelt oder angeschwärzt hat. Und ab und zu wurde der Name eines ehemaligen IM publik gemacht, zumindest so lange, wie die Öffentlichkeit sich noch dafür interessierte.«

Der Blick, mit dem sie zu ihm aufsah, signalisierte, dass dies als Erklärung genügen sollte. Doch als er den Kopf schüttelte, fuhr sie fort: »An dem, was in den Akten der Kurie über das Privatleben der Geistlichen steht, interessiert mich nicht, was die armen Teufel treiben, sondern nur, wer sie denunziert hat. Das finde ich viel aufschlussreicher.«

»Bestimmt ist es das auch«, bekräftigte Brunetti, eingedenk einiger brisanter Details, von denen er wusste, dass sie in diesen Akten vergraben waren, und der mutmaßlichen Informanten, denen man sie verdankte.

Sosehr es Brunetti auch gereizt hätte, das Thema weiterzuverfolgen, gab er doch seinem ursprünglichen Anliegen den Vorrang. »Ich bräuchte Auskünfte über zwei Männer«, sagte er. »Der eine heißt Leonardo Mutti und kommt angeblich aus Umbrien. Dem Vernehmen nach ein Priester, aber ob das stimmt, weiß ich nicht. Er wohnt jedenfalls derzeit hier in der Stadt und leitet eine Art Sekte, genannt *Die Kinder Jesu Christi.*«

Den Namen hatte Brunetti mit spöttischem Unterton vorgetragen. Signorina Elettra notierte ihn trotzdem.

»Der zweite Mann heißt Antonin Scallon, ein Venezianer, der als Kaplan im Ospedale Civile arbeitet und bei den Dominikanern in SS. Giovanni e Paolo wohnt. Zuvor war er gut zwanzig Jahre als Missionar im Kongo.«

»Möchten Sie irgendetwas Spezielles über einen der beiden wissen?« Signorina Elettra sah fragend zu ihm auf.

»Nein, mich interessiert alles, was wissenswert sein könnte.«

»Verstehe«, entgegnete sie. »Wenn einer von beiden Priester ist, dann gibt es auch eine Akte über ihn.«

»Und was ist mit dem anderen? Falls der kein Geistlicher ist?«

»Wenn er einer Organisation mit so einem Namen vorsteht«, versetzte sie und tippte mit einem rotlackierten Fingernagel auf ihre Notizen, »dann sollte er leicht zu finden sein.«

»Wären Sie bereit, Ihren Freund um Auskunft zu bitten?«

»Aber mit Vergnügen!«, antwortete sie.

Brunetti schwirrten jede Menge Fragen durch den Kopf, doch er gab sich alle Mühe, sie zu verscheuchen. Er würde die Signorina nicht fragen, wer dieser Informant war. Oder was sie womöglich schon über andere Priester der Stadt herausgefunden, geschweige denn, womit sie sich für diese Auskünfte revanchiert hatte. Um nicht wankelmütig zu werden, schob er rasch eine andere Frage vor: »Kann Ihr Freund die Akten aller Rangstufen einsehen – der Priester, Bischöfe, Erzbischöfe?«

Signorina Elettras Antwort ließ einen Moment auf sich warten. »Eigentlich bräuchte man für die Prälaten einen höheren Zugangscode.«

»Eigentlich?«, wiederholte er.

»Ganz recht.«

Brunetti kämpfte die Versuchung nieder und meinte nur: »Sie fragen ihn also?«

»Nichts leichter als das«, antwortete sie, schwenkte ihren Stuhl herum und tippte etwas in ihre Tastatur.

»Was machen Sie da?«, wollte Brunetti wissen.

»Ich schicke ihm eine Mail«, erwiderte sie, hörbar verwundert über seine Frage.

»Ist das denn nicht riskant?«

Im ersten Moment verstand sie nicht, was er meinte, doch dann dämmerte es ihr. »Ach, Sie meinen wegen der Sicherheitsvorkehrungen?«

»Ja.«

»Wir gehen immer davon aus, dass unsere Mails irgendwo gespeichert werden«, sagte sie gelassen und tippte noch ein paar Tasten an.

»Was teilen Sie ihm denn nun mit?«

»Dass er mich treffen soll.«

»Einfach so?«

»Ja, sicher«, antwortete sie lächelnd.

»Und niemand schöpft Verdacht? Sie schicken einem Priester eine Mail und bitten ihn um ein Treffen, und wer immer Ihre Nachrichten angeblich aufzeichnet, wird da nicht misstrauisch? Wenn die Mail noch dazu von der Questura kommt?«

»Aber nein, Commissario!«, versicherte sie entschieden. »Außerdem benutze ich natürlich eins meiner privaten Mail-Konten.« Ihr Lächeln wurde breiter, woraus er schloss, dass das noch nicht alles war. »Und mein Wunsch, ihn zu treffen, ist völlig unverdächtig. Er ist nämlich mein Beichtvater.«

15

Brunetti hätte sich über Signorina Elettras Verhältnis zur Geistlichkeit amüsiert, wäre da nicht die Erinnerung an das tote Mädchen gewesen. Was ihn vor allem belastete, war der Gedanke an die dem Kind geraubten Jahre und Jahrzehnte. Wann immer ein junges Leben mutwillig ausgelöscht wurde – sei es durch ein Verbrechen oder einen der vielen nutzlosen Kriege –, zählte er die gestohlenen Jahre. Bei einer natürlichen Lebenserwartung von siebzig gingen zu Lasten seiner eigenen Regierung Jahrhunderte, aufs Konto anderer Staaten gar Jahrtausende der Freude und des Glücks, um die Kinder und Heranwachsende schmählich betrogen worden waren. Selbst wenn das Leben ihnen Kummer und Leid beschert hätte, wäre es immerhin noch ein Leben gewesen und nicht die Leere, die Brunetti nach dem Tod gähnen sah.

Während er oben in seinem Büro auf den Obduktionsbericht wartete, nahm er sich noch einmal die drei Morgenzeitungen vor. Doch als er von der letzten Seite des dritten Blattes aufsah, wusste er schon nicht mehr, was er gelesen hatte, sondern dachte nur immerzu an die sechzig geraubten Lebensjahre des Mädchens, das Vianello aus dem Wasser gezogen hatte.

Brunetti faltete die letzte Zeitung zusammen und legte sie zu den übrigen. Mit einer Fingerspitze schnippte er ein paar Staubflocken zur Tischkante, von wo sie unsichtbar zu Boden schwebten. Vielleicht war das Mädchen ja unglücklich gestolpert, gestürzt und, da es nicht schwimmen konnte, im

Kanal ertrunken? Aber selbst dann bliebe Paolas Einwand bestehen: Ein Kind ging nicht einfach verloren. Das hier war schließlich keine Gesellschaftskomödie um einen Säugling in einer Reisetasche, der bei der Gepäckaufbewahrung am Victoria-Bahnhof deponiert und nicht wieder abgeholt wurde. Hier handelte es sich um ein zehnjähriges Mädchen, das seit Tagen verschwunden war, ohne dass jemand es vermisste.

Das Telefon klingelte.

»Ich dachte, ich geb dir schon mal vorab Bescheid«, sagte Rizzardi, als Brunetti sich gemeldet hatte. »Damit du nicht auf den schriftlichen Bericht zu warten brauchst.«

»Danke«, erwiderte Brunetti. Und dann brach es aus ihm heraus: »Sie will mir einfach nicht aus dem Kopf.«

Aus dem beipflichtenden Grummeln des Pathologen war nicht zu erkennen, wie ihm selber zumute war.

Brunetti legte sich ein Blatt Papier bereit.

»Alter bleibt wie geschätzt: zehn oder elf«, begann Rizzardi, hielt dann inne und räusperte sich. »Todesursache Ertrinken. Sie hat etwa acht Stunden im Wasser gelegen.« Demnach, überschlug Brunetti, musste sie ungefähr um Mitternacht in den Kanal gefallen sein.

»Vielleicht auch länger«, fuhr Rizzardi fort. »Wasser- und Lufttemperatur sind nicht identisch, was die Bestimmung des Todeszeitpunkts erschwert. Ich habe einen meiner Männer losgeschickt, um die Wassertemperatur zu messen. Wenn das Ergebnis vorliegt, kann ich den Todeszeitpunkt vielleicht präziser eingrenzen.« Und nach einer weiteren Pause: »Diese technischen Details interessieren dich eigentlich nicht, Guido, oder?«

»Nein, nicht wirklich.«

»Dann sagen wir vorläufig gegen Mitternacht«, konstatierte Rizzardi. »Plus minus eine Stunde. Genauer kann ich mich gegenwärtig nicht festlegen.«

»Schon gut.« In jeder Äußerung Rizzardis schwang ein Zaudern mit, und Brunetti war vor allem gespannt darauf, was sich dahinter verbarg. Er hätte nachfragen, den Pathologen aus der Reserve locken können, aber sein Gefühl sagte ihm, es sei besser, Rizzardi seinen eigenen Weg finden und ihn von sich aus auf den Punkt kommen zu lassen, der ihm offenbar so zu schaffen machte.

»Es gibt Spuren«, begann der Pathologe und hielt dann wieder inne, um sich zu räuspern. »Spuren, die eindeutig auf Geschlechtsverkehr hinweisen.«

Das kam so unerwartet, dass es Brunetti die Sprache verschlug. Er wusste nicht, was es zu bedeuten hatte, oder wusste natürlich schon, was es zu bedeuten hatte, aber nicht wie und was er fragen sollte.

»Keinerlei Anzeichen für eine Vergewaltigung, zumindest nicht in jüngster Zeit. Ich weiß nicht, wie ich's dir sagen soll. Das Kind hatte – ähem – Sex, was allerdings definitiv nichts mit ihrem Tod zu tun hat. Der zeitliche Abstand ist zu groß.«

Brunetti klammerte sich an den erstbesten Strohhalm, der sich ihm bot. »Könnte sie älter sein?«

»Ja schon, aber sicher nicht viel mehr als ein Jahr.«

»Aha«, stammelte Brunetti und wartete darauf, dass der Pathologe fortfahren würde. Als dies nicht geschah, fragte er: »Und weiter?«

»Die Schrammen an ihren Handflächen. Dort sowie unter ihren Fingernägeln haben wir ein rötliches Material sichergestellt. Zwei Nägel waren abgebrochen, einer davon fast ausgerissen. Und am linken Fuß weist die Unterseite der Zehen ebenfalls starke Abschürfungen auf.«

»Was ist mit den Knien?« Brunetti versuchte, sich den kleinen Körper zu vergegenwärtigen. Ein Knie war entblößt gewesen; das andere hatte der triefnass an Rumpf und Gliedern klebende Rock verdeckt.

»Eins ist voller Schrammen. In denen wir ebenfalls rötliches, feinkörniges Material mit ein paar größeren Splittern dazwischen sichergestellt haben.«

»Und das andere?«

»Wurde offenbar vom Rock geschützt. Wir haben da vorn eine Stelle gefunden, wo der Stoff wie abgerieben ist.«

»Sonst noch was?«, fragte Brunetti.

»Ja«, antwortete Rizzardi und räusperte sich zum dritten Mal, ehe er fortfuhr. »In einer Tasche, die in ihr Höschen eingenäht war, habe ich eine Uhr gefunden.« Dergleichen war Brunetti zwar schon zu Ohren gekommen, trotzdem hatte er, als sie die Leiche bargen, nicht daran gedacht, unter den klatschnassen Stoffbahnen nach irgendwelchen Beutestücken zu suchen. Einen Moment lang blieb es still in der Leitung, dann sagte der Pathologe: »Und in ihrer Vagina war ein Ring versteckt.«

Auch davon hatte Brunetti schon gehört, es aber stets in die Gerüchteküche verwiesen.

»Sieht aus wie ein Trauring«, fuhr der Pathologe in sachlichem Ton fort. Brunetti äußerte sich nicht dazu, und Rizzardi ergänzte: »Aus Gold. Wie die Uhr, eine Taschenuhr.«

Es entstand eine lange Pause, während der Brunetti seine bisherigen Annahmen korrigierte. Das blonde Haar und die hellen Augen des Mädchens hatten ihn blind gemacht für den langen Rock und die Hautfarbe, die selbst unter dem Riemchen ihrer Sandale auffallend dunkel gewesen war.

»Zigeunerin?«, fragte er den Mediziner.

»Wir nennen sie jetzt Roma, Guido«, antwortete Rizzardi.

Brunetti hätte am liebsten aufbegehrt: Wie man sie nennt, ist doch egal, verdammt, aber es darf sie keiner ungestraft ins Wasser stoßen. »Was ist mit dem Ring und der Uhr?«, fragte er mühsam beherrscht.

»In dem Ring sind Initialen und ein Datum eingraviert. Die Uhr wirkt antik. So eine mit Sprungdeckel.«

»Ist da vielleicht auch etwas eingraviert?«

»Ich hab den Deckel nicht geöffnet, nur die beiden Fundstücke sichergestellt und eingetütet. So will es die Vorschrift, Guido.«

»Ich weiß, ich weiß. Entschuldige, Ettore.« Brunetti wartete, bis sein Zorn abgeklungen war, und fragte dann: »Wie kam es deiner Meinung nach zu den Verletzungen an ihren Händen?«

»Spekulationen gehören nicht in meinen Aufgabenbereich. Wie du sehr wohl weißt.«

»Was meinst du, wie sie sich die Verletzungen an den Händen zugezogen hat?«, wiederholte Brunetti ungerührt.

Diesmal erfolgte Rizzardis Antwort so prompt, als hätte er sie sich vorab zurechtgelegt. »Die Spurenlage deutet darauf hin, dass sie an irgendwelchen Ziegeln – wahrscheinlich Terrakotta – abgerutscht ist. Und zwar über eine ziemliche Distanz, denn ihre Jacke ist vorn völlig durchgescheuert. Zwei Knöpfe fehlen. Die blanke Stelle vorn an ihrem Rock habe ich ja schon erwähnt.«

»Demnach ist sie auf dem Bauch gerutscht?«

»Sieht ganz so aus. Angenommen, sie fiel von einem Dach, dann wäre es nur natürlich, dass sie versucht hätte, sich an den Ziegeln festzuklammern. Dabei könnte sie sich die Handflächen aufgeschürft und die Nägel eingerissen haben.«

Wieder wartete Brunetti. Wenn es nach ihm gegangen wäre, hätte Rizzardi noch endlos Indizien dafür benennen können, dass das Mädchen von einem Dach oder einer Terrasse gefallen war. Ihm war jeder Aufschub recht, solange er sich nur nicht mit jenen anderen Spuren zu befassen brauchte.

»Und wie, glaubst du, kam es zu dem Sturz?«

»Auch aus solchen Gedankenspielen habe ich mich rauszuhalten, Guido«, wandte Rizzardi ein.

»Ich weiß. Sag's mir trotzdem.«

Brunetti fürchtete schon, er sei zu weit gegangen und Rizzardi würde einfach auflegen. Doch dann sagte der Doktor: »Sie könnte – aber das ist nur eine Vermutung – irgendwo eingedrungen und dabei überrascht worden sein. Auf frischer Tat ertappt, versuchte sie zu fliehen, aber jemand, zum Beispiel ein Mann, der ihr kräftemäßig überlegen war, versperrte den Ausgang. So dass ihr zur Flucht nur ein Fenster oder eine Terrassentür blieb.«

Brunetti hörte aufmerksam zu und rekonstruierte dabei seinerseits den möglichen Tathergang. Eine unbewachte Haustür war für vagabundierende Diebesbanden ein gefundenes Fressen. Da die sogenannten Klaukids noch nicht strafmündig waren, konnte ihnen nichts passieren. Wenn sie festgenommen wurden, musste man sie alsbald wieder der Obhut ihrer Eltern unterstellen oder denen, die sich anhand irgendwelcher Papiere dafür ausgaben. Und dann gingen die Kinder im Handumdrehen wieder ihrer »Arbeit« nach.

Das klassische Einbruchswerkzeug war der Schraubenzieher, und wer konnte schon ein Kind belangen, nur weil es mit einem Schraubenzieher in der Tasche herumlief? Die kleinen Diebe spähten die Wohnungen aus, deren Fensterläden seit längerem geschlossen waren oder in denen abends kein Licht brannte. Abgesehen von einer *porta blindata* war so gut wie keine Tür vor ihnen sicher, und wenn sie sich einmal Zutritt verschafft hatten, hinderte sie nichts daran, sich frei zu bedienen, obwohl sie in der Regel nur Bargeld und Schmuck mitgehen ließen. Trauringe und Uhren.

Während Brunetti sich all dies ins Gedächtnis rief, plante er gleichzeitig schon seine nächsten Schritte: In den Akten nachsehen, ob ein Kind, auf das ihre Beschreibung passte, schon einmal festgenommen worden war; ihr Foto in der Questura und bei den Carabinieri herumzeigen; Foa die Gezeitenkarten checken lassen, um herauszufinden, wo das Mädchen acht bis zehn Stunden, bevor es geborgen wurde, ins Wasser gefallen war. Nachforschungen darüber, ob jemand in der Nacht, in der sie zu Tode kam, einen Einbruch gemeldet hatte, konnte er sich wohl sparen: Die meisten Leute brachten einen Diebstahl ohnehin nicht mehr zur Anzeige, und falls tatsächlich jemand das Mädchen überrascht und gesehen hatte, wie sie ins Wasser fiel, dann würde er das der Polizei bestimmt nicht freiwillig mitteilen. Also galt es zunächst, den Besitzer des Rings und der Uhr ausfindig zu machen.

Rizzardi war inzwischen verstummt, ohne dass Brunetti es bemerkt hätte. Plötzlich war er wütend auf sich selbst, weil er so lange hinausschob, was schließlich doch in Angriff genommen werden musste. »Diese Indizien für Geschlechtsverkehr, von denen du gesprochen hast: Könnten die auch… wäre es möglich, dass sie von dem Ring stammen?«

»Von einem Ring hätte sie keine Gonorrhöe gekriegt«, antwortete der Pathologe erschreckend sachlich. »Die Proben sind zwar noch im Labor, aber es besteht kein Zweifel. Ich warte, wie gesagt, noch auf die Auswertung, aber du kannst dich darauf verlassen, dass nichts anderes dabei rauskommt.«

»Gibt es vielleicht eine andere Möglichkeit, wie sie…«, begann Brunetti, brachte den Satz aber nicht zu Ende.

»Nein. Die Infektion ist schon ziemlich weit fortgeschritten, und wie sie sich angesteckt hat, steht außer Zweifel.«

Widerstrebend nahm Brunetti einen zweiten Anlauf: »Konntest du feststellen, wann…?«

Doch Rizzardi schnitt ihm das Wort ab. »Nein!«

Nach einer Weile raffte Brunetti sich zu einer letzten Frage auf. »Sonst noch was?«

»Nein.«

»Dann danke für den Anruf, Ettore.«

»Gib mir Bescheid, wenn…«, setzte Rizzardi, nun seinerseits widerstrebend, an.

»Ja, sicher«, versprach Brunetti.

Gleich nachdem er aufgelegt hatte, griff er wieder zum Hörer und wählte die Nummer des Dienstzimmers. Dort meldete sich Pucetti. »Gehen Sie bitte zu Rizzardi in die Gerichtsmedizin und lassen Sie sich von ihm die Beweismittel im Fall des ertrunkenen Mädchens geben. Vergessen Sie nicht, den Empfang zu quittieren. Die Sachen müssen zuerst ins

Labor, doch sowie Bocchese sie auf Fingerabdrücke und sonstige Spuren untersucht hat, kommen Sie damit zu mir.«

»Jawohl, Commissario«, antwortete der junge Polizist.

»Ach, und bitten Sie zuvor Bocchese, mir die Fotos von Kopf und Gesicht des ertrunkenen Mädchens raufzuschicken. Ja, und Dottor Rizzardi bestellen Sie bitte, falls er Fotos gemacht hat, möchte ich die auch sehen. Das wär's dann.«

»In Ordnung, Commissario«, erwiderte Pucetti und hatte auch schon aufgelegt.

Brunetti fühlte sich unversehens an jene Szene aus den *Troerinnen* erinnert, in der dieser Griechenherold – Tal-und-wie-weiter? – den zerschmetterten Leichnam des kleinen Astyanax zu dessen Großmutter bringt. Als seine Soldaten mit dem ermordeten Kind den Fluss Skamander durchquerten, berichtet Talthybios – richtig, so hieß er –, da habe er den Toten gewaschen und seine Wunden gereinigt. Und was antwortet ihm Hekabe darauf? »Jetzt, nach Trojas Fall und aller Troer Tod, / Jagt euch dies Knäblein Angst ein, eine Angst, / Die euch nur zittern, nicht mehr denken lässt.« Wem aber machte das tote Zigeunermädchen Angst?

Auf einmal fühlte Brunetti sich so unruhig, dass er selbst hinunter zu Bocchese ging, um die Fotos zu holen. Auf dem Weg zurück in sein Büro schaute er bei Vianello vorbei und bat ihn, mit nach oben zu kommen. Als sie an seinem Schreibtisch Platz nahmen, hatte er den Inspektor bereits über alles, was er von Rizzardi erfahren hatte, in Kenntnis gesetzt und ihre nächsten Schritte erläutert. Nun schlug er den Ordner mit Boccheses Fotos auf, und die beiden Männer sahen abermals das Gesicht des toten Kindes vor sich.

Das Labor hatte über zwanzig Aufnahmen gemacht, und auf allen lag das Mädchen da wie eine Prinzessin aus dem Märchen. Ihr verfilztes, goldblondes Haar umrahmte das Gesicht wie ein Heiligenschein. So der erste Eindruck, der jedoch nur so lange vorhielt, bis der Blick des Betrachters auf das Pflaster fiel, auf dem die Prinzessin lag, und auf die schäbige, verschmutzte Baumwolljacke, die sich, hochgerutscht, um ihren Hals bauschte. Ein Schnappschuss zeigte die Spitze eines schwarzen Gummistiefels; ein anderer hatte eine einzelne bemooste Treppenstufe eingefangen, mit einer zusammengeknüllten Zigarettenschachtel im Eck. An diesen Ort würde sich kein Prinz verirren.

»Sie hatte doch helle Augen, oder?«, fragte Vianello, während er das letzte Foto zurücklegte.

»Schon, ja«, antwortete Brunetti.

»Trotzdem hätte uns was auffallen müssen, und sei's nur der lange Rock.« Vianello stand auf, schlang die Arme um sich und ließ den Blick über die Fotos auf dem Schreibtisch wandern. »Aber man sieht's ihr einfach nicht an, ob sie eine ist oder nicht.«

»Eine was?«

»Na, Zigeunerin«, sagte Vianello.

In Brunettis Stimme schwang noch seine Gereiztheit über die Zurechtweisung des Pathologen mit, als er klarstellte: »Rizzardi meint, wir müssten jetzt Roma sagen.«

»Oh, vorbildlich politisch korrekt, unser Doktor.«

Brunetti, der seinen pedantischen Hinweis umgehend bereute, wechselte hastig das Thema. »Falls niemand einen Einbruch gemeldet hat« – was laut Auskunft der Bereitschaft nicht der Fall war –, »dann haben die Bestohlenen den

Diebstahl entweder noch nicht bemerkt, oder sie wollten keine Anzeige erstatten.«

Bevor Brunetti die nächste Möglichkeit anführen konnte, warf Vianello ein: »Niemand macht sich mehr die Mühe, einen Einbruch anzuzeigen.«

Als langgediente Polizeibeamte hatten die beiden natürlich auch die Faustregeln der Kriminalstatistik verinnerlicht, und eine der wichtigsten lautete: Je komplizierter und zeitaufwendiger es ist, eine Straftat zur Anzeige zu bringen, desto geringer bleibt das Anzeigenaufkommen.

Brunetti ignorierte Vianellos Einwand und fuhr mit seiner Aufzählung fort: »Oder die Wohnungseigentümer haben sie auf frischer Tat ertappt, verscheucht und mit angesehen, wie sie ins Wasser fiel.«

Vianello wandte ruckartig den Kopf ab und starrte aus dem Fenster.

»Und, was meinst du?«, erkundigte sich Brunetti. So unerquicklich die Vorstellung auch war: Sie durften sie nicht ausklammern.

»Am Körper hatte sie keine Verletzungen?«, fragte Vianello.

»Nein. Jedenfalls hat Rizzardi nichts dergleichen erwähnt.«

Vianello dachte lange über diese Antwort nach, bevor er sich erkundigte: »Willst du's sagen, oder soll ich das übernehmen?«

Brunetti zuckte mit den Achseln. Er war der Vorgesetzte, also war es womöglich seine Pflicht, auch noch die letzte Möglichkeit in Worte zu fassen. »Oder jemand hat sie überrascht und vom Dach gestoßen.«

Vianello nickte stumm. »Falls eine der letzten beiden Möglichkeiten zutrifft, ist es kein Wunder, dass man uns nicht verständigt hat«, sagte er endlich. »Also, was tun?«

»Den Besitzer von Uhr und Ring aufspüren. Und wenn wir ihn haben, reden wir mit ihm.«

»Ich geh runter und frage Foa wegen der Gezeiten«, sagte Vianello und machte sich unverzüglich auf den Weg.

16

Vianello war schnell zurück, denn Foa hatte gar keine Karte konsultieren müssen: Wenn das Mädchen irgendwann um Mitternacht ins Wasser geraten und vor neun Uhr morgens in Höhe des Palazzo Benzon aufgefunden worden sei, dann habe sich der Sturz vermutlich entlang des Rio di Ca' Corner oder am Rio di San Luca ereignet, am ehesten aber am Rio di Ca' Michiel, der ja direkt an dem *palazzo* vorbeiführe. Eine größere Strecke hätte die Leiche bei dem niedrigen Wasserstand in der fraglichen Nacht kaum zurücklegen können. Auch dass die Tote, wenn sie keine sichtbaren Verletzungen aufwies, in das verkehrsreiche Zentrum des Kanals geraten oder von San Polo aus angeschwemmt worden sei, war nach Foas Meinung auszuschließen.

Als Vianello fertig war, erschien auch schon Pucetti mit weiteren Fotos und einem Kuvert, das Ring und Taschenuhr enthielt. »Bocchese hat nur ein paar verwischte Spuren sichergestellt, die wahrscheinlich von dem Mädchen stammen. Sonst nichts.«

Brunetti klappte den Ordner mit den Fotos auf und sah erleichtert, dass er nur Aufnahmen von Kopf und Gesicht des Mädchens enthielt. Die Haare hatte man ihr zurückgekämmt, ein Bild zeigte sie mit offenen Augen, Augen von einem tiefen Smaragdgrün. Dieses Kind war nicht nur um viele Lebensjahre, sondern auch um eine große Schönheit betrogen worden.

Als Nächstes klaubte Brunetti Ring und Uhr aus dem Kuvert. Der Ring, ein breites Goldband, am Rand ziseliert, gehörte der Größe nach wohl einem Mann. »Handarbeit, würde ich sagen«, mutmaßte Vianello.

Der Ispettore hielt den Ring ans Licht und betrachtete prüfend die Innenseite. »GF – OV, 25.10.84.«

Ein paar Körnchen von Boccheses schwarzem Rußpulver waren auf Brunettis Schreibtisch gerieselt. »Wie geht die denn auf?« Pucetti wies mit dem Kopf auf die Taschenuhr, rührte sie aber nicht an.

Stattdessen nahm Brunetti die Uhr in die Hand und drückte oben auf den Knopf. Nichts geschah. Erst als er am Rand ein winziges Scharnier entdeckte, gelang es ihm, den Deckel mit einem Fingernagel zu öffnen. »*Per Giorgio, con amore, Orsola*«, war auf der Innenseite eingraviert. Das Datum lautete »25.10.94«.

»Immerhin, zehn Jahre hat diese Ehe schon mal gehalten«, bemerkte Vianello.

»Hoffen wir, dass sie hier geheiratet haben!«, sagte Brunetti und griff zum Telefon. Und wirklich, sie hatten Glück. Die Ehe zwischen Giorgio Fornari und Orsola Vivarini war am fünfundzwanzigsten Oktober 1984 in Venedig geschlossen worden.

Vianello schlug im Telefonbuch unter »F« nach. Ein Giorgio Fornari war rasch gefunden, aber der wohnte in Dorsoduro. »Was immer auch passiert ist«, meinte der Ispettore aufblickend, »in Dorsoduro war' s nicht, oder?« Bevor einer der beiden antworten konnte, schlug Vianello die letzten Seiten auf und suchte unter »V«. »Nichts.«

»Pucetti«, wandte sich Brunetti an den jungen Polizisten, »lassen Sie die Fotos unten rumgehen. Vielleicht haben wir ja Glück, und jemand erkennt das Mädchen. Danach bringen Sie sie zu den Carabinieri – mal sehen, ob die uns weiterhelfen können.« Da die Polizei Aufnahmen festgenommener Kinder ans Innenministerium weiterleiten musste, blieb den Fahndern vor Ort zur Identifizierung von Wiederholungstätern nur das eigene Gedächtnis.

Als der junge Beamte gegangen war, sagte Brunetti: »Da wir sonst keinen Anhaltspunkt haben, schlage ich vor, wir fangen in Dorsoduro an und versuchen rauszukriegen, wie Signor Fornari seine Uhr und seinen Ehering verloren hat. Wenn wir gleich aufbrechen und bei San Marco das Traghetto nehmen, können wir noch vor zwölf dort sein.« Ehe sie die Questura verließen, schlug Brunetti noch schnell in *Calli, Campielli e Canali* die Adresse nach und machte Fornaris Wohnhaus am Ende der Fondamenta Venier ausfindig.

Als sie den Ponte del Vin erreichten, fanden sie sich plötzlich auf allen Seiten von Passanten eingekeilt, die zur Piazza strebten oder ihnen von dort entgegenkamen. Vom Scheitel der Brücke aus überblickte Vianello das wogende Meer aus Köpfen und Schultern. »Ich kann nicht«, flüsterte er. Woraufhin Brunetti wortlos kehrtmachte und ihn zum Vaporetto-Anleger nach San Zaccaria führte.

Doch vor dem Touristenstrom gab es kein Entkommen: Die Warteschlange am *imbarcadero* reichte schon bis zur Riva degli Schiavoni zurück. Ohne zu zögern, schwenkten die beiden rechts an der Menge vorbei bis vor zu der Eisenkette, die den Zutritt zum Anleger versperrte. Prompt stellte sich ihnen eine Blondine mit scharfen Gesichtszügen in den Weg, deren Jeans so knapp saßen, dass Brunetti um ihre Atmung, wenn nicht gar um ihr Leben fürchtete.

»Das ist ein Ausgang!«, rief sie mit schriller Stimme und wollte die beiden mit flatternden Handbewegungen verscheuchen. »Sie behindern die ankommenden Fahrgäste.«

»Und das ist mein Dienstausweis«, entgegnete Vianello und schwang sich über die Absperrkette, um ihn der Blondine unter die Nase zu halten. »Sie behindern eine polizeiliche Ermittlung.« Die Frau gab sich so leicht nicht geschlagen, doch ihre Antwort wurde vom Dröhnen des nahenden Vaporetto verschluckt, das im Rückwärtsgang beidrehte. Die Blondine fuhr herum und pflanzte sich, die Hände in die Hüften gestemmt, vor ihnen auf, als fürchte sie, die beiden würden sich an ihr vorbeidrängeln, noch während die ankommenden Passagiere von Bord gingen.

Doch Brunetti und Vianello blieben geduldig auf ihrem Platz. Sobald der Strom der Ankömmlinge versiegt war, trat die Frau beiseite und löste die Kette, mit der sie die beiden und den Pulk der Wartenden in Schach gehalten hatte.

Als das Boot ablegte, stieß Brunetti den Ispettore mit dem Ellbogen an und sagte: »Widerstand gegen einen Polizeibeamten in Ausübung seiner Dienstpflicht. Drei Jahre auf Bewährung, sofern es ein erstes Vergehen war.«

»Ich würde auf fünf erhöhen«, antwortete Vianello. »Und sei's nur wegen der Jeans.«

»Ach«, seufzte Brunetti übertrieben, »wo sind sie hin, die guten alten Zeiten, in denen wir noch alle und jeden mit so einem Dienstausweis einschüchtern konnten?«

Vianello lachte laut auf. »Ich glaube, diese ungeheuren Menschenmassen verderben mir die Laune.«

»Dann gewöhn dich mal dran.«

»Woran?«

»An die schlechte Laune. Die Touristenzahlen steigen nämlich unaufhaltsam: Letztes Jahr sechzehn Millionen, in diesem schon zwanzig. Gott allein weiß, wie viele es im nächsten Jahr sein werden.«

Über diesem Geplänkel erreichten sie die Zattere und beschlossen, da es noch nicht zwölf war, zunächst Fornari ausfindig zu machen und dann mittagessen zu gehen.

Es hatte aufgeklart, und der Spaziergang entlang der *riva* war wie ein Bad in Licht und Schönheit. Vianello aber ließ der Gedanke an die sprunghaft wachsende Touristenschwemme nicht los. »Und was soll werden«, fragte er, »wenn erst die Chinesen kommen?«

»Ich glaube, die sind schon da.«

»Als Teil der zwanzig Millionen?« Brunetti nickte, und Vianello fuhr fort: »Aber was machen wir, wenn zusätzlich zu den jetzigen zwanzig Millionen noch mal so viele Chinesen anrücken?«

»Ich weiß nicht.« Brunettis Augen ergötzten sich an der Redentore-Kirche jenseits des Giudecca-Kanals. »Wahrscheinlich Versetzung beantragen.«

Nachdem Vianello diese Möglichkeit erwogen hatte, fragte er: »Könntest du denn woanders leben?«

Brunetti wies mit dem Kinn auf die Kirche drüben auf der Giudecca. »Genauso wenig wie du, Lorenzo.«

Vor dem ehemaligen Schweizer Konsulat bogen sie erst links ab und dann rechts, gelangten in die Calle di Mezzo und waren auch schon am Ziel. Und doch wieder nicht. Denn Signor Fornari und seiner Gattin gehörte zwar das Appartement im dritten Stock, aber sie bewohnten es nicht. Das jedenfalls erzählte ihnen die Wohnungseigentümerin zwei Etagen tiefer, bei der Brunetti und Vianello geläutet hatten, nachdem sie auf den Klingelschildern neben der Eingangstür weder den Namen Fornari noch Vivarini fanden.

Dort oben wohnten jetzt Franzosen, erklärte die Frau in einem Ton, als hätte Signor Fornari an eine Horde marodierender Westgoten vermietet. Er und seine Familie seien in die Wohnung seiner Schwiegermutter gezogen, und das schon vor sechs Jahren, gleich nachdem die alte Signora in die Casa di Dio eingeliefert werden musste. Reizende Leute, doch, doch, Signora Orsola und Signor Giorgio, er verkaufe Küchen, und sie leite das Familienunternehmen: Zucker. Und so reizende Kinder, Matteo und Ludovica, beide wirklich bildhübsch und…

Bevor die Frau ihre Lobeshymnen womöglich noch auf die nächste Generation ausdehnen würde, fragte Brunetti, ob sie zufällig Signor Fornaris Telefonnummer und Adresse habe. Während der ganzen Unterhaltung stand die Frau oben am Fenster und Brunetti unten in der *calle*, so dass jeder, der vorbeikam oder in einem der Nachbarhäuser ein Fenster öffnete, mithören konnte. Die Frau erkundigte sich mit keiner Silbe danach, wer der Mann sei, der in venezianischem Dialekt zu ihr sprach, sondern gab ihm ohne Zögern Anschrift und Telefonnummer von Giorgio Fornari und seiner Gattin.

»San Marco«, wiederholte Vianello, nachdem sich das Fenster über ihnen geschlossen hatte. Um möglichst rasch zu erfahren, wo genau sie hinmussten, rief er Pucetti an und beauftragte ihn, die Adresse herauszusuchen. In der Zwischenzeit gingen die beiden weiter Richtung Cantinone Storico, wo sie sich ein gutes Mittagessen versprachen.

Als sein *telefonino* klingelte, blieb Vianello stehen, presste das Handy ans Ohr, murmelte etwas, das Brunetti nicht verstand, bedankte sich kurz bei Pucetti und klappte das Telefon zu. »Offenbar grenzt das Haus hinten an den Rio di Ca' Michiel«, sagte er.

Um keine Zeit zu verlieren, verzichteten die beiden auf Pasta und begnügten sich mit nur einem Gang: Garnelen mit Gemüse und Koriander. Sie teilten sich eine Flasche Pinot Noir von Gottardi und nahmen den Kaffee ohne Dessert. Danach verließen sie das Lokal zwar satt, aber doch nicht wirklich zufrieden. Auf dem Weg zur Accademia sprachen sie bewusst nicht über das, was sie erwartete. In stillschweigender Übereinkunft ignorierten sie die *vu cumprà*, die mit ihren Waren den Aufgang zur Brücke flankierten, und kommentierten stattdessen den traurigen Zustand der Holzbrücke: Viele Stufen gehörten dringend ausgebessert, wenn nicht gar erneuert.

»Glaubst du, die Stadt wählt mit Absicht Materialien, die schnell verschleißen?«, fragte Vianello und deutete auf einen Spalt zu ihren Füßen.

»Das besorgen die Feuchtigkeit und Millionen Füße schon von ganz allein«, entgegnete Brunetti, wohl wissend, dass sein Einwand, so berechtigt er war, die andere Möglichkeit keineswegs ausschloss.

Vor dem Paolin, wo die Gäste sich auf der Terrasse die ersten *gelati* dieses Frühlings schmecken ließen, bogen sie links ab und kehrten durch ein Gewirr von Gassen zum Kanal zurück. Am Ende einer engen *calle*, die zum Canal Grande hinunterführte, drückten sie die Klingel mit dem Namen Fornari.

»*Sì?*«, meldete sich eine Frauenstimme.

»Bin ich hier richtig bei Giorgio Fornari?«, fragte Brunetti, der diesmal nicht Veneziano, sondern Hochitalienisch sprach.

»Ja, da sind Sie richtig. Sie wünschen, bitte?«

»Hier ist Commissario Guido Brunetti von der Polizei, Signora. Ich hätte gern Signor Fornari gesprochen.«

»Was ist denn passiert?«, erkundigte sie sich nach jener unwillkürlichen Schrecksekunde, die er so gut kannte.

»Nichts, Signora. Ich möchte nur mit Signor Fornari sprechen.«

»Er ist nicht da.«

»Darf ich fragen, wer Sie sind, Signora?«

»Seine Frau.«

»Dann könnte ich vielleicht mit Ihnen reden?«

»Worum geht es denn?«, erkundigte sie sich mit wachsender Ungeduld.

»Um entwendetes Eigentum.«

Nach kurzem Schweigen entgegnete sie: »Das verstehe ich nicht.«

»Vielleicht könnte ich ja heraufkommen und es Ihnen erklären, Signora«, schlug Brunetti vor.

»Also gut.« Gleich darauf wurde die Haustür automatisch entriegelt.

»Nehmen Sie den Fahrstuhl«, erklang die Frauenstimme aus dem Lautsprecher neben ihnen. »Oberste Etage.«

Der Aufzug war eine enge, kleine Holzkabine, die der Anschlagtafel nach außer ihnen noch Raum für einen Dritten bot: einen sehr, sehr schlanken Dritten. Auf halber Höhe machte die Kabine plötzlich einen Ruck. Brunetti fuhr überrascht zur Seite und stieß auf zwei finster dreinblickende Männer, die ebenso erschrocken wirkten, wie ihm selbst zumute war. Dann erkannte er sich und Vianello, dessen Blick dem seinen im Spiegel an der Innenwand begegnete.

Die Kabine kam ruckelnd zum Stehen und schwankte noch ein wenig hin und her, bevor Brunetti das Scherengitter zurückschob. Rechter Hand stand in einem Türrahmen eine mittelgroße, mittelgewichtige Frau mit mittellangem Haar von unbestimmter Farbe irgendwo zwischen Rot und Braun.

»Ich bin Orsola Vivarini«, sagte sie, ohne ein Lächeln und ohne die Hand auszustrecken.

Brunetti trat, gefolgt von Vianello, auf sie zu. »Guido Brunetti«, wiederholte er und nannte dann, auf Vianello deutend, auch dessen Namen.

»Kommen Sie ins Arbeitszimmer«, sagte die Frau und geleitete die beiden einen Flur entlang, den ein hohes Fenster mit Blick auf die Gebäude und Dächer am anderen Ufer des Canal Grande in helles Licht tauchte. Auf halber Höhe öffnete Signora Vivarini eine Tür zur Rechten und führte sie in einen langen, schmalen Raum, der an zwei Wänden mit deckenhohen Bücherregalen bestückt war. Das Zimmer hatte drei Fenster, aber das Haus gegenüber stand so dicht davor, dass weniger Licht hereindrang als durch das einzelne Fenster draußen im Flur.

Die Sitzgruppe, zu der die Frau sie dirigierte, bestand aus zwei bequem wirkenden Sofas und dazwischen einem niedrigen Nussbaumtisch, auf dem seit Jahrzehnten Füße und Getränke ihre Spuren hinterlassen hatten. Auf dem Sofa, das die Signora wählte, lag, mit der Schrift nach unten, ein aufgeschlagenes Buch. Brunetti räumte, bevor er und Vianello ihr gegenüber Platz nahmen, eine Zeitschrift beiseite.

Die Dame des Hauses betrachtete sie gelassen und distanziert. »Ich kann mir nicht erklären, was Sie zu uns führt, Commissario.«

Ihr Tonfall verriet venezianische Anklänge, und unter anderen Umständen wäre Brunetti in den Dialekt verfallen. Aber da sie hochitalienisch sprach, blieb auch er dabei. »Es handelt sich um zwei von uns sichergestellte Gegenstände, die offenbar Ihrem Gatten gehören.«

»Und um die zurückzuerstatten, schickt man gleich einen Commissario?«, fragte Signora Vivarini. Ihr anfängliches Erstaunen war hörbarer Skepsis gewichen.

»Nein, Signora«, antwortete Brunetti. »Ich bin hier, weil dieser Vorfall möglicherweise in einen größeren Ermittlungszusammenhang gehört.« Eine Begründung, die oft genug als Ausrede herhalten musste, diesmal jedoch der Wahrheit entsprach.

Die Frau hob die Hände und kehrte, wie um ihre Verwirrung deutlich zu machen, die Handflächen nach außen. »Ich habe immer noch keine Ahnung, worum es geht.« Hier probierte sie ein Lächeln, das jedoch misslang. »Vielleicht setzen Sie mich erst einmal ins Bild?«

Brunetti zog den Umschlag aus der Tasche und schob ihn über den Tisch. »Können Sie mir sagen, ob das hier Ihrem Gatten gehört, Signora?«

Sie nestelte die rote Kordel an der Kuvertklappe auf und ließ den Inhalt in ihre linke Handfläche gleiten. Als sie die

Uhr und den Ring sah, blieb ihr der Mund offen stehen. Unwillkürlich versuchte sie, ihn mit der anderen Hand zu bedecken, zerknitterte dabei aber nur den Umschlag an ihren Lippen. »Wo haben Sie das her?«, fragte sie gebieterisch und sah zu Brunetti auf.

»Dann erkennen Sie die Sachen also?«, fragte Brunetti zurück.

»Ja, natürlich erkenne ich sie!«, entgegnete sie scharf. »Das ist der Ehering meines Mannes und seine Uhr.« Wie um sich zu vergewissern, klappte sie den Deckel der Taschenuhr auf und zeigte Brunetti die Gravur. »Sehen Sie: Da stehen unsere Namen!« Sie legte die Uhr auf den Tisch, hielt als Nächstes den Ring gegen das Licht und reichte ihn Brunetti. »Und da haben Sie unsere Initialen.« Als er schwieg, erkundigte sie sich noch einmal: »Wo haben Sie die Sachen her?«

Doch Brunetti ging nicht auf ihre Frage ein. »Können Sie mir sagen, wann Sie diese Gegenstände zuletzt gesehen haben, Signora?«

Einen Moment lang hatte er den Eindruck, sie wolle sich gegen seine Frage verwahren, aber dann sagte sie: »Ich weiß es nicht. Den Ring habe ich letzte Woche gesehen, als Giorgio vom Arzt heimkam.«

Brunetti konnte sich zwar keinen Reim auf diese Antwort machen, sagte aber nichts.

»Vom Dermatologen«, ergänzte sie. »Giorgio hatte einen Ausschlag an der linken Hand, und der Hautarzt meinte, Ursache dafür könnte eine Kupferallergie sein.« Sie wies auf den Ring, den Brunetti noch immer in der Hand hielt. »Sehen Sie, wie rot er glänzt? Das kommt von der Kupferlegierung. Zumindest glaubt das der Arzt. Und er hat Giorgio geraten, den Ring etwa eine Woche lang nicht zu tragen, um festzustellen, ob der Ausschlag sich dann zurückbildet.«

»Und, hat es gewirkt?«, fragte Brunetti.

»Ja, ich glaube schon. Ich weiß nicht, ob er ganz verschwunden ist, aber bei seiner Abreise war er längst nicht mehr so schlimm.«

»Abreise?«

Die Frage schien sie zu überraschen, fast so, als hätte Brunetti über die Reisedaten ihres Mannes Bescheid wissen müssen. »Ja, er ist in Russland.« Bevor einer der beiden nachhaken konnte, fuhr sie fort: »Geschäftlich. Seine Firma vertreibt Einbauküchen, und er soll mit den Russen einen Vertrag aushandeln.«

»Wie lange ist er schon weg, Signora?«, fragte Brunetti.

»Eine Woche.«

»Und wann erwarten Sie ihn zurück?«

»Mitte nächster Woche«, sagte sie. Doch dann brach es voll Ungeduld und Abscheu aus ihr heraus: »Es sei denn, er muss länger bleiben, um noch ein paar Leute zu schmieren.«

Ohne näher darauf einzugehen, erwiderte Brunetti unverbindlich: »Ja, ich habe schon von solchen Schwierigkeiten gehört.« Dann fragte er: »Wissen Sie, ob Ihr Mann zugleich mit dem Ring auch die Uhr abgelegt hat?«

»Ich glaube, ja. Der Verschluss der Kette ist schon vor Wochen kaputtgegangen, seitdem war es nicht mehr sicher, die Uhr zu tragen. Und er hatte Angst, es könnte sie jemand stehlen. Vor seiner Abreise wollte er die Kette reparieren lassen, aber den Juwelier, der sie angefertigt hatte, gibt es nicht mehr, und Giorgio hatte nicht die Zeit, sich weiter umzusehen. Eigentlich hätte ich mich dann darum kümmern sollen, habe es aber offenbar vergessen.«

»Können Sie sich erinnern, wann Sie die Uhr zuletzt gesehen haben?«, fragte Brunetti.

Orsola Vivarini blickte zwischen den beiden Männern hin und her, so als hoffe sie, in ihren Gesichtern eine Erklärung für ihr neugieriges Interesse zu finden. Dann schloss sie kurz die Augen, schlug sie wieder auf und sagte: »Nein, bedaure, aber ich weiß nicht mal mehr, ob ich dabei war, als Giorgio sie auf die Frisierkommode gelegt hat. Er wird's mir wohl gesagt haben, doch ich kann mich nicht erinnern, ob ich sie auch dort gesehen habe.«

»Und der Ehering? Wann haben Sie den zuletzt gesehen?«

Wieder der rasche, prüfende Blick, dem es wieder nicht gelang, ihren Mienen den Grund für ihre Fragen zu entlocken. »Den hat er in der Uhrtasche heimgebracht und gesagt, dass er ihn eine Weile nicht mehr tragen würde. Er hätte ihn sicher nirgendwo anders hingetan, aber ich kann mich nicht erinnern, ihn auf der Frisierkommode gesehen zu haben.« Ihre guten Manieren siegten über ihre Gereiztheit, und sie setzte ein gewinnendes Lächeln auf. »Bitte, Commissario, wollen Sie mir nicht endlich sagen, was los ist?«

Brunetti sah keinen Grund, ihr die Antwort zu verweigern, beschränkte sich allerdings auf allgemeine Angaben. »Diese Uhr und dieser Ring wurden bei einer Person gefunden, die mutmaßlich an einer Reihe weiterer Straftaten beteiligt ist. Nachdem Sie jetzt die beiden Stücke als Eigentum Ihres Mannes identifiziert haben, müssen wir herausfinden, wie sie in die Hände der Person gelangten, bei der sie sichergestellt wurden.«

»Und wer ist das?«, wollte sie wissen.

Brunetti spürte, wie Vianello neben ihm auf dem Sofa das Gewicht verlagerte. »Darüber darf ich Ihnen keine Auskunft geben, Signora. Das wäre beim jetzigen Stand der Ermittlungen verfrüht.«

»Aber es erscheint Ihnen nicht zu früh, hierherzukommen!«, konterte sie. Als Brunetti darauf nichts erwiderte, fragte sie: »Haben Sie schon jemanden verhaftet?«

»Bedaure, Signora, aber dazu darf ich mich nicht äußern«, antwortete Brunetti trocken.

Ihre Stimme wurde um eine Spur schärfer, als sie fragte: »Und wenn Sie's dürfen, werden Sie uns dann informieren, meinen Mann und mich?«

»Selbstverständlich«, versicherte er und bat sie um die Adresse des Hotels, in dem ihr Mann abgestiegen war. Schweigend notierte Vianello ihre Angaben. Brunetti, der sie nicht noch mehr reizen wollte, fragte nicht nach der Telefonnummer.

Stattdessen erkundigte er sich so unbefangen, als hätte er die Namen ihrer Kinder noch nie gehört: »Würden Sie mir sagen, wer außer Ihnen noch hier wohnt?« Während er auf ihre Antwort wartete, dachte Brunetti, dass dies der Punkt war, an dem die Zeugen normalerweise Einspruch erhoben oder sich weigerten, weitere Fragen zu beantworten.

Sie aber sagte, ohne zu zögern: »Nur meine beiden Kinder: achtzehn und sechzehn Jahre alt.«

Mit einem Blick, der anerkennend wirken sollte, fasste Brunetti den Raum ins Auge und fragte: »Haben Sie jemanden, der Ihnen hier in der Wohnung zur Hand geht, Signora?«

»Ja, Margherita«, antwortete sie.

»Und der Nachname?«

»Carputti«, entgegnete sie, setzte aber sogleich hinzu: »Margherita ist seit zehn, nein, seit dreizehn Jahren bei uns. Sie würde hier genauso wenig etwas stehlen wie ich.« Ehe Brunetti einhaken konnte, fuhr sie fort: »Außerdem stammt sie aus Neapel und würde, wenn sie uns denn schon bestehlen wollte, es sehr viel geschickter anstellen und sich im Übrigen nicht mit solchen Kinkerlitzchen abgeben.« Diese Erklärung wollte Brunetti sich einprägen für den Fall, dass er einmal genötigt wäre, die Redlichkeit seiner Freunde aus dem Süden zu verteidigen.

»Und Ihre Kinder, Signora, bringen die Freunde mit nach Hause?«

Orsola Vivarini machte ein Gesicht, als sei ihr der Gedanke, Kinder könnten Freunde haben, noch nie gekommen. »Ja, wahrscheinlich schon. Sie machen miteinander Hausaufgaben oder was immer junge Leute zusammen tun.«

Als Vater hatte Brunetti so seine Vorstellungen davon, was junge Leute anstellten, wenn sie sich gegenseitig zu Hause besuchten; als Polizist konnte er sich noch ganz andere Dinge ausmalen.

»Verstehe«, sagte er und erhob sich, gefolgt von Vianello. Woraufhin auch Signora Vivarini hastig aufsprang.

»Wären Sie so freundlich, uns zu zeigen, wo Sie Ring und Uhr zuletzt gesehen haben, Signora?«, bat Brunetti.

»Aber das ist unser Schlafzimmer!«, wehrte sie sich, was Brunetti für sie einnahm. Er gab Vianello einen Wink, und der Inspektor nahm wieder auf dem Sofa Platz.

Das schien Signora Vivarini aus irgendeinem Grund zu

beruhigen; jedenfalls führte sie Brunetti ohne weitere Einwände zurück auf den Flur und von dort in das Zimmer gegenüber. Sie trat als Erste ein, ließ aber die Tür für ihn offen.

Der Raum hatte die gleiche behagliche Ausstrahlung wie das Arbeitszimmer. Am Fußende des großen Doppelbetts lag ein alter, verblichener Täbris, der an einer Ecke schon ganz abgetreten war. Vor den Fenstern an der Wand gegenüber waren die grauen Leinenvorhänge zurückgezogen und gaben den Blick frei auf das Gebäude jenseits des Kanals. In den prall gefüllten Bücherregalen zwischen den Fenstern waren über jeder Reihe noch etliche Bände quer hineingezwängt.

Das letzte, bodenlange Fenster rechter Hand führte auf eine Dachterrasse, eingefasst von einem niedrigen Mäuerchen und gerade einmal groß genug für die beiden Stühle, die Brunetti draußen sah. »Was für ein schönes Leseplätzchen für den Abend«, bemerkte Brunetti und wies auf die Glastür.

Da lächelte sie zum ersten Mal ungekünstelt und hatte auf einmal kein Durchschnittsgesicht mehr. »Ja, Giorgio und ich sitzen oft dort draußen.« Dann fragte sie: »Lesen Sie gern, Commissario?«

»Sehr gern sogar, wenn ich Zeit habe«, antwortete Brunetti. Heutzutage konnte man die Leute nicht mehr fragen, wen sie wählten; nach der Religionszugehörigkeit brauchte man sich in einem katholischen Land kaum zu erkundigen; das Sexualverhalten anzusprechen war unhöflich, und Ernährungsfragen diskutierte man in der Regel nur beim Essen. Um etwas Persönliches in Erfahrung zu bringen, blieb womöglich bloß noch die Frage, ob jemand las oder nicht und wenn ja, was. Wenngleich es verlockend gewesen wäre, diesen Gedankengang weiterzuverfolgen, besann sich Brunetti auf den Grund seines Besuches: »Würden Sie mir zeigen, wo sich die Uhr und der Ring Ihres Gatten befanden, Signora?«

Sie zeigte auf eine niedrige Nussbaumkommode mit vier geräumigen Schubfächern, die aussahen, als seien sie schwer zu öffnen. Im Nähertreten erblickte Brunetti als Erstes ein gerahmtes Hochzeitsfoto. Wiewohl über zwanzig Jahre jünger und trotz des Brautkleides hatte Orsola Vivarini auch damals schon ganz und gar durchschnittlich ausgesehen. Aber der Mann neben ihr mit dem glückstrahlenden Gesicht war ungemein attraktiv. Rechts neben dem Bild stand eine Porzellanschale mit einem grellbunten, tanzenden Bauernpaar in der Mitte. »Die stammt noch von meiner Mutter«, sagte Signora Vivarini, wie um Qualität und Farben zu entschuldigen. In der Schale lagen zwei einzelne Schlüssel, eine Nagelschere, ein paar Muscheln und ein Fahrscheinheftchen fürs Vaporetto.

Eine Weile betrachtete Orsola Vivarini die Gegenstände in der Schale. Dann schweifte ihr Blick durchs Zimmer, hinaus auf die Terrasse und wieder zurück zu der Porzellanschale. Mit einem Finger schob sie behutsam die Vaporetto-Tickets beiseite und drehte zwei der Muscheln um. »Da waren«, sagte sie, »noch ein kleiner Granatring und ein Paar Manschettenknöpfe, mit Lapislazuli besetzt. Die sind auch weg.«

»Wertvolle Stücke?«, fragte Brunetti.

Sie schüttelte den Kopf. »Nein. Der Granat war nicht mal

echt: bloß ein Stück gefärbtes Glas. Aber ich mochte den Ring.« Und nach einer Pause setzte sie hinzu: »Die Manschettenknöpfe waren aus Silber.«

Brunetti nickte. Er hätte unmöglich sagen können, was sich im Augenblick gerade alles auf der Frisierkommode in seinem und Paolas Schlafzimmer befand. Der Smaragdring, den Paolas Vater ihr zum Examen geschenkt hatte, lag oft dort, ebenso wie ihre IWC-Armbanduhr, aber Brunetti wusste beim besten Willen nicht, wann er sie zuletzt an diesem Platz gesehen hatte.

»Fehlt sonst noch etwas?«, fragte er.

Signora Vivarini ließ den Blick über die Kommodenplatte gleiten. »Ich glaube nicht«, sagte sie.

Brunetti trat an die Terrassentür und schaute auf das Haus gegenüber. Um den Kanal sehen zu können, hätte er hinausgehen und sich über das Mäuerchen beugen müssen. Stattdessen bedankte er sich bei Signora Vivarini und ging zurück auf den Flur. Als sie ihm folgte, fragte er: »Signora, können Sie mir sagen, wo Sie am Mittwochabend gewesen sind?«

»Mittwoch«, wiederholte sie, aber es klang nicht wie eine Frage.

»Ja.«

»In der Oper, mit meinem Sohn, meiner Schwester und meinem Schwager. Anschließend haben wir zusammen gegessen.«

»Darf ich fragen, wo?«

»Bei meiner Schwester zu Hause. Sie und ihr Mann hatten uns eingeladen, aber da Giorgio verreisen musste, nahm Matteo seinen Platz ein.« Und wie um Nachsicht bittend, setzte sie hinzu: »Mein Sohn geht gern in die Oper.« Brunetti nickte. Er wusste, dass sich ihre Angaben leicht würden überprüfen lassen.

Als hätte sie seine Gedanken gelesen, erklärte Signora Vivarini mit erhobener Stimme: »Mein Schwager heißt Arturo Benini. Und sie wohnen in Castello.«

Auch seiner nächsten Frage kam sie zuvor. »Wir waren mindestens bis ein Uhr morgens dort.« Und in einem Ton, als sei ihre Geduld nun bald erschöpft, fuhr sie fort: »Meine Tochter schlief schon, als wir heimkamen, darum gibt es dafür leider keine Zeugen.« Brunetti spürte, wie schwer es ihr fiel, den Zorn, der sich in ihre Stimme geschlichen hatte, zu bändigen.

»Ich danke Ihnen, Signora«, sagte er und wandte sich nach dem Arbeitszimmer, wo Vianello saß und wartete. Doch da ging plötzlich die Tür am Ende des Flurs auf, und die Venus von Botticelli schwebte herein.

17

Als ein Mann, der seit über zwanzig Jahren mit einer in seinen Augen schönen Frau verheiratet war und dessen Tochter gerade zum Ebenbild der Mutter erblühte, war Brunetti an den Anblick weiblicher Schönheit gewöhnt. Außerdem bombardierte das Land, in dem er lebte, seine Augen beständig mit weiblichen Reizen: auf Plakaten ebenso wie auf der Straße oder hinter den Tresen der Bars; ja sogar eine der neuen Polizistinnen vom Revier in Cannaregio hatte, als er sie zum ersten Mal sah, sein Herz stillstehen lassen. Agente Dorigo entpuppte sich allerdings als Querulantin, die sich dauernd über irgendetwas beschwerte, so dass Brunettis Bewunderung für sie bald einem Schaufensterbummel glich: Es machte ihm Freude, sie anzuschauen, solange er weder mit ihr sprechen noch ihr zuhören musste.

All diesen Erfahrungen zum Trotz war er nicht im mindesten vorbereitet auf den Anblick des jungen Mädchens, das jetzt den Flur betrat, sich umdrehte, um die Tür zu schließen, dann lächelnd auf sie zuschritt und rief: »*Ciao, mamma*, ich bin wieder da!«

Sie küsste ihre Mutter, streckte Brunetti in einer, wie er fand, charmanten Imitation erwachsener Weltgewandtheit die Hand hin und sagte: »Guten Tag. Ich bin Ludovica Fornari.«

Aus nächster Nähe war die Ähnlichkeit mit Botticellis Venus freilich nicht mehr so groß. Zwar hatten beide das gleiche wallende blonde Haar, aber das Gesicht des Mädchens war eckiger, die durchsichtig blauen Augen standen weiter auseinander. Er ergriff ihre Hand und stellte sich vor, allerdings nur mit Namen.

Wieder lächelte sie, und er sah, dass an ihrem linken Schneidezahn eine winzige Ecke fehlte. Wieso man das wohl nicht hatte richten lassen? Eine Familie, die so herrschaftlich wohnte, hätte sich das doch bestimmt leisten können. Brunettis Beschützerinstinkt war geweckt, und er überlegte, ob man die Mutter darauf ansprechen könne. Doch der gesunde Menschenverstand überwog, und er wandte sich an Signora Vivarini mit den Worten: »Ich will Sie nicht länger aufhalten, Signora. Danke für Ihre Zeit. Ich hole nur rasch Ispettore Vianello.«

Kaum hatte er das gesagt, gab das Mädchen einen seltsamen Laut von sich, führte die Hand zum Mund und fing an zu husten. Als Brunetti sich nach ihr umwandte, stand sie vornübergebeugt und hatte die Hände auf die Knie gestützt, während die Mutter ihr immer wieder auf den Rücken klopfte. Brunetti stand hilflos daneben. Endlich ließ der Anfall nach. Ludovica nickte und sagte etwas zu ihrer Mutter; die zog ihre Hand zurück, und das Mädchen richtete sich auf.

»Entschuldigung«, flüsterte sie, Brunetti unter Tränen anlächelnd. »Hab mich wohl verschluckt.« Sie zeigte auf ihren Hals, aber das Sprechen löste einen neuerlichen Hustenreiz aus. Nach einer Weile hob sie eine Hand und lächelte wie zur Entwarnung. Noch ein paar stoßweise, flache Atemzüge, dann versicherte sie ihrer Mutter mit krächzender Stimme: »Jetzt ist alles gut, *mamma*.«

Erleichtert überquerte Brunetti den Flur und öffnete die

Tür zum Arbeitszimmer. Vianello saß noch auf demselben Platz und las in der Zeitschrift, die Brunetti zuvor vom Sofa genommen hatte. Jetzt legte er das Heft zurück, erhob sich und folgte Brunetti auf den Flur hinaus. Er sah das Mädchen, sie lächelte ihm zu, bot ihm aber nicht die Hand.

Statt des Fahrstuhls, der immer noch auf der Etage hielt, nahmen die beiden Männer, als sie die Wohnung verließen, in stillschweigender Übereinkunft die Treppe.

Sobald sie ins Freie gelangten, fragte Vianello: »Die Tochter?«

»Ja.«

»Hübsches Mädchen.«

Brunetti antwortete nicht, sondern ging vor bis zum Kanalufer, wo er sich umwandte und aufmerksam die Fassade des Hauses musterte, aus dem sie gerade gekommen waren.

Vianello folgte seiner Blickrichtung und fragte: »Was suchst du denn?«

»Das Dach. Ich möchte wissen, wie steil es ist«, antwortete Brunetti, der mit erhobener Hand seine Augen gegen die Sonne abschirmte. Aber obwohl er schon hart an der Uferbefestigung stand und keinen Schritt weiter zurückweichen konnte, war er zu dicht dran und sah lediglich die Hausfront und die Unterseite der Dachrinnen.

»Das Elternschlafzimmer geht nach hinten raus.« Brunetti nahm die Hand vom Gesicht und wies mit ausgestrecktem Arm auf das Gebäude. »Da waren noch zwei Türen auf der anderen Seite des Flurs.«

»Und?«, forschte Vianello.

»Nichts und. Leider«, antwortete Brunetti und bog mit großen Schritten in die *calle* ein, durch die sie gekommen waren. Als Vianello zu ihm aufholte, berichtete er: »Sie sagt, sie sei mit ihrem Sohn in der Oper gewesen und hinterher zum Essen bei ihrer Schwester und ihrem Schwager. Also werden wir das als Erstes nachprüfen.«

»Und dann?«

»Wenn ihre Angaben stimmen, versuchen wir als Nächstes, etwas über das Mädchen in Erfahrung zu bringen.«

Nach kurzem Zögern fragte Vianello unsicher: »Die Zigeunerin?«

»Ja, über wen denn sonst?« Brunetti hielt kurz inne und musterte den Inspektor neugierig.

Vianello hielt seinem Blick erst stand, dann senkte er die Lider, und als er wieder aufsah, fragte er: »Hat Rizzardi das wirklich gesagt? Das mit der Gonorrhöe?«

»Eindeutig.«

Am Campo Santo Stefano wandten sie sich Richtung Accademia-Brücke, von wo aus sie mit dem Vaporetto zurück zur Questura gelangen würden.

Sie gingen gerade an der Statue vorbei, als Vianello sagte: »Warum bilde ich mir ein, dass ihr Alter die Sache noch schlimmer macht?«

Ehe Brunetti sich zu einer Antwort aufraffte, hatten sie bereits die Kirche passiert und strebten der Brücke zu. »Weil es so ist«, sagte er.

Nicht lange nachdem die beiden in die Questura zurückgekehrt waren, meldete sich Pucetti zum Rapport. Brunetti hatte inzwischen Signora Vivarinis Schwager ausfindig gemacht, der ihr Alibi bestätigte. Ja, er hatte sie und ihren Sohn sogar zum Anleger begleitet und konnte bezeugen, dass sie mit dem Vaporetto um sieben nach eins heimgefahren waren.

Pucetti hatte weisungsgemäß die Fotos des toten Mädchens unter seinen Kollegen kursieren lassen und Abzüge in der Carabinieri-Station San Zaccaria abgegeben, mit der Bitte, sie zu verteilen und die Questura zu benachrichtigen, falls jemand das Mädchen erkannte.

Als der junge Beamte mit seinem Bericht zu Ende war und seinem Vorgesetzten den Ordner mit den verbliebenen Fotos ausgehändigt hatte, fragte Brunetti: »Aber es hat sie niemand erkannt?«

»Von uns hier noch keiner, nein. Ich habe zwei Fotos am Schwarzen Brett ausgehängt«, antwortete Pucetti. »Aber einer der Carabinieri von San Zaccaria meinte, sie sei vor etwa einem Monat von einer Streife aufgegriffen worden. Ganz sicher war er zwar nicht, doch er hat versprochen, in den Akten nachzusehen und mit den Kollegen zu reden, die die Anzeige aufgenommen haben.«

»Na, hoffentlich hält er Wort«, sagte Vianello, der nicht die besten Erfahrungen mit den Carabinieri und deren Dienstauffassung gemacht hatte.

Doch Pucetti blieb zuversichtlich. »Ich denke schon. Dass ein Kind dran glauben musste, ging ihm ganz schön an die Nieren. Wie übrigens praktisch allen, mit denen ich gesprochen habe.«

Die drei Männer tauschten vielsagende Blicke.

»Übernimmst du den Jungen?« Vianellos Frage erinnerte

Brunetti daran, dass Signora Vivarinis Angaben auch noch von ihrem Sohn bestätigt werden mussten.

»Das würde sie nicht riskieren«, wehrte Brunetti ab, obwohl er nicht hätte sagen können, woher er diese Gewissheit nahm.

»Commissario«, wagte Pucetti sich vor, »darf ich Sie etwas fragen?« Und als Brunetti nickte, fuhr der junge Beamte fort: »Wenn ich's recht verstehe, erscheint Ihnen diese Signora Vivarini irgendwie verdächtig. Entweder weil sie was angestellt hat, oder weil sie etwas verheimlichen will.«

Brunetti widerstand der Versuchung, Pucetti auf die Schulter zu klopfen, ja er ließ sich nicht einmal ein Lächeln entlocken. »Signora Vivarini will angeblich nicht bemerkt haben, dass sie bestohlen wurde. Ein Trauring, eine Taschenuhr, ein Paar Manschettenknöpfe und noch ein Ring wurden entwendet, aber sie hat nichts davon vermisst.«

Pucetti hörte aufmerksam zu und verfolgte Brunettis Ausführungen gewissenhaft Punkt für Punkt.

»Ihr Erstaunen, als plötzlich die Polizei bei ihr auftauchte, war, glaube ich, echt.« Pucetti nickte und speicherte auch diesen Hinweis. »Andererseits genau die Reaktion, die man von einem unbescholtenen Bürger erwartet«, schränkte Brunetti ein, und wieder nickte Pucetti.

Brunetti spielte mit dem Gedanken, Pucetti um eine eigene Einschätzung zu bitten. Doch er widerstand der Versuchung und fuhr fort: »Aber während der ganzen Zeit – Vianello und ich waren mindestens eine halbe Stunde bei ihr – hat sie sich nicht ein einziges Mal nach dem Kind erkundigt, das in der Nähe ihres Hauses tot aus dem Wasser geborgen wurde.«

»Heißt das, Sie haben die Signora in Verdacht?« Pucetti war so verblüfft, dass er das letzte Wort besonders betonte.

»Nicht unbedingt«, antwortete Brunetti. »Aber sie hat sich mit keiner Silbe nach dem Kind erkundigt. Nicht einmal als ich ihr sagte, dass die gestohlenen Sachen bei einer Person sichergestellt wurden, die im Zentrum einer größeren Ermittlung steht. Das ist es, was mich misstrauisch macht.«

In Pucettis Zügen malte sich zunächst unverhohlene Skepsis, und Brunetti war selbst überrascht, wie sehr ihn das kränkte. Doch dann schüttelte der junge Mann den Kopf, sah eine Weile grübelnd auf seine Füße und hob schließlich lächelnd den Blick. »Sie hätte wirklich danach fragen sollen, nicht wahr?«

Brunetti sah zu Vianello hinüber und war froh, auch ihn schmunzeln zu sehen. »Erst ertrinkt ein kleines Mädchen praktisch vor deinem Haus«, sagte der Inspektor zu Pucetti, »dann taucht die Polizei auf und erkundigt sich nach verschwundenen Schmuckstücken. Wenn die Bullen sich eine halbe Stunde lang dafür Zeit nehmen, müsste einem, finde ich, dämmern, dass da ein Zusammenhang bestehen könnte. Kommt schließlich nicht alle Tage vor, dass bei uns wer ertrinkt, oder?«

»Aber welchen Zusammenhang vermuten Sie?«, fragte Pucetti.

Brunetti hob vielsagend die Brauen und neigte das Kinn zur Seite. »Schwer zu sagen. Es könnte sich natürlich auch um ein zufälliges Zusammentreffen handeln. Da das Mädchen Ring und Uhr bei sich hatte, wissen wir, dass sie im Haus gewesen sein muss. Insofern sind wir Signora Vivarini gegenüber im Vorteil, die vielleicht nicht weiß, dass das

Mädchen dort war und daher auch keinen Zusammenhang sieht. Trotzdem ist es merkwürdig, dass sie nicht nach der Ertrunkenen gefragt hat.«

»Ist das alles?«, fragte Pucetti.

»Im Augenblick, ja«, antwortete Brunetti.

18

Lange nachdem Pucetti gegangen war, saß Brunetti immer noch grübelnd hinter seinem Schreibtisch. Den Ordner mit den restlichen Fotos des Zigeunermädchens hatte er ganz beiseitegeräumt, so als könnte er sie damit auch aus seinen Gedanken verdrängen. »*Avanti!*«, antwortete er fast erleichtert auf ein Klopfen an seiner Tür.

»Haben Sie einen Moment Zeit, Commissario?« Auf der Schwelle stand Signorina Elettra.

»Aber ja doch!« Einladend wies er auf einen der Besucherstühle.

Sie schloss die Tür, durchquerte das Zimmer und nahm vor dem Schreibtisch Platz. Auch wenn sie keine Unterlagen oder Notizen dabeihatte, merkte Brunetti an der Art, wie sie sich zurechtsetzte und die Beine übereinanderschlug, dass ihr Anliegen einige Zeit in Anspruch nehmen würde.

Brunetti setzte ein ermunterndes Lächeln auf. »Ja, Signorina?«

»Ich habe mich wie gewünscht über diesen Priester kundig gemacht, Dottore.«

»Welchen?«, fragte Brunetti.

»Oh, es gibt nur einen: Padre Antonin.« Und bevor er einhaken konnte, fuhr sie fort: »Der andere, Leonardo Mutti, ist in keinem Orden als Mitglied verzeichnet, zumindest in keinem vom Vatikan sanktionierten.«

»Darf ich fragen, wie Sie das herausbekommen haben?«

»Seine Personaldaten waren problemlos zu ermitteln: Da

er hier wohnhaft ist, brauchte ich bloß in den Akten des Einwohnermeldeamtes nachzusehen.« Ein Vorgang, den sie mit einer winzigen Handbewegung als kinderleicht abtat. »Anschließend musste mein Freund bei der Kurie nur noch Namen und Geburtsdatum durch den Computer laufen lassen.« Hier flocht sie anerkennend ein: »Das Archiv des Vatikans ist wirklich phänomenal: Die haben einfach alles gespeichert!«

Brunetti nickte.

»Aber ein Leonardo Mutti ist nirgends registriert, weder bei einer der beiden christlichen Kirchen noch in einem der anerkannten Mönchs- oder Priesterorden.«

»Anerkannt?«

»Wie mir mein Freund erklärt hat, sind in den kirchlichen Archiven neben den zugelassenen – sprich vom Vatikan kontrollierten – Ordensgemeinschaften auch einige Randgruppen erfasst, wie etwa diese Spinner von der Lefebvre-Bruderschaft. Aber auch da taucht nirgendwo Muttis Name auf.«

»Hatten Sie selber Zugang zu den Akten?« Brunetti, dessen Einblick in die Zusammenhänge mehr als dürftig war, stellte die Frage eigentlich nur höflichkeitshalber.

»Wo denken Sie hin!« Signorina Elettra hob abwehrend die Hand. »Die sind zu gut für mich. Wie ich schon sagte: einfach phänomenal! Ihr System ist geradezu bombensicher. Da kommt man von außen nicht rein.«

»Verstehe«, schwindelte Brunetti. »Und Antonin? Was hat Ihr Freund über den herausgefunden?«

»Dass er vor vier Jahren aus seiner Gemeinde in Afrika zurückbeordert und in irgendein Nest in den Abruzzen verbannt wurde. Aber dann hat sich offenbar irgendwer für ihn stark gemacht und seine Beziehungen spielen lassen, woraufhin er die Kaplanstelle bei uns im Ospedale Civile bekam.«

»Was denn für Beziehungen?«

»Das weiß ich nicht, und mein Gewährsmann hat's auch nicht rausgekriegt. Aber jedenfalls schmorte Antonin etwa ein Jahr lang in einer Art internem Exil, bevor man ihn hierher versetzte.« Als Brunetti dazu schwieg, fuhr sie fort: »Normalerweise muss so ein in Ungnade gefallener, strafversetzter Missionar viel länger in der Verbannung bleiben – manchmal für den Rest seines Berufslebens.«

»Was hat man ihm denn zur Last gelegt?«

»Er war in eine Betrugsaffäre verwickelt«, antwortete Signorina Elettra und fügte entschuldigend hinzu: »Das hätte ich wohl vorausschicken sollen.«

»Betrug, sagen Sie?«

»Ja, der übliche Schwindel, den sie in afrikanischen Missionen und anderswo in der Dritten Welt inszenieren: Man schickt Bettelbriefe in die Heimat und schildert darin die große Not der Menschen, wie schlimm sie darben und wie sehr man auf Hilfe angewiesen sei.«

Für Brunetti klang das ganz nach den Briefen, die Sergio von Antonin bekommen hatte.

»Aber Padre Antonins Mission schaffte den Sprung in die Moderne«, erklärte Signorina Elettra mit einem Anflug von Bewunderung in der Stimme. »Er richtete eine bebilderte Website ein, auf der seine Pfarrei im Dschungel zu sehen war und seine glückliche Gemeinde, wie sie im Gänsemarsch zur Messe schritt, oder auch die mit Spendengeldern erbaute neue Schule.« Sie hob das Kinn und fragte: »Haben Sie eigentlich früher auch für die Errettung armer Heidenkinder gespendet, Signore?«

»Errettung?«

»Na, Sie wissen schon: Da gab's doch diese Sammelkästen, wo man sein Taschengeld reinwarf, mit dem dann in Afrika ein kleines Heidenkind zum lieben Heiland bekehrt wurde.«

»Stimmt, so was hatten wir in der Schule, aber ich durfte nicht mitmachen. Mein Vater war dagegen«, antwortete Brunetti.

»In meiner Schule wurde auch gesammelt«, entgegnete Signorina Elettra, ohne zu verraten, ob sie sich an der Errettung kleiner Heidenseelen beteiligt hatte. Überhaupt hielt sie mit irgendetwas hinter dem Berg. Brunetti hatte zwar keine Ahnung, was es war, vertraute aber darauf, dass sie über kurz oder lang damit herausrücken würde.

»Padre Antonin hat sich auf seiner Website genau der gleichen Taktik bedient. Wer einen entsprechenden Betrag auf ein angegebenes Konto überwies, finanzierte damit ein Jahr lang die Ausbildung eines bedürftigen Kindes.«

Brunetti, der selbst den Unterhalt für eine Reihe indischer Waisenkinder von der Steuer absetzte, wurde es langsam unbehaglich.

»Von Religion war bei Padre Antonin nicht die Rede«, fuhr Signorina Elettra fort. »Zumindest nicht auf seiner Website. Da ging es nur um Erziehung und Berufsausbildung.« Und bevor Brunetti nachhaken konnte: »Er ging wohl davon aus, dass Leute, die im Internet unterwegs sind, sich eher für Bildung interessieren als für Religion.«

»Mag sein«, erwiderte Brunetti. »Und weiter?«

»Tja, aufgeflogen ist das Ganze, als jemand die Fotos von Antonins glücklicher Gemeinde auf der Website einer Schule wiederfand, die von einem Bischof in Kenia geleitet wurde. Und nicht nur die Fotos – sogar die frommen Sprüche von Hoffnung und Zuversicht waren identisch.« Mit einem feinen Lächeln setzte sie hinzu: »Die Beteiligten haben offenbar darauf vertraut, dass man so was in Kirchenkreisen nicht gegenchecken würde, wenn ich's mal so salopp ausdrücken darf.« Und zum Schluss blitzte doch noch ihr Zynismus auf: »Außerdem sehen diese Schwarzen doch alle gleich aus, nicht wahr?«

Brunetti überhörte die Spitze und fragte: »Was ist passiert?«

»Ein Journalist, der für einen Artikel über solche missionarischen Projekte recherchierte, hat den Schwindel entdeckt.«

»Ein Journalist mit oder ohne Einfühlungsvermögen?«, wollte Brunetti wissen.

»Mit – zum Glück für Antonin.«

»Und weiter?«

»Nun, der Journalist verständigte jemanden im Vatikan, der ein vertrauliches Gespräch mit Antonins Bischof führte, und im Handumdrehen wurde der Padre in die Abruzzen versetzt.«

»Und das Geld?«

»Ha, da wird's interessant!«, rief Signorina Elettra. »Es stellte sich nämlich heraus, dass Antonin mit den Spendengeldern gar nichts zu tun hatte: Die flossen alle auf ein Privatkonto seines Bischofs, der außerdem noch Prozente von seinem Amtsbruder in Kenia für die Nutzung von Antonins

Fotos kassierte. Der Padre hatte keine Ahnung, welche Summen da zusammenkamen, und es interessierte ihn auch nicht, solange er nur genug zur Verfügung hatte, um seine Schule zu finanzieren und die Kinder zu verkösten.« Sie belächelte die Einfalt des Kirchenmannes.

»Man hat ihn dort in Afrika als Strohmann benutzt«, fuhr sie fort. »Er war Europäer, hatte Verbindungen nach Italien, wusste, wer eine Website einrichten konnte, und vor allem, wie man die Spendierfreudigkeit der Menschen weckt.« Diesmal fiel ihr Lächeln merklich kühler aus. »Ohne diesen Journalisten säße er wahrscheinlich immer noch dort unten und würde Seelen für den Heiland retten.«

Brunetti, der sich über das Antonin angetane Unrecht ebenso empörte wie über seine nun entlarvten Vorurteile gegen den Priester, fragte aufgebracht: »Aber hat er sich denn nicht gewehrt? Er war doch unschuldig.«

»Armut. Keuschheit. Gehorsam.« Nach jedem Wort machte Signorina Elettra eine Pause. »Antonin nimmt seine Gelübde offenbar sehr ernst. Also folgte er dem Befehl aus Rom, kehrte brav zurück und trat sein Amt in den Abruzzen an. Doch dann ist offenbar jemand dahintergekommen, was wirklich passiert war – vermutlich durch einen Hinweis des Journalisten –, und Antonin wurde nach Venedig versetzt.«

»Hat er jemanden über die wahren Zusammenhänge aufgeklärt?«, fragte Brunetti.

Sie zuckte mit den Schultern. »Er macht seine Arbeit, kümmert sich um die Patienten in der Klinik und begräbt die Toten.«

»Und versucht, andere Menschen davor zu bewahren,

dass sie ähnlichen Betrügereien aufsitzen wie er?«, mutmaßte Brunetti.

»So scheint es«, versetzte sie widerstrebend. Offenbar wollte sie sich ihre Vorbehalte gegen den Klerus nicht nehmen lassen, auch wenn diesmal alle Indizien dagegensprachen. Sie machte Anstalten, sich zu erheben, und fragte abschließend: »Soll ich mich weiter um diesen Leonardo Mutti kümmern?«

Brunettis Instinkt warnte ihn davor, noch mehr Zeit auf den Sektenprediger zu verschwenden. Doch nach dem, was er eben gehört hatte, fühlte er sich in Antonins Schuld. »Bitte, tun Sie das. Antonin war ziemlich sicher, dass eine Spur nach Umbrien führt. Vielleicht hilft Ihnen das weiter.«

»Geht in Ordnung, Commissario.« Jetzt stand sie wirklich auf. »Vianello hat mir von dem Mädchen erzählt. Schrecklich!«

Meinte sie den Tod der Kleinen oder ihre Krankheit oder den traurigen Umstand, dass sie offenbar einen läppischen Einbruch mit dem Leben bezahlt hatte und anscheinend von niemandem vermisst wurde? Brunetti umschiffte eine direkte Antwort mit dem Geständnis: »Ich werde ihr Bild einfach nicht los.«

»Genau das hat Vianello auch gesagt, Dottore. Aber vielleicht bessert sich das, wenn der Fall geklärt ist.«

»Ja, vielleicht«, antwortete Brunetti. Als er dem nichts hinzufügte, verließ sie sein Büro und kehrte in ihr Reich zurück.

Drei Tage später wurde ein Anruf von der Carabinieri-Wache in San Zaccaria zu Brunetti durchgestellt. »Das Zigeunerkind, ist das Ihr Fall?«, fragte eine Männerstimme.

»Ja.«

»Gut, man sagte mir, ich soll mich bei Ihnen melden.«

»Und Sie sind…?«

»Maresciallo Steiner.« Der Name verriet Brunetti, woher der Akzent des Mannes stammte.

»Danke, dass Sie sich die Mühe machen, Maresciallo.« Brunetti bemühte sich, besonders höflich zu sein, obwohl er sich nicht viel davon versprach.

»Padrini hat mir das Foto gezeigt, das Ihr Beamter dagelassen hat. Er meinte, Sie suchen wen, der die Kleine identifizieren kann.«

»Ja, das stimmt.«

»Meine Jungs haben sie zweimal aufgegriffen, zusammen mit ein paar anderen. Die übliche Routine: Man fordert eine Kollegin an, weil ja Mädchen nur von einer Frau gefilzt werden dürfen. Dann lässt man sie durchsuchen, knöpft sich unterdessen ihre Komplizen vor – zweimal haben wir das, wie gesagt, durchexerziert. Anschließend setzt man sich mit den Eltern in Verbindung.« Steiner machte eine Pause, bevor er weitersprach: »Oder mit den angeblichen Eltern. Dann muss man auf die warten, und wenn keiner kommt, dürfen wir auch noch Chauffeur spielen für die Kids und sie im Lager abliefern. Alles streng nach Vorschrift. Keine Vorhaltungen, keine Anzeige, nicht mal ein kleiner Klaps auf die Pfoten, um ihnen klarzumachen, dass sie sich nicht an fremdem Eigentum vergreifen dürfen.« Steiners Litanei klang zynisch, aber sein Ton verriet nur müde Resignation.

»Können Sie mir sagen, wer von Ihren Männern das Mädchen wiedererkannt hat?«, fragte Brunetti.

»Zwei meiner Jungs können sich an sie erinnern. War ein hübsches Ding und sah auch überhaupt nicht wie eine Zigeunerin aus, so was prägt sich ein.«

»Könnte ich vorbeikommen und mit den beiden reden?«, erkundigte sich Brunetti.

»Warum? Übernehmen Sie den Fall?«

Um etwaigen Kompetenzstreitigkeiten aus dem Weg zu gehen, erklärte Brunetti liebenswürdig: »Noch ist gar nicht heraus, ob es eine Untersuchung geben wird, Maresciallo. Zunächst einmal müssen wir das Mädchen identifizieren, und dazu bräuchte ich einen Namen und, wenn möglich, eine Adresse aus Ihren Akten, damit ich die Eltern ausfindig machen kann…« Hier hielt Brunetti inne, bevor er komplizenhaft hinzusetzte: »… oder diejenigen, die sich dafür ausgeben.«

Steiner brummte etwas in den Hörer, das beifällig, wenn nicht gar anerkennend klang. »Sobald wir die Familie ermittelt haben«, fuhr Brunetti fort, »können wir ihnen die Leiche übergeben, und damit wäre der Fall abgeschlossen.«

»Wie ist sie gestorben?«, fragte der Carabiniere.

»Ertrunken. Stand ja schon in den Zeitungen«, antwortete Brunetti. »Ausnahmsweise mal korrekt«, schob er hinterher und erntete dafür diesmal ein zweifelsfrei zustimmendes Grummeln. »Keine Spuren von Gewalteinwirkung: Ich schätze, sie ist in den Kanal gefallen. Konnte wahrscheinlich nicht schwimmen«, ergänzte Brunetti, ohne das in solchen Fällen übliche »armes Ding« anzuhängen.

»Tummeln sich ja auch nicht so oft am Strand, diese Kinder, wie?« Ein Kommentar, für den Steiner ein beifällig klingendes Echo bekam.

»Wollen Sie sich wirklich die Mühe machen und extra herkommen?«, fragte der Maresciallo. »Ich kann Ihnen die nötigen Informationen auch telefonisch durchgeben.«

»Nein, in meinem Bericht macht sich's besser, wenn ich auf ein persönliches Gespräch mit Ihnen verweise«, sagte Brunetti so vertraulich, als spräche er zu einem alten Freund. »Könnte ich auch diejenigen befragen, die das Mädchen wiedererkannt haben?«

»Warten Sie einen Moment, ich sehe nach, wer da ist«, sagte Steiner und legte den Hörer hin. Es dauerte lange, bis er ihn wieder aufnahm. »Nein, tut mir leid, aber die haben beide schon Dienstschluss.«

»Darf ich mich dann an Sie wenden, Maresciallo?«

»Ich bin hier.«

Brunetti bedankte sich, versprach, in zehn Minuten dort zu sein, und legte auf.

Da er es eilig hatte, meldete er sich nirgends ab und nahm auch niemanden mit. Um glaubhaft zu machen, dass die Polizei kein spezielles Interesse am Tod des Kindes habe, sondern lediglich ihre Akten vervollständigen wolle, war es ohnedies besser, wenn er sich allein mit Steiner traf. Brunetti hatte keinen Grund, den Carabinieri Informationen vorzuenthalten, und wenn er sich trotzdem bedeckt hielt, so geschah das rein instinktiv.

Den Maresciallo hatte Brunetti sich wie eine Art Tiroler Übermenschen vorgestellt: groß, blond, blauäugig, kantiges Kinn und markiges Auftreten. Der Mann, in dessen Büro er geführt wurde, war klein und dunkel; mit seiner Statur und dem drahtigen, dichten schwarzen Haar, das zu bändigen ein Friseur seine liebe Not haben musste, hielt man ihn gewiss oft irrtümlich für einen Sardinier oder Sizilianer. Auffallend waren seine klaren, grauen Augen, die mit dem dunklen Teint kontrastierten.

»Steiner«, stellte er sich dem eintretenden Brunetti vor. Die beiden Männer gaben einander die Hand, und nachdem Brunetti den obligatorischen Kaffee abgelehnt hatte, bat er den Maresciallo, ihn über das Mädchen und seine Familie zu informieren.

»Ich habe die Akte hier«, sagte der Maresciallo, griff nach einem braunen Ordner und setzte eine Brille mit dicken Gläsern auf. »Die sind ganz schön umtriebig.« Steiner schwenkte den Ordner in der Luft. Als er ihn wieder auf den Schreibtisch legte, ergänzte er: »Da ist alles drin: Unsere Protokolle, dann die von den Kollegen in Dolo und die Berichte vom Sozialamt.«

Steiner schlug die Akte auf, griff die ersten Seiten heraus und begann vorzulesen: »Ariana Rocich, Tochter von Bogdan Rocich und Ghena Michailovich.« Er musterte Brunetti über den Rand seiner Brille hinweg, doch als er sah, dass der sich Notizen machte, sagte er: »Das Material steht Ihnen zur Verfügung. Ich habe alles kopieren lassen.«

»Besten Dank, Maresciallo«, versetzte Brunetti und steckte seinen Notizblock wieder ein.

Steiner wandte sich erneut der Akte zu und las so selbstverständlich weiter, als hätte es die kleine Unterbrechung nicht gegeben. »Auf diese Namen sind zumindest ihre Papiere ausgestellt. Aber das heißt nicht viel.«

»Fälschungen?«, fragte Brunetti.

»Wer weiß.« Steiner ließ die Blätter auf den Tisch segeln. »Hier bei uns stammen die meisten Zigeuner aus dem ehemaligen Jugoslawien. Sie kommen entweder als UN-Flüchtlinge oder reisen mit Papieren ein, die von gar nicht mehr existierenden Ländern ausgestellt wurden.« Mit einem erstaunlich langen, feingliedrigen Finger schob er den Ordner von sich weg. »Manche sind schon so lange da, dass sie erfolgreich einen italienischen Pass beantragen konnten. Diese Rocichs stammen aus dem Kosovo. Behaupten sie, und wir können's nicht nachprüfen. Spielt wohl auch keine Rolle, denn wenn die einmal hier sind, wird man sie ohnehin nicht mehr los, stimmt's?«

Brunetti brummelte etwas vor sich hin, dann fragte er: »Sie sagten am Telefon, Ihre Leute hätten das Mädchen zusammen mit anderen Kindern aufgegriffen?« Steiner nickte. »Dieselben Eltern? Wie war gleich der Name? Rocich?«

Steiner blätterte die Unterlagen durch und sortierte einige Seiten, mit der Schrift nach unten, aus. Endlich schien er gefunden zu haben, was er suchte. »Sie sind zu dritt«, sagte er, nachdem er den Text überflogen hatte. »Das Mädchen Ariana und noch zwei.« Er blickte auf: »Sie wissen, dass wir von Kindern keine Daten speichern dürfen, aber ich habe mich umgehört.« Als Brunetti nickte, fuhr Steiner fort: »Meine Leute haben das Mädchen zweimal geschnappt, beide Male bei einem Einbruch.« Brunetti wusste, dass Kinder unter vierzehn Jahren nicht verhaftet, sondern nur so lange in Gewahrsam genommen werden durften, bis man sie ihren Eltern oder den Erziehungsberechtigten übergeben konnte. Festnahmeprotokolle aufzubewahren war ebenfalls unzulässig, nur gegen das Gedächtnis hatte man noch kein Verbot verhängt.

»Die beiden anderen Kinder«, fuhr der Maresciallo fort, »gehören zur selben Familie – zumindest lauten ihre Papiere auf denselben Nachnamen –, obwohl man bei denen nie weiß, wer der wirkliche Vater ist.«

»Haben denn alle dieselbe Adresse?«, fragte Brunetti.

»Sie glauben doch nicht, dass die in einem Haus wohnen, Commissario?«

»Nein, ich dachte natürlich an ein Lager. Sind alle drei im selben untergebracht?«

»Scheint so«, antwortete Steiner. »In einem Camp außerhalb von Dolo. Besteht seit über fünfzehn Jahren, also seit dem Zusammenbruch Jugoslawiens.«

»Wie viele Personen?«

»Meinen Sie dort oder in ganz Italien?«

»Sowohl als auch.«

»Das lässt sich unmöglich beziffern.« Steiner nahm die Brille ab und legte sie in den aufgeschlagenen Ordner. »Bei Dolo drüben sind so fünfzig bis hundert Leute, entsprechend mehr, wenn eine Hochzeit oder sonst ein Fest gefeiert wird oder wenn sie eine Versammlung abhalten. Sind natürlich nur Schätzwerte. Wir können lediglich die Wohnwagen oder die Autos zählen und mit vier multiplizieren.« Steiner schmunzelte und fuhr sich mit der Hand durchs Haar: Brunetti glaubte es knistern zu hören. »Kein Mensch weiß, wie wir zu dieser Zahl kommen«, gestand der Maresciallo, »aber wir arbeiten nun mal damit.«

»Und insgesamt? Ich meine, in ganz Italien?«

Als Steiner diesmal mit beiden Händen durch sein schwarzes Haar harkte, knisterte es tatsächlich. »Tja, das ist Auslegungssache. Die Regierung sagt vierzigtausend, also sind's möglicherweise vierzigtausend. Aber es könnten genauso gut auch hunderttausend sein. Genau weiß das keiner.«

»Heißt das, niemand zählt?«, fragte Brunetti.

Steiner sah ihn scharf an. »Ich dachte, Sie würden fragen, ob es niemanden kümmert«, sagte er.

»Auch das«, entgegnete Brunetti, der sich dem Maresciallo langsam nicht mehr so fremd fühlte.

»Amtliche Zählungen gibt's sicher nicht«, sagte Steiner. »Das heißt, die Leute in den Camps werden schon registriert, fragt sich nur, ob das, was wir da veranstalten, einer ordnungsgemäßen Zählung entspricht. Immerhin wird die Belegung der Camps landesweit kontrolliert. Aber die Zahlen ändern sich täglich. Und auf Grund ihrer unsteten Lebensweise werden einige dieser Leute nie, andere dafür gleich mehrmals erfasst. Manchmal, wenn der Aufenthalt in einem Camp brenzlig für sie wird, verschwinden sie auch einfach.« Steiner maß den Commissario mit einem langen Blick. »Was ich Ihnen jetzt sage, muss absolut unter uns bleiben: Wer in den Zigeunern eine Gefahr für die Gesellschaft sieht oder zu sehen vorgibt, der kommt auf höhere Zahlen als Leute, die eine andere Einstellung haben.«

»Und wieso?« Brunetti stellte die Frage, obwohl er sie sich durchaus selbst beantworten konnte.

»Nehmen Sie beispielsweise die Nachbarn. Die werden's leid, dass man ihnen die Autos klaut, in ihre Häuser einbricht oder dass ihre Kinder in der Schule von den Lager-Kids verprügelt werden. Sofern die zur Schule gehen. Also schließt sich das bürgerliche Lager zu Gruppen – oder sagen wir ruhig Banden – zusammen, und je höher die Zahl der *nomadi* landesweit ist, desto nachdrücklicher drängen ihre

Gegner auf Abschiebung. Und fangen an, ihnen das Leben schwerzumachen.«

Da Brunetti seiner Argumentation uneingeschränkt zu folgen schien, verzichtete Steiner darauf auszuführen, wie man den *nomadi* das Leben schwermachte, und zog gleich Bilanz: »Eines Morgens sind dann etliche Wohnwagen und Mercedes verschwunden, in der Umgebung wird eine Zeitlang nicht mehr eingebrochen, die Zigeunerkinder gehen regelmäßig zur Schule und führen sich dort anständig auf.« Wieder maß der Maresciallo Brunetti mit einem langen Blick und fragte dann: »Soll ich ganz offen reden?«

»Ich bitte darum!«

»Auch wir tragen unser Teil dazu bei, sie zu vertreiben. Wenn wir ihre Kinder in fremden Häusern aufgreifen, sie beim Verlassen eines Hauses oder auf der Straße mit Schraubenziehern in den Strümpfen oder im Rockbund erwischen, dann schaffen wir sie ins Lager zurück. Falls das häufiger – sagen wir fünf- oder sechsmal – geschieht, sucht die Familie das Weite.«

»Und dann?«

»Lassen sie sich irgendwo anders nieder und begehen ihre Einbrüche dort.«

»Und das geht so einfach?«, fragte Brunetti.

Steiner zuckte die Achseln. »Sie packen zusammen, suchen sich eine neue Bleibe und leben weiter wie bisher. Schließlich haben sie ja weder Miete noch Hypotheken zu zahlen und müssen, im Gegensatz zu uns, auch keinem Beruf nachgehen.«

»Das klingt, als hielte sich Ihr Mitgefühl sehr in Grenzen«, wagte sich Brunetti vor.

Steiner hob die Schultern. »Nein, das stimmt so nicht, Commissario. Aber wenn man sie, so wie ich, seit Jahren festgenommen und ihre Kinder nach Hause geschafft hat, dann vergehen einem die Illusionen.«

»Und Sie glauben, andere haben noch welche?«, fragte Brunetti.

»Einige schon. In Sachen Gleichstellung etwa oder Achtung vor fremden Kulturen und Traditionen.« Sosehr er auch die Ohren spitzte, Brunetti konnte in Steiners Worten keinen Anflug von Ironie oder Sarkasmus entdecken.

»Hinzu kommen die Schuldgefühle wegen der Zigeunerverfolgungen während des Krieges«, fuhr der Carabiniere fort. »Durchaus verständlich, dass man da andere Maßstäbe anlegt.«

»Was wollen Sie damit sagen?«

»Dass Sie und ich, wenn wir uns weigerten, unsere Kinder zur Schule zu schicken, und sie stattdessen zum Klauen abrichteten, diese Kinder nicht sehr lange behalten würden.«

»Und im Falle der *nomadi* ist das anders?«

»Die Frage erübrigt sich wohl, Commissario«, antwortete Steiner betont schroff. Wieder fuhr er sich mit der Rechten durchs Haar, bevor er das Thema wechselte. »Jetzt, wo Sie wissen, wer das Mädchen ist, was haben Sie da für Pläne?«

»Zunächst einmal muss man ihre Eltern benachrichtigen.«

Steiner nickte.

Nachdem er dem Maresciallo Zeit zu einer Stellungnahme eingeräumt hatte – eine Gelegenheit, die Steiner ungenutzt verstreichen ließ –, sagte Brunetti: »Da ich die Leiche gefunden habe, sollte ich wohl auch mit den Eltern reden.«

Steiner musterte Brunetti einen Moment lang, dann erklärte er sich einverstanden.

»Gibt es jemanden beim Sozialamt, der Kontakt zur Familie hat?«, fragte Brunetti.

»Sogar mehrere.«

»Mir wäre eine Frau am liebsten. Um die Mutter vorzubereiten.«

Brunetti schien es, als verzöge Steiner spöttisch das Gesicht. Doch dann erhob sich der Maresciallo und kam mit der Akte um den Schreibtisch herum. »Hier drin finden Sie auch ein paar Berichte der zuständigen Sozialarbeiter.« Brunetti sah den Ordner an, machte aber keine Anstalten, ihn entgegenzunehmen.

Schmunzelnd wedelte Steiner mit der Akte. »Ich muss dringend eine rauchen, aber das darf ich nur im Freien«, sagte er. »Lesen Sie sich das in der Zwischenzeit durch, und wenn ich wiederkomme, sagen Sie mir, wie Sie vorgehen möchten, okay?«

Brunetti nickte und nahm den Ordner in Empfang. Steiner verließ das Büro und schloss leise die Tür hinter sich.

19

Wie hieß gleich wieder das Buch, aus dem Paola regelmäßig zitierte, wenn sie ein Seminar über Dickens hielt? *Die Armen von London*? Als sie ihm zum ersten Mal daraus vorgelesen hatte, war Brunetti schockiert gewesen, und das nicht nur wegen des Inhalts, sondern auch weil Paola ihn mit so ingrimmiger Genugtuung vorgetragen hatte. Die Berichte über Hunderte von Menschen, die in fensterlosen Räumen hausten, über Kinder, die im kotverseuchten Fluss nach verkäuflichem Abfall stocherten, hatten ihn so verstört, dass Paola ihn »hasenherzig« nannte, was immer das bedeuten mochte. Und wenn er sich weigerte, den Schilderungen frühreifer Sexualität Glauben zu schenken, oder angesichts der aufgeführten Kinderarbeiten erbleichte, dann hatte sie ihm vorgeworfen, er stecke den Kopf in den Sand.

All diese Stellen fielen ihm wieder ein, während er die Berichte der Sozialarbeiter über das Roma-Lager außerhalb von Dolo las, in dem die Rocichs lebten. Ihre Unterkunft war eine *roulotte*, Baujahr 1979, für die sie keine Papiere besaßen. Und die anscheinend nicht beheizbar war.

Steiner hatte recht: So einen Wohnwagen als das Heim der Familie zu bezeichnen hieß, die Gepflogenheiten einer Gesellschaft willkürlich den Mitgliedern einer anderen überzustülpen. Das Auto, das zu der *roulotte* gehörte, war zugelassen auf Bogdan Rocich. Der war, ebenso wie Ghena Michailovich, die Frau, die den Wohnwagen mit ihm teilte, im Besitz eines UN-Flüchtlingsausweises. Im Pass der Frau waren drei Kinder eingetragen: Ariana, Dusan und Xenia. Deren Geburtsurkunden nannten Ghena Michailovich und Bogdan Rocich als Eltern.

Bogdan Rocich, der den Behörden auch unter einer langen Liste von Decknamen bekannt war, hatte ein ellenlanges Strafregister, das sechzehn Jahre, bis zu seiner mutmaßlichen Einreise nach Italien, zurückreichte. Zu den Vergehen, die ihm zur Last gelegt wurden, gehörten: Raub, Körperverletzung, Drogenhandel, unerlaubter Waffenbesitz, Vergewaltigung und Trunkenheit in der Öffentlichkeit. Verurteilt hatte man ihn jedoch nur wegen illegalen Waffenbesitzes. Die Zeugen seiner übrigen Straftaten, die in den meisten Fällen auch die Opfer waren, hatten ihre Anschuldigungen jedes Mal zurückgezogen, bevor es zum Prozess kam. Ein Zeuge war ganz und gar verschwunden.

Auch Ghena Michailovich, gebürtig aus dem heutigen Bosnien, war mehrmals festgenommen worden, allerdings immer nur wegen Laden- oder Taschendiebstahls. Zweimal wurde sie verurteilt, kam aber als Mutter von drei Kindern beide Male mit Hausarrest davon. Sie verfügte ebenfalls über eine Reihe von Decknamen.

Nachdem Brunetti sämtliche Verhaftungsprotokolle der Eltern gelesen hatte, wandte er sich den Berichten über die Kinder zu. Jedes der drei war beim Sozialamt aktenkundig. Ihre Altersangaben waren unstrittig, da alle Geschwister in Italien geboren waren. Xenia, die Älteste, war dreizehn; Dusan, der einzige Junge, zwölf; und Ariana, das tote Mädchen, war elf gewesen.

Brunetti ließ die Papiere auf den Schreibtisch sinken und wandte den Blick zum Fenster, das auf den Innenhof der Wache ging. In der hinteren Ecke stand eine Kiefer, ein paar Meter davor ein Obstbaum, dessen zartgrüne, noch geschlossene Blätter sich gegen das dunklere Grün der Kiefernnadeln abhoben. Unten, zwischen den Stämmen, leuchtete das junge Gras, und vor dem Mäuerchen, das den Hof umgab, spitzten die Triebe künftiger Tulpen aus der Erde. Plötzlich stieß von links ein Vogel im Sturzflug herab, verschwand kurz im Wipfel der Kiefer und flatterte gleich wieder davon. Minutenlang sah Brunetti ihm zu, wie er ein ums andere Mal in den Baum zurückkehrte. Und dort sein Nest baute.

In der Akte folgten als Nächstes die Berichte zweier Schulen aus Dolo, in denen die Kinder gemeldet waren. Allerdings fehlten sie so häufig, dass von regulärem Unterricht kaum die Rede sein konnte. Über ihre Leistungen war denn auch fast nichts vermerkt; die Lehrkräfte beschränkten sich darauf, die Tage anzugeben, an denen die Kinder geschwänzt hatten oder nicht zu den Jahresabschlussprüfungen erschienen waren. Dusan war zweimal nach Hause geschickt worden, weil er sich geprügelt hatte. Über den Anlass der Raufereien stand nichts im Bericht. Xenia war einmal auf einen Jungen aus ihrer Klasse losgegangen und hatte ihm die Nase gebrochen, doch die Sache verlief im Sande. Über Ariana fand Brunetti keinen Eintrag.

Hinter ihm öffnete sich die Tür, und Steiner kam mit zwei kleinen weißen Plastikbechern herein. Einen davon stellte er vor Brunetti hin. »Ist nur ein Stück Zucker drin«, sagte er.

Brunetti bedankte sich, klappte den Ordner zu und legte ihn vor sich auf den Schreibtisch. Dass der Kaffee bitter war, störte ihn nicht.

Steiner ging um den Schreibtisch herum und setzte sich auf seinen Platz. Er trank seinen Kaffee aus, drückte den Becher zusammen und warf ihn in den Papierkorb. »Darf ich jetzt erfahren, wie weit Sie mit Ihren Ermittlungen sind?« Und wie um seiner Frage Nachdruck zu verleihen, beugte der Maresciallo sich vor und legte die ausgestreckte Hand auf den Ordner.

»Das Mädchen hatte einen Ring und eine Uhr bei sich.« Brunetti vermied es zu erläutern, wo Rizzardi den Ring gefunden hatte. »Beides gehört einem gewissen Giorgio Fornari, wohnhaft in San Marco, nicht weit vom Fundort der Leiche. Ich war dort und habe mit seiner Frau gesprochen. Sie wirkte überrascht, als ich ihr die Stücke vorlegte. Und während sie mir zeigte, wo sie aufbewahrt wurden, stellte sie fest, dass noch ein Ring und ein Paar Manschettenknöpfe fehlten. Ich glaube, sie hatte den Diebstahl zuvor wirklich nicht bemerkt.«

»Sonst noch was in der Wohnung, das sich zu stehlen gelohnt hätte?«

»Nicht für Zigeuner«, antwortete Brunetti. »Ich meine natürlich Roma«, verbesserte er sich hastig.

»Die Bezeichnung gilt nur für die Protokolle«, meinte Steiner. »Hier können Sie ruhig Zigeuner sagen.«

Brunetti nickte.

»Wer gehörte alles zum Haushalt des Bestohlenen?«, fragte Steiner.

»Der Ehemann natürlich, doch der ist zur Zeit in Russland, auf Geschäftsreise, wird aber bald zurückerwartet. Ein achtzehnjähriger Sohn, der an dem fraglichen Abend mit seiner Mutter in der Oper war.« Steiner hob fragend die Brauen, was Brunetti geflissentlich übersah. »Dann gibt's noch eine Tochter, sechzehn. Die habe ich kurz gesehen.«

»Sonst noch jemand?«

»Eine Hausgehilfin, aber die wohnt nicht bei ihnen.«

Steiner lehnte sich zurück, zog mit dem Fuß eine Schreibtischschublade auf – ein Manöver, das Brunetti wohl vertraut war – und legte seine Füße über Kreuz darauf ab. Mit verschränkten Armen, den Kopf gegen die Sessellehne gestützt, sah er aus dem Fenster und betrachtete die Bäume im Hof. Vielleicht beobachtete er sogar den Vogel.

»Entweder«, fasste er schließlich das Resultat seiner Überlegungen zusammen, »jemand hat das Mädchen überrascht, oder sie hat den Kopf verloren. Entweder sie ist gestürzt, oder es hat jemand nachgeholfen.« Und nachdem er sich abermals der Betrachtung von Bäumen und Vogel gewidmet hatte, fuhr er fort: »Was den Hergang betrifft, sind noch alle Möglichkeiten offen. Eines aber können wir mit Bestimmtheit sagen.«

»Dass sie nicht allein war?«, mutmaßte Brunetti.

»Genau!«

Brunetti nickte. »Die zwei Mal, wo sie geschnappt wurde, waren ihre Geschwister immer dabei.«

Steiner führte beide Hände an den Kopf und kratzte sich den Schädel so hingebungsvoll, wie man einen gutmütigen Hund kraulen würde. Wieder wanderte sein Blick hinaus zu den Bäumen, bevor er Brunetti ansah und sagte: »Ich glaube, jetzt sind wir an einem Punkt, wo wir uns über die Rechtslage klar werden sollten.«

»Sie meinen, dass wir's mit Minderjährigen zu tun haben?«, fragte Brunetti. Und als Steiner nickte, fügte er hinzu: »Und dass die Zuständigkeit geklärt werden muss?«

Wieder nickte der Carabiniere. Dann überraschte er Brunetti mit der Frage: »Ist Patta Ihr Chef?«

»Ja.«

»Hmhm. Hab auch schon für Männer seines Schlages gearbeitet. Sie haben vermutlich so Ihre Methoden, um ihn auf – nun ja – heikle Fälle vorzubereiten?«

Jetzt nickte Brunetti.

»Glauben Sie, Sie können ihn dazu bringen, dass er Sie mit den Ermittlungen beauftragt? Es kommt zwar vermutlich nicht viel dabei raus, aber ich finde, wenn so was mit einem Kind passiert, kann man das nicht auf sich beruhen lassen.«

»Von den Möglichkeiten, die Sie vorhin genannt haben: Halten Sie da eine für realistisch?« Brunetti ertappte sich dabei, dass er den Maresciallo fast ebenso hartnäckig bedrängte, wie er vor kurzem Rizzardi in die Mangel genommen hatte.

Steiner schaute wieder aus dem Fenster; es sah aus, als suche er für seine Antwort Rat bei den Bäumen und dem Vogel. »Wie ich schon sagte: Entweder sie ist gestürzt, oder sie wurde gestoßen. Was genau passiert ist, wissen wohl nur die beiden anderen Kinder, die mit Sicherheit dabei waren.«

»Aber dann hätten sie doch was gesagt«, warf Brunetti ein, allerdings nur um zu testen, wie der Maresciallo darauf reagieren würde.

Steiner ließ ein ungläubiges Schnauben hören. »Solche Kinder reden nicht mit der Polizei, Commissario.« Und nach kurzem Überlegen fügte er hinzu: »Ich weiß nicht mal, ob die mit ihren eigenen Eltern reden.«

»Aber man kann doch nicht«, entfuhr es Brunetti unwillkürlich, »zu dritt losziehen und zu zweit heimkommen, ohne dass es jemandem auffällt.«

Steiners Antwort ließ auf sich warten. »Ich weiß nicht, bei denen ist das womöglich ganz normal. Die sehen die Polizei und machen sich aus dem Staub; sie werden in einem fremden Haus überrascht und türmen; jemand ertappt sie, wie sie eine Tür aufbrechen, schreit los und sie stieben in verschiedene Richtungen davon, damit man sie nicht so leicht zu fassen kriegt. Ich bin sicher, diese Kids wissen ganz genau, wie sie sich in Sicherheit bringen, wenn's brenzlig wird.«

»Das Mädchen hat's nicht gewusst«, wandte Brunetti ein.

»Nein«, bestätigte Steiner leise. »Die nicht.«

Nach einer kleinen Pause bemerkte Brunetti: »Mich wundert bloß, warum die Familie sie nicht als vermisst gemeldet hat.«

»Versetzen Sie sich in deren Lage«, sagte Steiner. »Dann wundern Sie sich nicht mehr.«

Die beiden Männer verfielen in Schweigen, ein einvernehmliches Schweigen, in dem ein gemeinsamer Vorsatz reifte. Endlich erklärte Brunetti: »Ich muss los und der Mutter Bescheid sagen.«

»Ja«, antwortete Steiner, »tun Sie das.« Nach einer Pause fragte er: »Wie wollen Sie vorgehen?«

»Ich möchte meinen Inspektor mitnehmen. Vianello.«

Steiners Entgegnung traf Brunetti völlig unvorbereitet: »Guter Mann!«

Der Commissario ließ sich seine Verblüffung nicht anmerken. »Sie hätte ich auch gern dabei. Und ich fände es gut, wenn wir in einem Ihrer Wagen vorfahren würden.« Steiner nickte, als wolle er sagen: Nichts einfacher als das. »Und vom Sozialamt sollte, wie gesagt, auch jemand mitkommen.« Erst am Ende seiner Aufzählung wurde ihm bewusst, dass er den Maresciallo nun ganz in seine Pläne einbezogen hatte.

Steiner nickte beifällig. »Ich rede mit meinem Vorgesetzten.«

»Und ich überlege mir, wie ich's meinem beibringe.«

Steiner erhob sich und ging zur Tür. »Ich brauche etwa zwanzig Minuten, um alles in die Wege zu leiten. Sobald ich den Wagen angefordert und jemanden vom Sozialamt mobilisiert habe, hole ich Sie mit einem unserer Boote ab: Sagen wir, in einer halben Stunde.«

Brunetti dankte dem Maresciallo mit einem Händedruck und machte sich auf den Weg zurück zur Questura.

20

Vianello war nirgends zu finden. Brunetti fragte im Bereitschaftsraum nach, aber auch dort wusste niemand, wo der Inspektor abgeblieben war. Obwohl er kaum Hoffnung hatte, Vianello ausgerechnet in Pattas Reich anzutreffen, versuchte Brunetti sein Glück zuletzt bei Signorina Elettra.

Mit der atemlosen Frage: »Haben Sie Vianello gesehen?«, platzte er grußlos in ihr Büro.

Signorina Elettra sah von ihrer Arbeit auf. Nach einer Pause, die sich etwas zu sehr in die Länge zog, sagte sie: »Ich glaube, er wartet in Ihrem Büro auf Sie, Commissario.« Und hatte sich schon wieder über die Papiere auf ihrem Schreibtisch gebeugt.

Brunetti bedankte sich, doch sie gab keine Antwort.

Erst auf der Treppe wurde ihm bewusst, wie schroff er gewesen und wie kühl sie ihn abgefertigt hatte. Doch jetzt war keine Zeit, die Scharte auszuwetzen.

Tatsächlich fand er Vianello in seinem Büro. Der Inspektor stand am Fenster und blickte auf den Kanal hinaus. Bevor Brunetti etwas sagen konnte, erklärte er: »Steiner hat angerufen. Er lässt ausrichten, das Boot sei eingetroffen und er werde in ein paar Minuten hier sein.«

Brunetti nahm es grummelnd zur Kenntnis, trat an seinen Schreibtisch und griff zum Telefon. Kaum dass Patta sich gemeldet hatte, legte er los: »Vice-Questore, hier spricht Brunetti. Die Carabinieri haben offenbar die Eltern des

Mädchens ausfindig gemacht, das vorige Woche ertrunken ist. ... Ja, ja, Dottore, die Zigeunerin«, bestätigte er. Wusste Patta vielleicht noch von anderen Mädchen, die in der letzten Woche ertrunken waren?

»Nun möchten die Carabinieri unbedingt jemanden von der Questura dabeihaben, wenn sie die Familie verständigen.« Brunetti gab sich alle Mühe, möglichst gereizt und missmutig zu klingen. Nachdem er einen Moment der Stimme in der Leitung gelauscht hatte, antwortete er: »In der Nähe von Dolo, Vice-Questore. Nein, wo genau, hat man mir nicht gesagt. Aber ich dachte, wenn jemand von uns dabei sein muss, dann sollten Sie als der Ranghöchste das übernehmen.«

Auf die nächste Frage seines Vorgesetzten erwiderte Brunetti: »Also einschließlich der Bootsfahrt und der Wartezeit am Piazzale Roma – bei der Fahrbereitschaft ist anscheinend etwas schiefgelaufen, und der Wagen wird nicht vor drei Uhr verfügbar sein – dürfte es nicht viel mehr als zwei Stunden in Anspruch nehmen. Das heißt, je nach Fahrzeugtyp dauert's vielleicht doch ein bisschen länger.« Wieder hörte Brunetti eine Weile zu, dann sagte er: »Ich verstehe vollkommen, Dottore. Aber das ist die einzige Möglichkeit, die Leute zu kontaktieren. Telefon gibt's dort draußen nicht, und die Carabinieri haben auch keine Handynummer, die sie anrufen könnten.«

Während Brunetti Blickkontakt zu Vianello suchte, hielt er den Hörer vom Ohr weg, so dass Patta sein Widerstreben in die Luft hineinsprach. Plötzlich beugte Vianello sich vor und deutete hinaus auf den Kanal, in den soeben das Boot der Carabinieri einbog. Brunetti nickte und nahm den Hörer wieder ans Ohr.

»Das verstehe ich, Vice-Questore, aber ich weiß nicht, ob es sich einrichten lässt… Natürlich begreife ich, wie wichtig es ist, die guten Beziehungen zu den Carabinieri zu pflegen, aber denen wäre es bestimmt lieber, wenn ein Beamter höheren…«

Indem er den ausgestreckten Zeigefinger kreiseln ließ, gab Brunetti dem Inspektor zu verstehen, dass die Verhandlungen sich noch einige Zeit hinziehen könnten. Doch als Vianello sich zur Tür wandte, unterbrach er kurz entschlossen Pattas Redefluss. »Wenn Sie darauf bestehen, Vice-Questore. Ich erstatte Ihnen dann Bericht, sobald ich zurück bin.«

Brunetti steckte hastig drei Fotos des toten Mädchens ein und eilte Vianello nach, der schon halb die Treppe hinunter war.

Draußen lag die Barkasse bereit, und der Inspektor sprang mit einem Satz an Deck. Nachdem er Steiner begrüßt hatte, streckte er Brunetti eine Hand entgegen und half ihm an Bord. Da Vianello den Maresciallo mit »Walter« angeredet hatte, stellte sich für Brunetti die Frage, wie er den Carabiniere nun ansprechen solle. Er entschied sich dafür, Vianellos Beispiel zu folgen, und nannte Steiner seinen Vornamen. Worauf der ihn freundschaftlich am Oberarm fasste und aufforderte, ihn ebenfalls »Walter« zu nennen.

Noch an Deck erklärte Brunetti, dass Patta ihn beauftragt habe, die Eltern des Kindes zu benachrichtigen. Wie dieses Arrangement zustande gekommen war, behielt er lieber für sich. Steiner, der mit unbewegter Miene zugehört hatte, bemerkte trocken: »Ein erfolgreicher Chef versteht zu delegieren.«

»So ist es.« Brunetti grinste zufrieden: Das Du hatte sie einander nähergebracht.

Die Männer gingen hinunter in die Kabine, während das Boot langsam Richtung Piazzale Roma tuckerte, wo die Frau vom Sozialamt zu ihnen stoßen würde. Brunetti nutzte die Zeit, um Steiner zu berichten, wie sie die Leiche geborgen hatten, und setzte ihn auch über die heiklen Ergebnisse der Obduktion in Kenntnis.

Steiner nickte. »Wir hatten zwar noch keinen derartigen Fall, aber gehört hab ich schon davon, dass sie ihr Diebesgut an solchen Stellen verstecken.« Er schüttelte ein paarmal den Kopf, wie um ihn frei zu machen für die Einsicht in extreme menschliche Verhaltensweisen. »Das Mädchen ist ganze elf Jahre alt, und sie versteckt Schmuck in ihrer Vagina.« Der Maresciallo verstummte, dann murmelte er: »*Dio buono.*«

Das Boot fuhr unter der Rialtobrücke hindurch, ohne dass einer der Männer in der Kabine Notiz davon nahm. »Cristina Pitteri, die Frau, die gleich zu uns stoßen wird, arbeitet schon seit etwa zehn Jahren mit den Zigeunern.« Steiner sagte das so betont sachlich, dass Brunetti und Vianello verstohlene Blicke wechselten.

»Was ist denn ihr Fachgebiet?«, fragte Vianello.

»Sie ist psychiatrische Sozialarbeiterin«, erklärte Steiner. »Hat früher im Palazzo Boldù gearbeitet. Und als sie dort ihre Versetzung beantragte, ist sie in der Abteilung gelandet, die sich um die diversen Nomadengruppen kümmert.«

»Gibt's denn da verschiedene?«, fragte Vianello.

»Ja, zum Beispiel die Sinti. Haben nicht die kriminelle Energie der Roma, sind aber nach Herkunft und Lebensart durchaus verwandt.«

»Und was macht diese Signora Pitteri?«, erkundigte sich Brunetti.

Steiner ließ sich Zeit mit der Antwort, bis das Boot unter dem Ponte degli Scalzi hindurchfuhr und Kurs auf den Bahnhof nahm. »Sie leitet ein Projekt, das sich interethnische Kooperation nennt«, sagte er endlich.

»Was soll das sein?«, fragte Vianello.

Für einen Moment verzog sich Steiners Gesicht zu einem Grinsen, dann sagte er: »Soweit ich's mitbekommen habe, versucht sie, uns die *nomadi* begreiflich zu machen und umgekehrt.«

»Geht denn das?«, wollte Vianello wissen.

Steiner erhob sich und stieß die Tür auf, die zur Treppe und an Deck führte. Über die Schulter gewandt sagte er noch: »Das fragst du sie am besten selber«, und stieg nach oben.

Der Bootsführer manövrierte die Barkasse in eine der Taxibuchten rechts vom *imbarcadero* der Linie 82. Die drei Männer gingen von Bord; Brunetti und Vianello folgten Steiner die Straße entlang zu einem dunklen Carabinieri-Kombi, der sie mit laufendem Motor erwartete. Eine kräftige Frau mit kurzen, dunklen Haaren stand rauchend neben dem Wagen. Brunetti schätzte sie auf Ende dreißig. Sie trug Rock und Pullover, darüber einen streng geschnittenen Blazer und dunkelbraune Laufschuhe aus teuer glänzendem Leder. In ihrem runden Gesicht wirkte alles irgendwie zu eng zusammengepresst: Die Augen standen sehr dicht beieinander, und mit der vollen, wulstigen Oberlippe, unter der die untere fast verschwand, schienen ihre Züge wie in einer Art Kontinentalverschiebung nasenwärts zu wandern.

Steiner trat mit ausgestreckter Hand auf sie zu. Sie zögerte demonstrativ, bis alle es mitbekommen hatten, dann erst reichte sie dem Maresciallo die Hand.

»Darf ich bekannt machen, Dottoressa«, sagte er respektvoll, aber distanziert, »das sind Dottor Brunetti und Ispettore Vianello, sein engster Mitarbeiter. Die beiden haben das Mädchen gefunden.«

Die Frau schnippte ihre Zigarette weg, musterte nacheinander die Gesichter von Brunetti und Vianello und gewährte dann Brunetti einen flüchtigen, schlaffen Händedruck. Sie begrüßten einander förmlich, mit Titel. Vianello wurde von der Dottoressa nur mit einem Nicken bedacht, bevor sie sich umwandte und hinten in den Kombi stieg. Steiner nahm wortlos vorn neben dem Fahrer Platz. Da Signora Pitteri keine Anstalten machte durchzurutschen, mussten Brunetti und Vianello wohl oder übel um den Wagen herumlaufen und von der anderen Seite einsteigen. Brunetti öffnete die Tür erst einen Spaltbreit und passte dann eine Lücke im Verkehrsfluss ab, um auf den Rücksitz zu schlüpfen. Er setzte sich auf den unbequemen Platz in der Mitte, achtete aber sorgsam darauf, Knie und Oberschenkel nach links auszurichten, um nur ja nicht mit den Beinen der Frau rechts neben ihm in Berührung zu kommen. Nach ihm kletterte Vianello herein, schlug die Tür zu und quetschte sich in die Ecke.

Der Chauffeur, ein uniformierter Beamter, richtete leise das Wort an Steiner, der mit einem knappen »Sì« antwortete. Dann setzte sich der Wagen in Bewegung. »Dottoressa Pitteri arbeitet schon seit geraumer Zeit mit den Roma, Commissario«, sagte Steiner. »Sie kennt die Eltern des Mädchens und wird bestimmt eine große Hilfe für uns sein, wenn wir die Nachricht überbringen.«

»Für Arianas Familie hoffentlich auch«, warf Dottoressa Pitteri unwirsch ein. »Letzteres scheint mir viel wichtiger.«

»Das versteht sich von selbst, Dottoressa.« Steiners Augen blieben unverwandt auf die Straße gerichtet, als habe er die Pflicht, den Fahrer vor drohender Gefahr zu warnen.

Als sie den Damm zum Festland erreichten, wanderte Brunettis Blick unwillkürlich nach links zu den Schornsteinen und Tanks von Marghera. Am Morgen hatte er in der Zeitung gelesen, dass heute nur Autos mit geraden Kennzeichen auf die Straße durften; die mit den ungeraden kamen morgen an die Reihe. Seit einem Monat hatte es nicht mehr richtig geregnet: Nur ein paar Spritzer waren hier und da niedergegangen, und Gott allein mochte wissen, was in der Luft, die sie atmeten, so alles herumschwirrte. »Feinstaub« lautete der Name dafür, der Brunetti jedes Mal, wenn er ihn las, an winzige Chemikalienpartikel denken ließ, an all die Gifte, die Marghera seit drei Generationen in die Atmosphäre schleuderte und die sich immer tiefer in seine Lunge und sein Gewebe fraßen.

Vianello, über dessen ökologisches Engagement sich in der Questura längst niemand mehr lustig machte, schaute in dieselbe Richtung. »Wenn man die schließen wollte«, sagte er ohne jede Einleitung und nickte zu den mächtigen Schornsteinen des Industriegebiets hinüber, »würde es umgehend Proteste hageln. ›Rettet unsere Arbeitsplätze!‹« Der Inspektor wies mit fast melodramatischer Geste nach links, bevor er die Hand halb frustriert, halb verzweifelt in den Schoß sinken ließ.

Eine Weile herrschte Schweigen, doch dann fragte Dottoressa Pitteri spitz: »Würden Sie die Leute lieber verhungern lassen, Ispettore? Mitsamt ihren Kindern?« In ihrer Stimme mischten sich Ironie und Herablassung, und sie artikulierte so deutlich, als fürchte sie, ein schlichtes Gemüt wie dieser Polizeiinspektor verstünde derart komplexe Fragen nicht.

»Nein, Dottoressa«, antwortete Vianello, »ich möchte, dass man aufhört, die Luft, die unsere Kinder atmen, mit CVM zu verseuchen.«

»Aber das wurde doch schon vor Jahren eingestellt«, gab sie unwirsch zurück.

»Behaupten die«, entgegnete Vianello. »Fragt sich nur, ob man ihnen glauben kann.«

In das nachfolgende Schweigen hinein dröhnte ungewöhnlich laut der Motor eines entgegenkommenden Lasters.

Brunetti, der im Rückspiegel das Mienenspiel der Frau verfolgt hatte, sah, wie sie verächtlich die Oberlippe vorschob, während sie sich von den anstößigen Schornsteinen abwandte.

Die Antipathie zwischen ihr und Steiner war so deutlich zu spüren, dass Brunetti, der eigentlich darauf brannte, sie über die Zigeuner auszufragen, in Steiners Gegenwart lieber darauf verzichtete. Stattdessen erkundigte er sich bei dem Maresciallo, den er jetzt wieder mit dem förmlichen *Lei* anredete, ob er das Lager aus eigener Anschauung kenne.

»Ja, ich war zweimal dort.«

»Wegen denselben Leuten, diesen Rocichs?«

»Einmal ja. Im anderen Fall musste ich eine Frau zurückbringen, die auf dem Vaporetto einen Touristen bestehlen wollte.« Steiners Stimme klang beispielhaft sachlich.

»Was haben Sie mit ihr gemacht?«

»Sie ins Auto verfrachtet und hier abgeliefert.« Einen Moment lang glaubte Brunetti, Steiners Bericht sei damit zu Ende, aber nach einer Pause fuhr der Maresciallo fort. »Es war die übliche Geschichte: Sie behauptete, schwanger zu sein. Wir waren unterbesetzt an dem Tag, und ich wollte keine Zeit damit verschwenden, die angebliche Schwangerschaft ärztlich überprüfen zu lassen, Zeugenaussagen aufzunehmen, das Sozialamt einzuschalten…« Er verstummte für einen Moment. »Also beschloss ich, die Frau dort abzusetzen, wo sie nach eigenen Angaben wohnte, und den Fall als erledigt zu betrachten.«

»Obwohl es Zeugen gab, haben Sie auf deren Einvernahme verzichtet?«, mischte sich Dottoressa Pitteri ein. »Sie gingen einfach davon aus, dass die Frau schuldig sei?«

»Ich brauchte keine Zeugenbefragung.«

»Ach, und warum nicht, Maresciallo? Weil sie eine Roma war? Gegen die natürlich jede Anschuldigung zutrifft, besonders aus dem Munde eines Touristen?« Das letzte Wort betonte sie nachdrücklich und dehnte spöttisch jede Silbe.

»Nein, nicht deswegen«, sagte Steiner, der immer noch stur geradeaus schaute.

»Warum dann?«, hakte sie nach. »Warum kam es Ihnen so gelegen, die Frau ohne alle Nachforschungen für schuldig zu erklären?«

»Weil eine Zeugin die Frau am Arm festhielt, als diese dem Touristen den Geldbeutel aus der Tasche zog, und weil beide Augenzeugen Nonnen waren.« Steiner ließ diese Information erst einmal wirken, bevor er hinzusetzte: »Ich ging davon aus, dass eine Nonne nicht lügen würde.«

Dottoressa Pitteri zögerte nur kurz, bevor sie ihre nächste Frage abfeuerte. »Und Sie glauben ernsthaft, diese Frau hätte es riskiert, jemanden vor den Augen zweier Nonnen zu bestehlen?«

»Sie waren in Zivil«, entgegnete Steiner.

Brunetti hatte es während dieses Wortwechsels vermieden, Signora Pitteri zu beobachten, doch jetzt konnte er nicht länger widerstehen. Ihr Blick bohrte sich so zornfunkelnd in Steiners Hinterkopf, dass Brunetti sich nicht gewundert hätte, wenn Haar und Schirmmütze des Maresciallo Feuer gefangen hätten und in Flammen aufgegangen wären.

Inzwischen waren alle in Schweigen versunken. Hin und wieder kam eine Nachricht des Polizeifunks übers Radio, aber so leise, dass man auf der Rückbank kaum etwas verstand, und weder Steiner noch der Fahrer schien an den Meldungen interessiert.

Der Fahrer nahm die Auffahrt zu der Straße, die zum Flughafen führte. Brunetti, der schon seit längerem nur noch mit Boot oder Wassertaxi zum Flughafen gefahren war, wunderte sich, wie viele Kreuzungen man auf einmal durch Kreisel ersetzt hatte. Ob dieser Kreisverkehr von Vorteil war, konnte er als Autofahrer mit mangelnder Praxis nicht beurteilen. Er hätte den jungen Carabiniere fragen können, scheute sich aber, das Schweigen zu brechen.

Der Flughafen glitt zu seiner Rechten vorbei, und bald danach hielten sie an einer Ampel. Wie aus dem Nichts tauchte auf der Fahrerseite eine Frau im langen Rock auf, die ein verhülltes Bündel im Arm hielt, das ein Baby sein mochte oder vielleicht auch nur ein in Windeln verpackter

Fußball. Die Frau presste sich mit einer Hand einen Zipfel ihres Kopftuchs vor Nase und Mund, wie um sich vor den Auspuffgasen der im Leerlauf tuckernden Motoren zu schützen. Die andere, hohle Hand hielt sie mit flehender Geste ausgestreckt.

Die fünf Insassen des Kombis blickten mit versteinerter Miene geradeaus. Sobald die Frau auf dem Vordersitz zwei Uniformierte erkannte, wich sie zurück und peilte den Wagen hinter ihnen an. Dann sprang die Ampel um, und sie fuhren weiter.

Mit der Zeit lastete das Schweigen bleischwer auf der kleinen Gruppe. Rechts und links der *autostrada* sah man Felder und Bäume, hin und wieder ein einzelnes Haus oder ein paar Gehöfte. Die Obstbäume standen zum Teil schon in Blüte. Brunetti, dessen Blick unermüdlich hin und her schweifte, stellte fest, dass er das seltene Schauspiel frisch sprießender Natur in weiter, offener Landschaft trotz der Spannung im Wagen genießen konnte. Die Sommerferien sollten sie dieses Jahr unbedingt irgendwo im Grünen, inmitten von Wiesen und Wäldern verbringen: keine Strände, egal ob Sand oder Felsen, und wenn die Kinder noch so quengeln mochten. Stattdessen ausgedehnte Spaziergänge, Bergluft, klare Bäche und Flüsse, heitere Wolken über gleißenden Gletschern. Südtirol vielleicht? Hatte Pucetti nicht einen Onkel, der in der Nähe von Bozen Ferien auf dem Bauernhof anbot?

Der Wagen verlangsamte das Tempo. Sie verließen die *autostrada* und fuhren am Ende der Abfahrt rechts auf eine Landstraße, die beiderseits von Flachbauten gesäumt war: Industriebetriebe, Gebrauchtwagenmärkte, Tankstellen, eine

Bar, ein Parkplatz und noch einer. An der zweiten Ampel ging es wieder rechts ab, und sie gelangten in eine Siedlung von Einfamilienhäusern, jedes mit einem eigenen Stück Land, die etwas von der Straße zurückgesetzt standen. Irgendwann blieben die Häuser zurück und wurden von grünen Äckern abgelöst.

Wieder Ampeln, abermals Häuser, die aber jetzt komplett mit Maschendraht eingezäunt waren. In vielen Gärten sah Brunetti Hunde, große Hunde. Sie legten noch etwa einen Kilometer zurück, dann bremste der Fahrer, blinkte und bog rechts ab.

Sie hielten vor einem Eisentor. Der Fahrer hupte einmal, zweimal, und als sich nichts rührte, stieg er aus und öffnete selbst das Tor. Sobald sie den Eingang passiert hatten, hielt er auf Steiners Weisung hin noch einmal an, lief zurück und schloss das Tor wieder.

Hinter den ungefähr im Halbkreis parkenden Autos standen kreuz und quer die dazugehörigen Wohnwagen. Manche aus Metall, andere aus Holz, einige ganz schnittig und modern. Bei einem thronte auf dem spitzen Dach ein blecherner, kurzer Schornstein, der Brunetti an die Zeichnungen in Kinderbüchern erinnerte. Neben den Campern und bis weit in die Durchgänge hinein stapelten sich Plastikbehälter, Pappkartons, Klapptische, Grillständer sowie zahllose zerfetzte und durchlöcherte Plastiktüten. Hinter dem Lager erstreckte sich eine Brachfläche, in die man ein paar Trampelpfade geschlagen hatte, die allerdings nach einer kurzen Wegstrecke alsbald wieder von hohem Gras und Brennnesseln überwuchert wurden. Zwischen dem Gestrüpp entdeckte Brunetti hie und da rostigen Sperrmüll: einen

Kühlschrank, eine altmodische Waschmaschine mit Handschleuder, mindestens zwei Sprungfedermatratzen und ein abgewracktes Auto.

Die Autos vor den Wohnwagen waren in wesentlich besserem Zustand, die meisten sogar neu, soweit Brunetti, der auf dem Gebiet kein Fachmann war, das beurteilen konnte.

Insofern sich diesem bunt zusammengewürfelten Fuhrpark ein Zentrum zuordnen ließ, lenkte der Fahrer den Kombi exakt dort hinein und stellte den Motor ab. Brunetti hörte das leise Pfeifen und Summen der Kühlung, dann das Quietschen der Scharniere, als Steiner seine Tür aufstieß. Gefolgt von Vogelgezwitscher, das vielleicht aus den Bäumen jenseits des Zauns kam, der das Lager umgab.

Von seinem Platz aus beobachtete er, wie an vier Wohnwagen nacheinander die Türen aufgingen, Männer auf die Schwelle traten und langsam die Stufen herunterstiegen. Sie sagten nichts, schienen sich auch untereinander nicht zu verständigen, kamen aber allesamt näher und nahmen vor dem Kombi Aufstellung.

Nun stießen auch Vianello und der Fahrer ihre Tür auf und kletterten aus dem Carabinieri-Fahrzeug. Als Brunetti sich wieder den Männern vor ihnen zuwandte, standen drei mehr in der Reihe. Und die Vögel waren verstummt.

21

Die Männer standen unbeweglich da, während die Vögel ihren Gesang zögernd wieder anstimmten. Die Luft war mild, und die sanften Strahlen der Nachmittagssonne tauchten die ganze Versammlung in ein weiches Licht. Brunetti betrachtete das frisch begrünte, hügelige Gelände jenseits des Zauns, das von einem kleinen Kastanienhain gekrönt war: Bestimmt kam das Vogelgezwitscher von dort. Wie schön das Leben doch war, dachte er.

Er senkte den Blick von den Baumwipfeln zu den Männern, die ihm und seinen Begleitern mittlerweile zu neunt gegenüberstanden. Auffallend war, dass alle Hüte trugen, schmuddelige Filzhüte, deren ursprüngliche Farben sich inzwischen alle in ein angestaubtes, stumpfes Braun verwandelt hatten. Die Männer hatten einen dunklen Teint und dunkle Augen; keiner war glattrasiert. Doch während Italiener aller Altersgruppen mit ihrem Dreitagebart ein modisches Statement abgeben wollten – auch wenn Brunetti nie verstanden hatte, welches –, war diesen Männern das Rasieren vermutlich bloß lästig, wenn sie es nicht sogar unmännlich fanden. Einige Bärte waren schütter, manche länger als andere; besonders gepflegt wirkte keiner.

Die Männer trugen wollene Hosen, grobe Pullover und dunkle Jacken, der eine oder andere mit einem Hemd darunter. Ihre Füße steckten in abgetretenen Schuhen mit klobigen Sohlen.

Steiner und sein Fahrer zogen mit ihren Carabinieri-Uniformen aller Augen auf sich, aber vereinzelt streifte auch Brunetti und Vianello ein neugieriger Blick.

Ein dumpfes Geräusch zu seiner Rechten ließ Brunetti zusammenzucken. Steiner, der es offenbar auch gehört hatte, umklammerte den Schaft seiner Pistole. Sein sichernder Blick in die Runde blieb an Dottoressa Pitteri hängen. Sie stand neben dem Kombi, und ihre Hand lag noch auf dem Griff der Tür, die sie soeben zugeschlagen hatte. Ein dünnes Lächeln spielte um ihre Lippen. »Ich wollte Sie nicht erschrecken, Maresciallo.« Das Lächeln gefror. »Ich bitte vielmals um Entschuldigung.«

Steiner wandte sich wortlos wieder den Roma zu. Er ließ die Hand sinken, aber sein instinktiver Griff zur Waffe war nicht unbemerkt geblieben. Ja, zwei der Männer konnten sich ein Grinsen nicht verkneifen, das eindeutig auf Steiners Kosten ging.

Jetzt näherte sich auch Dottoressa Pitteri der Gruppe, die ihr mit ausdruckslosen Gesichtern entgegenblickte. Kein Zeichen des Wiedererkennens, geschweige denn der Freude, als sie das Wort an die Männer richtete. Brunetti konnte zunächst nicht hören, was sie sagte. Da ihr niemand antwortete, sprach sie etwas lauter, und nun hörte Brunetti zwar die Worte, verstand aber immer noch nichts.

Sie hatte sich breitbeinig, die Füße gleichsam im Boden verankert, vor den Männern aufgebaut. Und während Brunetti sich ihre dicken Waden besah, richtete vom rechten Rand her doch noch jemand das Wort an sie. Auf ihre knappe Erwiderung hin wurde der Mann laut, so laut, dass auch die Polizisten hörten, was er sagte: »Sprechen Sie italienisch. Dann wir Sie besser verstehen.« Er war sicher nicht der Älteste, seinem Auftreten nach aber gleichwohl der Wortführer der Gruppe. Der Mann sprach ein holpriges Italienisch mit starkem Akzent.

Brunetti kam es so vor, als hätten sich die Füße der Frau noch tiefer in den zertretenen Boden vor den Wohnwagen gebohrt. Ihre Arme hingen neben dem Körper herab – sie hatte ihre Tasche im Wagen gelassen –, aber ihre Hände waren zu Fäusten geballt.

»Ich möchte mit Bogdan Rocich sprechen«, hörte Brunetti sie sagen.

Ihr Gegenüber verzog keine Miene, aber zwei der anderen Männer wechselten einen Blick, und ein dritter schielte nach dem Wortführer.

»Ist nicht hier«, lautete die Antwort.

»Sein Wagen steht da«, entgegnete sie, und die Augen des Mannes glitten verstohlen zu einem sonnengebleichten blauen Mercedes mit einer großen Delle im rechten Kotflügel. »Bogdan ist nicht hier«, sagte er noch einmal.

Aber sie beharrte, als hätte er gar nicht gesprochen: »Sein Wagen steht da.«

»Ist gefahren mit Freund«, warf einer der anderen Männer ein. Er wollte noch etwas hinzufügen, aber ein wütender Blick des Anführers brachte ihn zum Schweigen. Der Sprecher machte unvermittelt zwei Schritte auf die Frau zu, aber die wich nicht von der Stelle. Vielmehr schien es, als bohrten ihre Füße sich noch fester in den Boden. Brunetti war beeindruckt.

Bis auf Armeslänge rückte der Mann ihr zu Leibe, und obwohl er nicht groß war, wirkte es, als sehe er drohend auf sie herab. »Was Sie wollen von Bogdan?«, fragte er herrisch.

»Mit ihm reden«, antwortete sie ruhig, und Brunetti sah, wie ihre Fäuste sich öffneten und sie die Finger nach unten abspreizte.

»Können reden mit mir«, sagte der Mann. »Ich sein Bruder.«

»Signor Tanovic, Sie sind nicht sein Bruder. Sie sind nicht einmal sein Cousin.« Die Frau wirkte so gelassen, und ihre Stimme war so gefasst, als hätte man sich zu einer Plauderei im Park getroffen. »Ich bin hier, um mit Signor Rocich zu sprechen.«

»Ist nicht da!« Die Züge des Mannes blieben während der ganzen Unterredung so undurchdringlich wie aus Holz geschnitzt.

»Vielleicht ist er ja zurückgekommen, und man hat Ihnen nur noch nicht Bescheid gesagt?«

Die Dottoressa hatte ihm eine Möglichkeit angeboten, sein Gesicht zu wahren. Brunetti, dessen Miene ebenso reglos blieb wie die des Anführers, spürte, wie der sich das Angebot durch den Kopf gehen ließ. Tanovics Blick wanderte von Signora Pitteri zu den Männern in ihrer Begleitung, den beiden in Uniform und den zwei anderen, die er sicher auch längst als Polizisten entlarvt hatte.

Endlich wandte er sich von ihnen ab und einem seiner Leute zu. Der Mann, den er mit »Danis« anredete, stand ganz links außen in der Reihe, und von dem, was weiter gesprochen wurde, konnte Brunetti nur den Namen »Bogdan« verstehen.

Nach wenigen Minuten schlich Danis stumm davon und auf den Wohnwagen zu, der hinter dem blauen Mercedes parkte. Einer der Männer steckte sich eine Zigarette an, und als Tanovic es schweigend duldete, fingen noch zwei andere an zu rauchen. Es wurde kein Wort gesprochen.

Unterdessen stieg Danis die Stufen zum Wohnwagen hinauf. Er hob die Hand, doch bevor er anklopfen konnte, wurde die Tür aufgerissen, und ein Mann trat heraus. Er war gekleidet wie die übrigen; Danis und er wechselten ein paar Worte, dann folgte er ihm die kurze Treppe hinunter. Die Tür hatte er einen Spalt offen gelassen. Brunetti, der irgendetwas dahinter aufblitzen sah, behielt den Wohnwagen im Auge, während alle anderen den Mann beobachteten, der auf Tanovic und Dottoressa Pitteri zuschritt.

Im Wohnwagen war es dunkel, und doch meinte Brunetti das Profil oder die Silhouette eines Menschen zu erkennen. Ja, kein Zweifel! An der Tür bewegte sich etwas, so als flattere der helle, untere Teil der schemenhaften Gestalt hin und her.

Sobald der Mann die kleine Versammlung erreicht hatte, blieb er nicht etwa vor Dottoressa Pitteri stehen, sondern ging auf Tanovic zu, der einen halben Schritt zurückgewichen war. Brunetti lauschte angestrengt, aber die beiden unterhielten sich in einer ihm völlig fremden Sprache. Ein verstohlener Blick in die Runde ergab, dass alle Anwesenden gebannt das Gespräch der zwei Männer verfolgten.

Als Brunetti wieder zu dem Wohnwagen hinübersah, stahl sich eine Hand an die Tür, stieß sie ein Stück weiter auf, und dann erschien gleich über der Hand das Gesicht einer Frau. Brunetti konnte sie zwar nicht gut sehen, aber er erkannte immerhin, dass es eine alte Frau war: vielleicht die Mutter des Mannes, den Danis aus dem Camper geholt hatte, vielleicht Arianas Großmutter.

Sie beugte sich vor, um dem Mann so lange wie möglich mit den Augen zu folgen, und als ihr Rock vor ihr ausschwang, erkannte Brunetti das Flattern von vorhin wieder.

Kaum dass die beiden Männer ihr Gespräch beendet hatten, trat Dottoressa Pitteri vor. »Guten Tag, Signor Rocich«, hörte Brunetti sie sagen und richtete seine Aufmerksamkeit wieder auf den Mann, der als Letzter gekommen war.

Er war kleiner als die übrigen und untersetzt. Sein dichter schwarzer Schopf hätte mit Steiners Haaren konkurrieren können; allerdings trug er sie länger und, mit Pomade oder Öl geglättet, aus der Stirn gekämmt. Die Farbe seiner Augen war unter den mächtigen, schwarzen Brauen nicht zu erkennen. Mit seinem gestutzten Bart, den saubereren Schuhen und dem Hemdkragen, der unter seinem Pullover hervorlugte, stach er von den anderen ab.

Als er jetzt zu Dottoressa Pitteri hinübersah, blieb seine Miene so ausdruckslos, als hätte er sie nicht erkannt, ja als hätte er sie noch nie gesehen. »Was wollen von mir?«, fragte er.

»Es geht um Ihre Tochter«, antwortete sie. »Um Ariana.«

Rocich, der sie nicht aus den Augen ließ, fragte: »Was ist mit Ariana?«

»Ich habe eine traurige Nachricht für Sie, Signor Rocich. Ihre Tochter ist bei einem Unfall ums Leben gekommen.«

Zögernd wandte er sich nach dem Wohnwagen um, doch als die anderen seinem Blick folgten, tauchte die Frauengestalt ins Dunkel zurück, und man sah nur noch ihre vier Finger außen auf dem Türrand.

»Sie … Tochter tot?«, stammelte Rocich. Und als die Frau nickte: »Was passieren? Unfall? Mit Auto?«

»Nein. Sie ist ertrunken.«

Seine Miene verriet, dass er das Wort nicht kannte. Dottoressa Pitteri wiederholte es etwas lauter, dann griff einer der Roma ein, und nun keimte Verständnis im Gesicht des Mannes auf. Er starrte hinunter auf seine Schuhspitzen, dann glitt sein Blick von Signora Pitteri zu den Männern hinter ihm, die er jeden der Reihe nach ansah. Lange sprach niemand ein Wort.

Dottoressa Pitteri brach endlich das Schweigen. »Ich möchte Ihrer Frau Bescheid sagen«, erklärte sie und machte einen Schritt in Richtung Wohnwagen.

Doch da schoss Rocichs Hand gleich einer Schlange hervor, packte sie am Oberarm und gebot ihr Einhalt. »Ich nicht wollen«, stieß er gepresst hervor, ohne die Stimme zu erheben. »Ich selber sagen«, fügte er hinzu und ließ ihren Arm los. Seine Hand hatte sich im Stoff des Ärmels abgedrückt.

»Sie mir gehören«, erklärte Rocich so entschieden, als erübrige sich damit jede weitere Diskussion. War es seine Frau oder die Tochter oder beide, fragte sich Brunetti, auf die er so gebieterisch Anspruch erhob?

Rocich, der schon wieder auf dem Weg zu seinem Wohnwagen war, machte plötzlich kehrt und kam zurück. In kämpferischer Pose pflanzte er sich vor Dottoressa Pitteri auf und fragte: »Wie ich wissen, ob stimmt? Wie können sicher sein, dass Tote ist Ariana?«

Die Frau wandte sich an Steiner. »Ich glaube, die Frage geht an Sie, Maresciallo.« Ihr herrischer Tonfall ließ die Männer aufhorchen. Sie tauschten beredte Blicke, und Brunetti, der sah, wie sich ihr Augenmerk auf den Mann in Uniform richtete, dem eine Frau so ungeniert Weisungen gab, fand es an der Zeit einzuschreiten.

Er trat vor, zog den Umschlag mit den Fotos aus der Tasche und drückte ihn Rocich in die Hand. Der riss das Kuvert auf, nahm die Bilder heraus und schaute sich alle drei der Reihe nach an, einmal und dann noch einmal, bevor er sie wieder in den Umschlag steckte und mit ihnen davonstapfte.

Während er die Stufen zu seinem Wohnwagen hinaufstieg, kehrte Dottoressa Pitteri zu den Polizisten beim Kombi zurück. »Ich glaube, unsere Arbeit hier ist beendet.« Damit kletterte sie, ohne Zustimmung oder Einspruch abzuwarten, in den Fond und schlug die Tür zu.

Tanovic, der Anführer, ging wortlos davon und verschwand in seinem Wohnwagen. Die übrigen zerstreuten sich.

Obwohl niemand mehr da war, der sie belauschen konnte, senkte Brunetti die Stimme, als er jetzt zu Steiner trat und sich erkundigte, wie er die Lage einschätze.

Bevor der Carabiniere antworten konnte, drang aus der noch offenen Tür von Rocichs Wohnwagen ein schrilles Wehklagen. Brunetti spähte angestrengt in die Richtung, bis er von einer plötzlichen Bewegung jenseits des Lagers abgelenkt wurde. Das Wehgeschrei hatte die Vögel im Kastanienhain aufgescheucht, die nun rastlos, gleich einer dunklen Gloriole, die Wipfel umkreisten. Das Lamento erscholl bald lauter, bald leiser, brach aber nie ab. Brunetti starrte zu den Baumkronen hinauf, und ihm fiel ein, wie Dante einmal einen Zweig von einem Strauch abgebrochen hatte, der in Wahrheit ein verwandelter Selbstmörder war und ihn schmerzgeplagt anschrie: »Lebt in der Brust dir gar kein Geist des Mitleids?«

Die Polizisten wandten sich schließlich in stillschweigendem Einverständnis wieder ihrem Fahrzeug zu. Steiner und der Fahrer nahmen vorne Platz, und Brunetti wollte eben mit eingezogenem Kopf auf die Rückbank klettern, als ein Knall wie ein Pistolenschuss ihn zurückschrecken ließ. Die Tür von Rocichs Wohnwagen stand sperrangelweit offen.

Die Frau, die im Innern versteckt gelauscht hatte, stürmte heraus und nahm die Stufen wie im Flug, bevor sie unten plötzlich, wie geblendet vom ungewohnten Tageslicht, abrupt stehen blieb. In einer Hand hielt sie den zerknitterten Umschlag, die andere wölbte sich schützend und so behutsam, als fürchte sie etwas zu beschädigen, um die drei Fotos.

Ein Maulwurf, der aus seinem Bau ausgegraben wurde, reagierte ebenso verstört auf das Tageslicht wie sie. Während der ganzen Zeit rissen ihre Wehklagen nicht ab. Plötzlich schleuderte sie den Umschlag von sich, fiel auf die Knie, warf den Kopf in den Nacken und stimmte ein herzzerreißendes Geheul an. Brunetti, der ihr am nächsten stand, sah, wie sich die Nägel der frei gewordenen Hand in ihre Wange krallten. Die Blutspuren, die sie hinterließen, sahen aus wie von einem roten Buntstift gemalt.

Ohne zu überlegen, fiel er ihr in den Arm und zog die Hand weg. Die Frau holte schon mit der anderen Hand aus, um ihn abzuwehren, doch die Fotos hinderten sie daran. Erschrocken taumelte sie zurück, attackierte Brunetti aber gleich darauf mit so heftigen Spucksalven, dass Hemd und Hose im Nu mit Speichel besudelt waren.

»Ihr töten mein Tochter!«, kreischte sie. »Ihr töten meine Kind. In Wasser ihr sie töten.« Brunetti blickte in ihr wutverzerrtes Gesicht und sah, dass er sich geirrt hatte: Die Frau vor ihm war in Wirklichkeit noch jung. Aber das Leben hatte sie gezeichnet und vorzeitig altern lassen. Hinter den hohlen Wangen verbargen sich zahnlose Kiefer, und von den noch vorhandenen Vorderzähnen waren zwei abgebrochen. Um das spröde, trockene Haar hatte sie ein verrutschtes Tuch gebunden; ihr dunkler Teint war fettig und grobporig.

Plötzlich tauchte Dottoressa Pitteri neben ihm auf. Sie beugte sich über die zusammengesunkene Frau und redete begütigend auf sie ein, wobei sie immer denselben Satz wiederholte. Dann fasste auch sie die Frau am Arm und bedeutete Brunetti, dass er sie jetzt loslassen könne.

Brunetti gehorchte, und sobald er seine Hand zurückgezogen hatte, schien die Frau sich ein wenig zu beruhigen. Ihre Schreie verstummten, und während sie einen Arm um ihre Taille schlang, hielt sie die Hand mit den Fotos in sicherem Abstand zum Körper. Schluchzend stieß sie ein paar Worte hervor, von denen Brunetti nicht eines verstand. Schweigend holte Dottoressa Pitteri ein Taschentuch aus ihrer Jacke und drückte es der Frau gegen die Wange. Das Wimmern hielt an, und dazu stammelte die Frau beständig dieselben Worte vor sich hin. Das Taschentuch, das Dottoressa Pitteri auseinanderfaltete, um eine saubere Stelle zu finden, war voller Blutflecke.

Mit einem Mal umschlossen zwei starke Hände Brunettis Oberarme und stießen ihn zur Seite. Er duckte sich und wollte schon in Abwehrstellung gehen, als er sah, dass es der Vater des toten Mädchens war. Während Brunetti sich aufrichtete, trat Rocich zu den beiden Frauen, fasste Dottoressa

Pitteri unter den Achseln und hob sie regelrecht vom Boden hoch. Gut einen Meter von seiner Frau entfernt, setzte er sie wieder ab.

Im nächsten Augenblick beugte er sich über seine schluchzende Frau. Er sagte etwas zu ihr, aber sie reagierte nicht, hatte ihn vielleicht nicht einmal gehört und wimmerte weiter vor sich hin wie ein verwundetes Tier. Da packte er sie unwirsch am Arm. Sie war so dünn und abgezehrt, dass er sie mühelos hochziehen konnte.

Die Frau nahm offenbar weder ihn wahr noch begriff sie, was mit ihr geschah. Rocich schob sie Richtung Wohnwagen und versetzte ihr dabei einen so derben Stoß in den Rücken, dass sie fast das Gleichgewicht verloren hätte. Doch im letzten Moment breitete sie instinktiv die Arme aus und taumelte vorwärts. Brunetti sah, wie ihr die drei Fotos entglitten. Rocich, der ihr auf den Fersen folgte, mochte es bemerkt haben oder auch nicht. Er trat eins in den Schlamm. Die beiden anderen flatterten mit der Bildseite nach unten zu Boden.

Dicht gefolgt von ihrem Mann stolperte die Frau die Stufen zum Wohnwagen hinauf, und kaum dass beide darin verschwunden waren, schlug Rocich die Tür hinter ihnen zu. Der Knall scheuchte abermals die Vögel aus den Baumwipfeln auf; verstört flatterten sie umher, und ihr schrilles Gezeter erfüllte die Luft wie ein Echo auf die Schmerzensschreie der Frau.

Brunetti bückte sich und hob die Fotos auf. Das eine, auf das Rocich getreten war und das sich unter dem Gewicht seines Fußes mit Schlamm vollgesogen hatte, war unwiderruflich ruiniert. Brunetti ließ es in seiner Jackentasche verschwinden. Die beiden anderen legte er auf der obersten Treppenstufe vor Rocichs Wohnwagen ab. Dann machte er kehrt und ging zum Kombi.

Die Fahrt zurück nach Venedig verlief schweigend.

22

Wie Brunetti es Patta vorausgesagt hatte, waren über zwei Stunden vergangen, bis er und Vianello in die Questura zurückkehrten. Im Treppenhaus trennten sie sich. Während der Inspektor ins Dienstzimmer ging, nahm Brunetti es auf sich, dem Vice-Questore Bericht zu erstatten.

Als Signorina Elettra ihn hereinkommen sah, huschte ein Schatten über ihr Gesicht. Sein harscher Ton, ihre Erbitterung darüber: Die unglücklichen Umstände ihrer letzten Begegnung waren augenscheinlich noch nicht vergessen. Aber dann auf einmal und ohne dass Brunetti gewusst hätte, was genau oder wodurch es ihr auffiel, schien sie erkannt zu haben, wie es um ihn stand.

»Was ist los, Dottore?«, fragte sie ehrlich besorgt. Aller frühere Groll war wie weggeblasen.

»Wir waren bei den Eltern des toten Mädchens«, begann er und schilderte ihr in groben Zügen, was passiert war.

»Ach, die arme Frau«, seufzte sie, als er geendet hatte. »Erst ist ihr Kind verschwunden, und dann diese entsetzliche Nachricht.«

»Ja, aber das war irgendwie ganz merkwürdig«, versetzte Brunetti. Während der Rückfahrt hatte ihn die verkrampfte Atmosphäre beim Nachdenken gestört, so dass er erst jetzt begann, sich ernsthaft mit der Reaktion der Eltern auseinanderzusetzen.

»Inwiefern?«

»Nun, das Mädchen war fast eine Woche verschwunden,

aber keiner – weder Mutter noch Vater – hat sie als vermisst gemeldet.« Die Situation im *campo nomadi* vor Augen, fuhr er fort: »Und als wir kamen, wollte der mutmaßliche Anführer unbedingt verhindern, dass wir mit der Familie sprechen.«

Als sie dazu schwieg, fragte Brunetti: »Können Sie sich vorstellen, was los wäre, wenn hier ein Kind vermisst würde? Das gäbe eine Flut von Aufrufen in Zeitungen und im Fernsehen.« Da sie immer noch stumm blieb, hakte Brunetti nach: »Na? Hab ich nicht recht?«

»Doch schon. Ich weiß nur nicht, ob man von diesen Leuten die gleiche Reaktion erwarten kann wie bei uns, Commissario.«

»Was wollen Sie damit sagen?«

Sie rang nach Worten. »Ich glaube«, sagte sie endlich, »die haben ein eher gestörtes Verhältnis zu Recht und Gesetz.«

»Gestört?« Brunetti war selbst verblüfft über seinen scharfen Ton. »Wie meinen Sie das?«, fragte er merklich zurückgenommen.

Signorina Elettra legte den Stift aus der Hand und schob ihren Stuhl zurück. Brunetti fand, dass sie irgendwie anders aussah. Vielleicht hatte sie abgenommen, war beim Friseur gewesen oder hatte sich sonstwie verschönern lassen. »Nun, ich meine, wenn bei denen was passiert, dann rufen sie nicht als Erstes die Polizei, oder?« Als Brunetti sich nicht dazu äußerte, fuhr sie fort: »Was durchaus verständlich ist, wenn man bedenkt, wie ihre Leute behandelt werden.«

Da platzte es aus Brunetti heraus: »Bis auf die Mutter hat sich keiner von denen betroffen gezeigt über den Tod des Mädchens.«

»Ja, glauben Sie denn, die würden ihre Gefühle vor vier Polizisten ausbreiten?«, fragte sie sanft.

Doch Brunetti hielt die Spannung nicht länger aus: »Sie sehen so verändert aus, Signorina. Woran liegt das?«

Die Frage kam offenbar völlig überraschend. »Sie haben es bemerkt, Dottore?«

»Ja, natürlich«, antwortete Brunetti, der immer noch im Dunkeln tappte.

Da erhob sich Signorina Elettra, breitete die Arme aus, schwang sie graziös empor, und ehe er sich's versah, ging sie mit vorgeneigtem Oberkörper in Stellung und zielte mit dem rechten Arm auf ihn. »Ich nehme seit kurzem Unterricht«, gestand sie feierlich. Was Brunetti nicht weiterhalf. Unterricht worin: Yoga? Karate? Ballett?

Sie schien ihm seine Ratlosigkeit anzusehen. Lachend beugte sie die Knie, wandte ihm ihr Profil zu und schwang in der Rechten eine unsichtbare Waffe, mit der sie blitzschnelle Stöße in seine Richtung vollführte.

»Fechten?«, fragte er.

Falls eine so anmutige Bewegung diesen Namen verdiente, machte sie einen Ausfallschritt und tänzelte mit zwei winzigen Sprüngen auf ihn zu, kollidierte aber im letzten Moment mit der Schreibtischkante.

Plötzlich ging die Tür zu Pattas Büro auf, und der Vice-Questore erschien, in der Rechten einen Ordner, in der Linken ein einzelnes Blatt, dem offenbar seine ganze Aufmerksamkeit galt. Perfekter hätte man eine vielbeschäftigte Führungspersönlichkeit nicht mimen können. Als er endlich aufschaute, war Signorina Elettras Degen verschwunden. »Oh, Vice-

Questore, gerade wollte ich zu Ihnen und Commissario Brunetti melden.«

»Soso, aha.« Patta musterte Brunetti, unschlüssig, ob er es verantworten könne, ihn zu empfangen und die Pflichten seines Amtes so lange hintanzustellen. »Na schön, Brunetti, kommen Sie rein«, sagte er endlich.

Bevor er in sein Büro zurückging, legte er Signorina Elettra den Ordner auf den Schreibtisch. Das einzelne Blatt behielt er in der Hand. Er ließ die Tür offen zum Zeichen, dass Brunetti ihm folgen solle.

Brunetti beobachtete Patta verstohlen, um abzuschätzen, wie viel Zeit er ihm einräumen würde. Wenn der Vice-Questore sich an den Schreibtisch setzte, bedeutete das normalerweise, dass er es sich bequem machen wollte und bereit war, länger als nur ein, zwei Minuten zuzuhören. Stellte er sich dagegen ans Fenster, dann war er in Eile, und wer bei ihm vorsprach, fasste sich am besten kurz.

Diesmal legte Patta als Erstes das Blatt Papier auf den Schreibtisch, drehte es nach einem Blick zu Brunetti mit der Schrift nach unten und blieb dann mit aufgestützten Händen vor dem Schreibtisch stehen. Das brachte Brunetti in ein strategisches Dilemma: Platz zu nehmen, solange sein Vorgesetzter stand, kam nicht in Frage. Und da Patta seine Position im Raum jederzeit ändern mochte, wusste er auch nicht, wo er sich hinstellen sollte.

Zögernd trat er ein paar Schritte auf Patta zu, der heute einen schiefergrauen Anzug trug, dessen eleganter Schnitt ihn größer und schlanker erscheinen ließ. Auffallend war der kleine goldene Anstecker am Revers – war es ein kleines Kreuz? –, doch Brunetti wollte sich jetzt nicht ablenken lassen. »Ich bin weisungsgemäß rausgefahren in dieses Lager, Vice-Questore«, begann er.

Patta nickte nur. Offenbar gefiel er sich heute in der Rolle des stummen, aber wachsamen Hüters der öffentlichen Sicherheit.

»Ein Maresciallo der Carabinieri war dabei und eine Sozialarbeiterin, die Erfahrung hat im Umgang mit den Roma.«

Wieder nickte Patta, entweder um Brunetti zu bedeuten, dass er ihm zuhöre, oder um seine politisch korrekte Ausdrucksweise zu würdigen.

»Zuerst wollte der mutmaßliche Anführer uns nicht mit den Eltern sprechen lassen. Aber als er uns nicht abwimmeln konnte, ließ er den Vater kommen, und ich hab ihm gesagt, was passiert ist.« Patta hüllte sich in Schweigen. »Er fragte, woher ich wisse, dass die Tote seine Tochter ist. Da habe ich ihm die Fotos gegeben, und er hat sie der Mutter gezeigt. Sie war« – Brunetti wusste nicht, wie er Patta die Seelenqual der Frau beschreiben sollte – »sie war außer sich vor Verzweiflung.« Weiter fiel ihm nichts ein. Die Fakten hatte er immerhin dargelegt.

»Es tut mir leid«, hörte er Patta zu seinem Erstaunen sagen.

»Was denn, Vice-Questore?«, fragte Brunetti. Witterte Patta womöglich im Nachhinein eine Gelegenheit, sich publikumswirksam in Szene zu setzen, und bereute deshalb, nicht doch selbst ins Lager gefahren zu sein?

»Dass die Frau so leiden muss«, entgegnete Patta schlicht. »Ein Kind zu verlieren – das dürfte nicht sein.« Dann schlug er plötzlich einen unbeschwerteren Ton an: »Und was ist mit der anderen Frau?«

»Meinen Sie die vom Sozialamt?«

»Nein! Die, bei der Sie wegen des Schmucks waren.«

»Das Mädchen muss in ihrer Wohnung gewesen sein«, antwortete Brunetti. Patta wollte etwas einwerfen, doch er kam ihm zuvor: »Wie lassen sich sonst der Ring und die Uhr erklären?« Er merkte gerade noch rechtzeitig, dass er zu viel Interesse zeigte, und schaltete einen Gang zurück. »Ich wüsste nicht, wie sie sich die Sachen beschafft haben könnte.«

»Aber das hat doch nichts zu sagen, oder?«, fragte Patta. »Kein Grund anzunehmen, dass ihr in der Wohnung etwas zugestoßen und dass sie nicht einfach gestolpert und runtergefallen ist. Mein Gott, es stürzen doch dauernd Leute vom Dach.«

Brunetti wusste von einem einzigen Fall in den letzten zehn Jahren, aber er hütete sich, Patta zu widersprechen. Vielleicht waren in Pattas Heimatstadt Palermo die Dächer ja gefährlicher, wie so vieles andere auch.

»Diese Kinder arbeiten in der Regel zu mehreren, Vice-Questore«, sagte er.

»Ich weiß, ich weiß!« Patta wedelte mit der Hand in Brunettis Richtung, als gälte es, eine besonders lästige Fliege zu verscheuchen. »Aber auch das hat letztlich nichts zu sagen.«

Kaum, dass Brunetti wie eine echte Fliege seine Fühler ausstreckte, empfing er merkwürdige Schwingungen, die eindeutig von Patta ausgingen; sei es von seinen Augen, seinem Tonfall oder den Fingern seiner rechten Hand, die hin und wieder verstohlen nach dem Blatt Papier tasteten und gleich wieder zurückzuckten.

Brunetti legte sein Gesicht in grüblerische Falten. »Ich

glaube, Sie haben recht, Vice-Questore«, sagte er endlich mit einem gebührenden Maß an Enttäuschung in der Stimme. »Trotzdem könnte ein Gespräch mit ihnen hilfreich sein.«

»Mit wem?«

»Na, den anderen Kindern.«

»Kommt nicht in Frage«, dröhnte Patta unbeherrscht. Doch dann fuhr er, offenbar ebenso erschrocken über seine Lautstärke wie Brunetti, in gemäßigterem Ton fort. »Ich wollte sagen, es ist zu kompliziert: Sie bräuchten eine Genehmigung vom Minderjährigengericht, dann jemanden vom Sozialamt, der Sie begleitet und während der Befragung anwesend ist, und außerdem noch einen Dolmetscher.« Es schien, als sei für Patta der Fall damit erledigt, aber nach einer wohlüberlegten Pause setzte er hinzu: »Außerdem hätten Sie keinerlei Gewähr, ob Sie überhaupt die richtigen Kinder erwischt haben.« Sein Kopfschütteln machte jede Hoffnung zunichte, dass einer wie der Commissario all diese Hürden überwinden könnte.

Brunetti zuckte ergeben mit den Schultern. »Ich verstehe, was Sie meinen, Signore«, antwortete er leise und bar jeder Ironie. Denn er konnte Pattas Beweggründe tatsächlich nachvollziehen: Bevor eine Familie aus dem wohlsituierten Mittelstand in die Schusslinie geriet, unterband man am besten alle Aufklärungsversuche darüber, was auf dem Dach passiert war.

Brunetti verhielt sich wie eine Schnecke, die sich, sobald ihre Fühler auf ein Hindernis stoßen, in ihr Haus verkriecht. »Ich hatte die Tragweite des Ganzen nicht bedacht, Signore«, gestand er widerwillig. Und wartete gespannt, ob Patta einen weiteren Nagel in den Sarg seiner Hoffnungen treiben würde.

Als das nicht geschah, sprang Brunetti für ihn ein: »Im Übrigen würden diese Kinder vor Gericht sowieso nie aussagen, nicht wahr?«

»Eben, eben«, bekräftigte Patta. Er stieß sich von der Schreibtischkante ab, ging um das Möbel herum und nahm auf seinem Stuhl Platz. »Erkundigen Sie sich, ob man was für die Mutter tun kann.« Den Auftrag übernahm Brunetti nur zu gern, denn um zu erfahren, wie man der Frau helfen könne, würde er auf jeden Fall noch einmal mit ihr reden müssen.

»Dann will ich Sie nicht länger aufhalten, Signore«, sagte Brunetti.

Patta war bereits so in seine Akten vertieft, dass er keine Antwort mehr gab, und Brunetti überließ ihn seinen Geschäften.

Signorina Elettra nickte ihm zu, als er aus Pattas Büro kam.

»Der Vice-Questore«, sagte er mit einem Blick zur Tür, die er vorsorglich offen gelassen hatte, »hält es für zwecklos, den Fall weiterzuverfolgen.«

Mit einem Blick zur Tür hin lieferte sie ihm das Stichwort für seinen nächsten Satz: »Und Sie teilen offenbar seine Meinung, Commissario?«

»Doch, ja. Das arme Ding ist vom Dach gestürzt und im Kanal ertrunken.« Plötzlich fiel ihm ein, dass ja noch gar keine Vorkehrungen wegen der Leiche getroffen worden waren. Jetzt, wo Patta die Ermittlungen eingestellt hatte, müsste man sie eigentlich der Familie übergeben. Aber nun handelte es sich offiziell um einen Unfalltod, und Brunetti wusste nicht, wer dafür zuständig war.

»Würden Sie bei Dottor Rizzardi nachfragen, wann der Leichnam freigegeben wird?« Einen Moment lang erwog Brunetti, die Leiche des Mädchens selbst zu begleiten, aber dazu fehlte ihm denn doch die Kraft. »Eine Mitarbeiterin im Sozialamt, eine gewisse Dottoressa Pitteri – der Vorname ist mir entfallen –, kümmert sich schon seit längerem um die Roma. Sie hat vielleicht eine Idee, was… also was im Sinne der Familie wäre.«

»Sie meinen wegen der Beisetzung?«, fragte Signorina Elettra.

»Ja.«

»Gut, ich werde mich mit der Dottoressa in Verbindung setzen und gebe Ihnen dann Bescheid, Commissario.«

»Danke, Signorina«, sagte er und verließ ihr Büro.

23

Auf dem Weg nach oben wäre Brunetti plötzlich am liebsten umgekehrt und hätte sich aus der Questura fortgeschlichen, um mit dem Vaporetto zum Lido hinauszufahren und dort am Strand spazieren zu gehen. So wie er das früher als Schuljunge manchmal getan hatte. Wer würde es bemerken? Wen würde es kümmern? Patta beglückwünschte sich vermutlich zu dem leicht errungenen Sieg über ihn und dazu, den ehrbaren Mittelstand vor einer peinlichen Untersuchung bewahrt zu haben. Und Signorina Elettra war mit der traurigen Aufgabe beschäftigt, herauszufinden, wie man das tote Kind zu seiner Familie zurückbringen konnte.

Kaum dass er an seinem Schreibtisch Platz genommen hatte, griff Brunetti zum Telefon und wählte Signorina Elettras Nummer. »Signorina, der Vice-Questore hatte doch vorhin ein einzelnes Blatt Papier in der Hand. Wissen Sie zufällig, was es damit auf sich hat?«

»Nein, Signore«, lautete ihre auffallend knappe Antwort.

»Meinen Sie, Sie könnten vielleicht einmal nachsehen?«

»Einen Augenblick, ich werde Tenente Scarpa fragen.« Dann wurde ihre Stimme leiser, weil sie nicht mehr in den Hörer sprach, aber Brunetti konnte dennoch alles verstehen: »Tenente, wissen Sie, was mit dem Kopierer im dritten Stock los ist?« Es folgte ein langes Schweigen, und danach schwoll ihre Stimme an, so als müsse sie eine größere Entfernung überbrücken. »Anscheinend ein Papierstau, Tenente. Würden Sie bitte mal nachsehen?«

»Sie sollten ihn nicht so quälen«, warf Brunetti ein.

»Ich verzichte auf Schokolade«, entgegnete sie schnippisch, »und quäle dafür den Tenente. Auch das ein Hochgenuss, der aber nicht dick macht.« In der Beziehung hatte Signorina Elettra in Brunettis Augen ohnehin nichts zu befürchten. Und auch wenn es ihm nicht zustand, über das Genussverhalten anderer zu urteilen, schien ihm die Art, wie sie Pattas Günstling immer wieder bis aufs Blut reizte, doch weitaus gefährlicher, als hin und wieder ein Stück Trüffelschokolade zu naschen.

»Ich wasche meine Hände in Unschuld«, erklärte er lachend. »Auch wenn ich Ihren Mut bewundern muss.«

»Ach, er ist bloß ein Papiertiger, Commissario. Sind die doch alle.«

»Wer, alle?«

»Na, Leute seines Schlages, die den starken Mann markieren und einem immerzu stumm drohend über die Schulter sehen. Als wollten sie uns gleich in Stücke reißen und sich dann das Fleisch mit unseren Knochensplittern aus den Zähnen pulen.« Brunetti fragte sich, ob sie die Männer draußen im Roma-Lager wohl auch so einschätzen würde. Aber noch bevor er den Gedanken zu Ende gedacht hatte, setzte sie hinzu: »Machen Sie sich nur keine Sorgen wegen Scarpa, Commissario.«

»Ich meine ja auch bloß, es wäre klüger, ihn sich nicht zum Feind zu machen.«

Ihre Stimme wurde plötzlich messerscharf: »Wenn es je Spitz auf Knopf stünde, würde der Vice-Questore ihn ohne zu zögern fallenlassen.«

»Wie das?«, fragte Brunetti verblüfft. Seit über zehn Jahren diente Tenente Scarpa dem Vice-Questore nun schon als getreuer Handlanger. Auch er stammte, wie Patta, aus Sizilien und kämpfte mit allen Mitteln für den Aufstieg seines Mentors, während er selbst sich mit den Resten begnügte, die vom Tisch der Mächtigen für ihn abfielen.

»Weil der Vice-Questore weiß, dass er sich auf ihn verlassen kann«, antwortete Signorina Elettra.

Nun war Brunetti vollends verwirrt. »Das verstehe ich nicht«, bekannte er.

»Da er Scarpa hundertprozentig vertrauen kann, könnte er ihn auch bedenkenlos abschieben. Er müsste nur dafür sorgen, dass der Tenente einen besseren Posten bekommt. Bei mir dagegen weiß Patta nicht, ob er mir trauen kann, und darum würde er mich niemals feuern.« Ihre Stimme hatte völlig den gewohnt scherzhaften Ton verloren und klang mit einem Mal ganz fremd.

»Aber um auf Ihre Frage zurückzukommen, Commissario«, fuhr sie, nun wieder auf ihre vertraut liebenswürdige Art fort, »so war heute Vormittag außer Ihnen nur noch Scarpa beim Vice-Questore. Und zwar eine ganze Stunde lang.«

Brunetti entfuhr ein erstauntes »Aha!« Er bedankte sich bei Signorina Elettra, legte auf und machte sich daran, eine Namensliste zu erstellen. Er begann mit dem Besitzer des Rings und der Uhr. Irgendwoher kam ihm der Name Fornari bekannt vor. Brunetti starrte die Wand an und versuchte sich zu erinnern. Die Ehefrau hatte gesagt, er sei in Russland, aber das brachte Brunetti nicht weiter. Was verkaufte Fornari doch gleich wieder? Küchengerätschaften? Nein, Einbauküchen, und die wollte er jetzt nach Russland exportieren. Ja, nun kam er der Erinnerung schon näher: Export,

Lizenzen, Guardia di Finanza, Fabriken. Irgendwas mit Geld und ausländischen Geschäftemachern – aber es blieb doch allzu vage, so dass Brunetti schließlich aufgab.

Er notierte die Namen von Ehefrau, Tochter, Sohn, ja sogar den der Haushaltshilfe, also all der Personen, die sich in der Nacht, als das Mädchen ums Leben gekommen war, in der Wohnung hätten aufhalten können. Nachdem er unten auf die Liste noch die Bezeichnungen *zingari*, Roma, Sinti und *nomadi* gesetzt hatte, schob Brunetti seinen Stuhl zurück. Und während sein Blick wieder auf der Wand gegenüber ruhte, stieg das Bild des toten Mädchens vor ihm auf.

Die Frau im Lager hatte ausgesehen wie Arianas Großmutter, aber dieses zerfurchte, hohlwangige Gesicht gehörte der Mutter eines elfjährigen Kindes. Alle drei Kinder waren unter vierzehn, also noch nicht strafmündig. Im Lager hatte er seltsamerweise gar keine Kinder gesehen, ja nicht einmal Spielzeug oder Fahrräder oder irgendetwas, das inmitten all des Gerümpels zwischen den Wohnwagen auf ihr Vorhandensein hingedeutet hätte. Italienische Kinder waren tagsüber in der Schule, die Zigeunerkinder dagegen gingen, wenn sie nicht im Lager waren, vermutlich ihrer sogenannten Arbeit nach.

Fornaris Kinder waren um die Zeit bestimmt in der Schule. Zumindest die Tochter, die mit sechzehn sicher noch aufs Gymnasium ging, während der achtzehnjährige Sohn vielleicht schon studierte. Brunetti griff abermals zum Telefon und wählte noch einmal Signorina Elettras Nummer. »Ich möchte Sie um noch einen Gefallen bitten«, sagte er, sobald sie sich gemeldet hatte. »Kommen Sie an die Akten der städtischen Schulen heran?«

»Bei der Schulaufsichtsbehörde? Ein Kinderspiel«, erwiderte sie.

»Gut! Fornari hat einen Sohn und eine Tochter. Ludovica ist sechzehn, Matteo achtzehn. Versuchen Sie herauszufinden, ob es über die beiden irgendetwas Wissenswertes gibt.«

Er war darauf gefasst, dass ihr diese Vorgabe ein bisschen zu vage sein könnte, aber sie sagte nur: »Geben Sie mir bitte die vollständigen Namen der Eltern?«

»Giorgio Fornari und Orsola Vivarini.«

Beim zweiten Namen entfuhr ihr ein: »Oje, oje!«

»Sie kennen sie?«, fragte Brunetti gespannt.

»Nein, aber ich wüsste wirklich gern, wie eine Frau, die selber schon mit dem Namen Orsola geschlagen ist, ihre Tochter Ludovica taufen kann.«

»Eine Freundin meiner Mutter hieß Italia«, sagte er. »Sie kannte auch etliche Benitos, eine Vittoria und sogar eine Addis Abeba.«

»Andere Zeiten«, meinte sie. »Oder eine andere Generation, die auffallen will um jeden Preis, auch mit den Namen ihrer Kinder.«

Brunetti, der schon Leute mit Namen wie Tiffany, Hillary und Sharon festgenommen hatte, konnte ihr nur beipflichten. »Meine Frau hat mal gesagt, wenn eines Tages die Hauptfigur einer amerikanischen Seifenoper Pig Shit heißt, dann können wir uns auf eine ganze Generation davon gefasst machen.«

»Ich glaube, die brasilianischen sind inzwischen beliebter, Signore«, bemerkte sie.

»Wie bitte?«

»Die Seifenopern.«

»Ach so«, sagte er, und dann fiel ihm nichts mehr ein.

»Ich will sehen, was ich über die Fornari-Sprösslinge rausfinden kann«, versprach Signorina Elettra. »Und diese Dottoressa Pitteri rufe ich auch an.«

»Vielen Dank, Signorina«, sagte er.

Brunetti hätte natürlich im Internet über Giorgio Fornari recherchieren können. Aber da er ihn aus dem Winkel seines Gedächtnisses hervorgelockt hatte, wo Klatsch und Tratsch gespeichert waren, würden die Informationen, die er brauchte, wohl kaum in Zeitungen, Zeitschriften oder Regierungsberichten zu finden sein. Er versuchte, sich darauf zu besinnen, in welchem Zusammenhang er Fornaris Namen zum ersten Mal gehört hatte. Geld und die Guardia di Finanza spielten sicher eine Rolle, denn als vor ein paar Tagen etwas über die Steuerfahndung in der Zeitung stand, hatte er plötzlich Fornaris Namen im Hinterkopf gehabt.

Ein ehemaliger Klassenkamerad war inzwischen Hauptmann bei der Guardia di Finanza, und Brunetti erinnerte sich immer noch mit großem Vergnügen an den Nachmittag vor drei Jahren, den sie gemeinsam in der Lagune verbracht hatten. Ihm, der nur die Barkassen von Polizei und Carabinieri gewohnt war, hatten die gewaltigen Turbinen des Patrouillenboots, die aussahen wie aus einem Actionfilm, mächtig imponiert. Und während der Bootsführer sie durch den Canale di San Nicolò steuerte und dann den Motor hochjagte, als wollte er geradewegs die Inseln vor der kroatischen Küste ansteuern, da bekam der Begriff »Hochgeschwindigkeit« für Brunetti eine ganz neue Bedeutung. Aus der Spritztour, die sein Freund, der Capitano, als »Kontaktpflege zwischen den Polizeieinheiten« gerechtfertigt hatte, war, mit vollem Einverständnis des Bootsführers, ein übermütiger Schulausflug geworden, mit viel Gejohle und Schulterklopfen, der noch lange kein Ende gefunden hätte, hätte man nicht über Funk ihre Standortposition angefordert.

Der Bootsführer hatte, ohne Meldung zu machen, eine rasante Wende hingelegt und Kurs auf die Stadt genommen. Die Fischerboote in der Lagune umkurvte er wie kleine Inseln und bretterte durchs Kielwasser eines Kreuzfahrtschiffs, das den Hafen von Venedig ansteuerte.

»Kreuzfahrtschiffe!«, entfuhr es Brunetti, als sein Gedächtnis anschlug. Richtig, von seinem alten Schulkameraden hatte er zum ersten Mal den Namen Giorgio Fornari gehört. Die beiden waren ebenfalls befreundet, und Fornari hatte den Capitano auf eine abenteuerliche neue Variante der Touristenabzocke aufmerksam gemacht.

Wie Fornari von einem Ladenbesitzer aus der Via xxii Marzo erfahren hatte, warnte man die Passagiere von Kreuzfahrtschiffen regelmäßig davor, in Venedig einzukaufen oder essen zu gehen, weil sie dort übers Ohr gehauen würden oder Gefahr liefen, sich den Magen zu verderben. Da die Passagiere mehrheitlich Amerikaner waren, die sich ohnehin nur vor dem heimischen Fernseher in Sicherheit wähnten, fielen sie prompt darauf herein und waren froh und dankbar, wenn die Schiffsleitung ihnen eine Liste mit vertrauenswürdigen Läden und Restaurants zur Verfügung stellte. Bei den darauf angegebenen Adressen, so versprach man ihnen, seien sie nicht nur vor Betrug und anderer Unbill gefeit, sondern würden, gegen Vorlage ihres Passagierausweises, auch noch zehn Prozent Rabatt bekommen.

Der Hauptmann wollte sich ausschütten vor Lachen, als er Brunetti davon erzählte. Die Schiffsbesatzungen taten ein Übriges und veranstalteten nach dem Landgang eine Lotterie, bei der die Passagiere ihre Einkaufsbelege oder Restaurantquittungen einsetzen und ihre Gewinnchancen je nach Höhe der ausgegebenen Beträge steigern konnten.

»Alle Mann glücklich und zufrieden mit ihren Schnäppchen«, hatte der Hauptmann mit einem wölfischen Grinsen kommentiert. Tags darauf wurde dann die Schiffsbesatzung bei den »vertrauenswürdigen« Geschäftsleuten und Restaurantbesitzern vorstellig und kassierte *ihre* zehn Prozent, ein bescheidenes Entgelt dafür, dass die betreffenden Läden und Lokale auf der Liste erschienen. Und wenn einer versuchte, den Umsatz, den er mit den Passagieren gemacht hatte, herunterzuspielen, konnte man ihm die Quittungen unter die Nase halten.

Signor Fornari hatte sich bei dem Capitano erkundigt, wie man dieser Unsitte Einhalt gebieten könne. Und von ihm den freundschaftlichen Rat bekommen, er solle seinen Mund halten und dies auch dem Ladenbesitzer aus der Via XXII Marzo empfehlen. Fornari hatte das für falsch gehalten, und Brunetti erinnerte sich, dass der Hauptmann gesagt hatte: »Stell dir vor, er war mir direkt böse deswegen. Was sagt man dazu?«

Ein solcher Vorfall ergab zwar noch kein Porträt von Fornari, aber vielleicht doch einen ganz guten Schnappschuss. Zumindest in dieser Situation hatte er sich als ehrlicher Mann gezeigt. Besonders empört war er offenbar darüber, dass Fremde – die Schiffseigner waren allesamt Ausländer – Venedig ungestraft für ihre Schiebereien missbrauchten. Woraufhin der Capitano ihm klarmachte, dass ein solches

Betrugsmanöver ohne die schweigende Duldung, wenn nicht gar Mitwirkung »gewisser Kreise« innerhalb der Stadt gar nicht aufrechterhalten, ja vielleicht nicht einmal organisiert werden könne.

Unterdessen hatten sie an der Giudecca angelegt, der Schulausflug war zu Ende, und Brunetti verwahrte die Geschichte von Giorgio Fornari, der sich noch ganz altmodisch über unehrliche Machenschaften entrüstete, in seinem Gedächtnis.

»Was sagt man dazu!«, wiederholte Brunetti laut.

Hier wurde er in seinen Betrachtungen durch einen Anruf von Signorina Elettra unterbrochen. »Ich habe einiges über diesen Mutti herausgefunden«, verkündete sie ohne Umschweife. In ihrer Betonung klang der Name wie ein Aufschrei.

»Lassen Sie hören«, bat Brunetti.

»Dass er nie einem kirchlichen Orden angehörte, habe ich Ihnen ja bereits gesagt.«

»Ja, ich erinnere mich«, bestätigte Brunetti und schob dann das »Aber« nach, das ihr Ton nahelegte.

»Aber Padre Antonin hatte recht mit seinem Hinweis auf Umbrien. Mutti war zwei Jahre in Assisi. Damals ist er in Franziskanerkutte aufgetreten.«

»Und was hat er dort gemacht?«, fragte Brunetti, dem ihre pointierte Formulierung nicht entgangen war.

»Ein Wellness-Resort geleitet.«

»Wellness-Resort?«, echote Brunetti in dem Gefühl, seiner Gegenwart wieder um einen Schritt näher zu kommen.

»Eine Einrichtung, in der reiche Leute sich eine Wochenendkur zur Entschlackung gönnten.«

»Körperlich?« Brunetti dachte an Abano, wo sie ja erst kürzlich gewesen war, vergaß aber auch nicht die Franziskanerkutte.

»Und geistig.«

»Aha«, murmelte Brunetti. »Und weiter?«

»Sowohl das Gesundheitsamt als auch die Guardia di Finanza mussten einschreiten und den Laden schließen.«

»Und Mutti?«

»Der war in seiner Eigenschaft als spiritueller Berater natürlich völlig ahnungslos, was die finanzielle Situation betraf.«

»Und die Bücher?«

»Es gab keine.«

»Wie ist es ausgegangen?«

»Er wurde wegen Betrugs verurteilt, kam aber mit einer Geldstrafe davon.«

»Und?«

»Und hat sich offenbar nach Venedig abgesetzt.«

»Interessant«, sagte Brunetti. Einer spontanen Eingebung folgend fuhr er fort: »Rufen Sie doch bitte bei der Guardia di Finanza an. Lassen Sie sich mit Capitano Zeccardi verbinden und wiederholen Sie ihm alles, was Sie mir gerade erzählt haben. Vielleicht zahlt es sich aus, wenn er diesen Mutti mal gründlich durchleuchtet.«

»In Ordnung. Ist das alles, Commissario?«

»Ja«, antwortete Brunetti, nur um sich gleich darauf zu korrigieren: »Nein, richten Sie dem Capitano aus, das sei mein Dank für die Fahrt in der Lagune, die er mir spendiert hat. Er weiß schon, was damit gemeint ist.«

Beim Abendessen war er vielleicht nicht so gesprächig wie sonst, was aber niemandem auffiel, weil die übrige Familie sich eine heiße Diskussion über die Straßenkämpfe in Neapel lieferte.

»Heute sind zwei Mann erschossen worden.« Raffi langte nach der Schüssel mit *ruote con melanzane e ricotta.* »Da unten geht's zu wie im Wilden Westen. Du setzt den Fuß vor die Tür, weil du an der Ecke einen Liter Milch holen willst, und *Zacchete!* – schon bläst dir einer den Schädel weg.«

In dem Tonfall, mit dem sie jugendlichen Überschwang zu dämpfen pflegte, warf Paola ein: »In Neapel besorgt man sich im Laden an der Ecke wohl eher Kokain.« Worauf sie sich übergangslos an Chiara wandte: »Möchtest du noch Pasta, Schatz?«

Chiara nickte, dann fragte sie ihren Vater: »Es sind aber doch nicht alle so, oder?«

»Nein.« Notgedrungen schlüpfte Brunetti in die Rolle des Polizisten, der über Informationen aus erster Hand verfügt. »Deine Mutter übertreibt mal wieder.«

»Unsere Lehrer sagen«, verkündete Chiara, »dass Polizei und Regierung die Mafia vereint bekämpfen.« Ein Satz, der in Brunettis Ohren wie auswendig gelernt klang.

»Und wie lange dauert dieser Kampf nun schon? Frag sie das mal, wenn einer von ihnen nächstens wieder solchen Unsinn verzapft«, empfahl Paola, die als Mutter erneut ihr Bestes getan hatte, um das Vertrauen der Kinder in ihre Lehrer zu fördern, von der Regierung ganz zu schweigen.

Brunetti wollte widersprechen, aber sie schnitt ihm das Wort ab. »Kannst du mir einen Krieg nennen, der sechzig Jahre gedauert hat? In Europa? So lange ziehen wir schon gegen die Mafia zu Felde, die uns nach dem Zweiten Weltkrieg die Amerikaner eingeschleppt haben, als Geheimwaffe im Kampf« – und hier gab sie ihrer Stimme jenen salbungsvollen Ton, mit dem sie die ihr so verhassten Frömmeleien nachzuäffen pflegte – »gegen den internationalen Kommunismus. Um zu verhindern, dass die Kommunisten nach dem Krieg womöglich mit an die Regierung gekommen wären, hetzte man uns die Mafia auf den Hals, und nun werden wir sie nicht mehr los.«

In seiner Eigenschaft als Gesetzeshüter wäre es Brunettis Pflicht gewesen, ihr zu widersprechen und zu beteuern, dass die Polizei im Verein mit den übrigen, von der gegenwärtigen Regierung straff und gewissenhaft geführten Staatsorganen große Fortschritte mache in ihrem Kampf gegen die Mafia. Stattdessen erkundigte er sich, was es zum Nachtisch gab.

24

Einen ganzen Tag lang war Brunetti damit beschäftigt, einen Bericht über das Kriminalitätsaufkommen im Veneto zu erstellen. Patta benötigte das Material für einen Vortrag, den er in zwei Monaten auf einer Konferenz in Rom halten sollte. Da er die Recherchen nicht auf Signorina Elettra oder einen seiner Kollegen abwälzen wollte, saß Brunetti stundenlang über Polizeiakten aus ganz Venetien, die er dann noch mit den verfügbaren Daten aus anderen Provinzen und Ländern verglich.

Während er die Statistiken durchforschte, stieß Brunetti immer wieder auf *zingari*, Roma, Sinti, *nomadi*. Bei Delikten wie Raub, Einbruch und Diebstahl waren unter Angehörigen dieser Gruppen die meisten Festnahmen verzeichnet. Und auch wenn Kinder in den Berichten nicht aufgeführt wurden, ließ sich die häufig wiederkehrende Begründung für den Einsatz von Dienstfahrzeugen auf dem Festland leicht entschlüsseln: »Kind an Vormund überstellt«, »Minderjährige ohne Begleitung eines gesetzlichen Vertreters in Obhut der Eltern überführt«.

Brunetti stieß auf den Fall eines Jugendlichen, der mehrfach verhaftet worden war, sich aber mit der Behauptung, erst dreizehn zu sein, immer wieder herausgewunden hatte. Da er keine Papiere vorweisen konnte, wurde schließlich von Gerichts wegen eine Ganzkörper-Röntgenaufnahme angeordnet, um sein Alter anhand der Knochenstruktur zu ermitteln.

Jahrhundertelang blieben die sogenannten fahrenden Völker fast völlig isoliert von den Gesellschaften, in deren Mitte sie lebten. Eine Ausgrenzung, die sie im letzten Krieg teuer zu stehen kam, als viele von ihnen in den Vernichtungslagern der Nazis ermordet wurden.

Ursprünglich verdienten sich die Fahrenden ihr täglich Brot als Pferdehändler und Zureiter, als Kesselflicker oder Schmucksteinfasser. Doch auch als diese Gewerbe im Zuge der Modernisierung langsam ausstarben, lebten sie weiter von den Gadsche, den Fremden, denen gegenüber sie offenbar keinen großen Unterschied machten zwischen Handeltreiben und Diebstahl.

Je mehr Statistiken aus anderen Regionen Brunetti zusammentrug, desto deutlicher trat ein übereinstimmendes Muster zutage: Raub- und Straßendelikte, Einbruch und Diebstahl wurden überwiegend von Angehörigen nicht sesshafter Gruppen verübt. Nur vereinzelt waren sie auch in Fälle von Kinderprostitution verwickelt – darunter einen besonders widerlichen in Rom, wo offenbar irgendwelche Clanvorstände pädophilen Männern kleine Mädchen und Jungen zugeführt hatten. Unwillkürlich dachte Brunetti an Rizzardis Obduktionsbericht.

Und obwohl er sich pflichtgemäß wieder über die allgemeine Verbrechensstatistik beugte, raubte ihm dieser besondere Fall jegliche Konzentration. Mehr als einmal war das Gesicht des toten Mädchens ihm schon im Traum erschienen. Und auch im Wachen sah er sie unvermutet vor sich: bald so, wie er sie aufgefunden hatte, bald so wie auf den Fotos, die er vor dem Wohnwagen abgelegt hatte. Er versuchte mit Gewalt, diese Bilder zu verdrängen und sich wieder auf seine vergleichenden Tabellen zu konzentrieren, aber als ihm einfach keine venezianische Entsprechung zum Autodiebstahl auf dem Festland einfallen wollte, gab er sich geschlagen.

»Erkundigen Sie sich, ob man etwas für die Mutter tun kann«, hatte Patta ihm aufgetragen. Brunetti wusste nichts, womit man eine Mutter, deren elfjähriges Kind ertrunken war, hätte trösten können, und er nahm an, dass der Vice-Questore an seiner Stelle ebenso ratlos gewesen wäre. Aber Patta hatte es angeordnet, und Brunetti würde seine Weisung befolgen.

Diesmal hatte man ihm einen Wagen der *Squadra Mobile* zur Verfügung gestellt. Der Fahrer, ein großer, blasser Mann in den Vierzigern, wirkte offen und unkompliziert. Der venezianische Dialekt, in dem Brunetti ihn angeredet hatte, war ihm ebenso geläufig wie das Fahrtziel. »Praktischer wär's, wenn wir einen Pendelbus zu diesem Roma-Lager einrichten würden, Commissario.«

»Wieso das?«

»Weil wir so oft da raus müssen. Wir unterhalten ja fast schon so eine Art Taxiservice für ihre Kinder.«

»Ist das so eingerissen?«, fragte Brunetti und sah aus dem Fenster. Die Bäume hatten inzwischen stärker ausgeschlagen. Das knospende Grün färbte sich dunkler, fing an, sich zu behaupten. »Klingt ja gar nicht gut.«

»Ob's gut oder schlecht ist, will ich nicht beurteilen, Signore. Das steht mir nicht zu«, entgegnete der Fahrer. »Aber wenn man den Job hier eine Zeitlang macht, dann kommt's einem schon komisch vor.«

»Inwiefern?«

»Nun, man könnte meinen, für die gelten andere Gesetze als für uns.« Der Fahrer musterte Brunetti verstohlen im Spiegel, und da der Commissario offenbar interessiert zuhörte, fuhr er fort. »Ich hab selber zwei Kinder von sechs und neun. Angenommen, ich würde mich weigern, die zur Schule zu schicken, was glauben Sie, was da los wäre? Oder wenn man sie beim Klauen erwischte? Sechsmal? Zehnmal?«

»Was wäre denn der Unterschied?«, fragte Brunetti, obwohl er es sich ganz gut vorstellen konnte.

»Na, erst mal gäb's eine Abreibung, dass den beiden Hören und Sehen verginge«, antwortete der Fahrer. Sein Schmunzeln verriet, dass mit »Abreibung« so was wie eine Standpauke und ein Monat Fernsehverbot gemeint waren. »Und ich wäre meinen Job los. Garantiert. Oder man würde mich so lange piesacken, bis ich von selber kündige.« Letzteres schien Brunetti ein bisschen übertrieben, doch dann erinnerte er sich an ähnliche Fälle, wo Polizistenkinder sich strafbar gemacht und ihren Vätern damit fast die Karriere zerstört hatten.

»Was noch?«

»Also wenn sie sich herumtrieben und längere Zeit nicht nach Hause kämen, könnte sich das Jugendamt einschalten und uns die Kinder wegnehmen. Sie womöglich in eine Pflegefamilie einweisen. Was weiß ich.«

»Fänden Sie das richtig?«, fragte Brunetti.

Der Fahrer wechselte geschickt die Spur und konzentrierte sich eine Weile schweigend auf die Straße. »Ich kann natürlich nur für mich sprechen, Signore, für meine eigene Familie«, sagte er endlich. »Aber ich würde das nicht ertragen. Niemals. Und ich würde alles dransetzen, es zu verhindern.« Er hielt kurz inne und fügte dann hinzu: »Und genau besehen, wär's diesen Leuten wohl auch nicht recht, wenn man ihnen ihre Kinder wegnähme.« Abermals langes Schweigen, dann sagte der Fahrer: »Ich schätze, wir müssen unsere Kinder nicht alle auf die gleiche Art lieben, oder, Commissario?«

»Da haben Sie wohl recht«, pflichtete Brunetti bei.

»Und die Kinder kennen es ja nicht anders.«

»Da kann ich Ihnen nicht folgen«, gestand Brunetti.

»Ich meine, die finden ihr Leben ganz normal. Alles, was Kinder sich unter einer Familie vorstellen, orientiert sich an der eigenen. Ist doch so?« Er gab Brunetti Zeit, sich das durch den Kopf gehen zu lassen, dann setzte er hinzu: »Diese Kinder lieben ihre Familien, das spüre ich genau, wenn ich sie zurückbringe.«

»Und die Eltern?«

»Die lieben sie auch. Die Mütter auf jeden Fall. Das merkt man ganz deutlich.«

»Auch wenn sie von der Polizei heimgebracht werden?«, fragte Brunetti.

Der Fahrer lachte verblüfft. »Ach, da machen die sich nichts draus, Commissario. Sie freuen sich einfach, und die Kinder auch.« Im Spiegel Brunettis Blick suchend, ergänzte er: »Familie bleibt eben Familie, stimmt's?«

»Ja, schon«, räumte Brunetti ein. »Aber trotzdem, wenn Ihre Kinder von der Polizei aufgegriffen und heimgebracht würden...«

»So weit käm's erst gar nicht. Meine Kinder sind tagsüber in der Schule, und wenn's anders wäre, dann wüssten wir das. Schauen Sie mich an, Commissario«, sagte der Mann, plötzlich das Thema wechselnd. »Mir fehlt eine gute Ausbildung, und darum bin ich als Polizist auch beim Fahrdienst hängengeblieben.«

»Sind Sie denn nicht zufrieden mit Ihrem Job?«, fragte Brunetti, der sich nicht mehr erinnern konnte, wie sie auf dieses Thema gekommen waren.

»Das kann man so nicht sagen, Signore. Wenn ich mit jemandem reden kann, so wie jetzt mit Ihnen, und ich merke, dass man mich für voll nimmt – dann macht mir meine Arbeit schon Spaß. Andererseits: Was ist denn das für ein Leben für einen erwachsenen Mann? Den ganzen Tag Leute durch die Gegend zu kutschieren, die alle wichtiger sind als ich? Gut, ich bin Polizeibeamter, ich trage Uniform und eine Waffe. Aber bis zu meiner Pensionierung werde ich nie was anderes machen als hinter diesem Steuer sitzen.«

»Und darum achten Sie darauf, dass Ihre Kinder regelmäßig zur Schule gehen?«, fragte Brunetti.

»Ja, genau. Mit einem guten Schulabschluss können sie was aus ihrem Leben machen.« Der Fahrer setzte den Blinker und nahm die Abfahrt von der *autostrada*. Er warf einen Blick nach hinten, zu Brunetti. »Das ist doch die Hauptsache, nicht wahr, dass unsere Kinder es mal besser haben im Leben als wir?«

»Wollen wir's hoffen«, sagte Brunetti.

»*Sì*, Signore.« Der Polizist nickte bekräftigend.

An der Mündung der Ausfahrt hielten sie vor einer roten Ampel und bogen, als es Grün wurde, links ab. Der Fahrer war verstummt, sei es, weil er jetzt auf den Gegenverkehr achten musste, sei es, weil von seiner Seite alles gesagt war, und Brunetti schaute durchs Fenster auf die vorbeiziehende Landschaft. Er fand es erstaunlich, dass die Fahrer ihr Ziel nie verfehlten. Obwohl sich die Gegend rechts und links der Strecke ständig wandelte: Bäume wurden grün oder warfen ihr Laub ab, Blumen blühten oder verwelkten, Felder wurden gepflügt, bebaut und abgeerntet, parkende Autos wechselten ihren Standplatz. Wenn sich doch einmal einer verfuhr, musste er umständlich auf dem Seitenstreifen halten und schlimmstenfalls wenden, um wieder in die Richtung zu gelangen, aus der er gekommen war. Und dazu der ständige Verkehr ringsum, all die anderen Fahrzeuge, die ihn wie Insekten umschwirrten.

Sie bogen ein zweites Mal ab. Brunetti blickte sich um, aber nichts kam ihm bekannt vor. Die Häuser blieben zurück, und bald waren sie ganz im Grünen.

Nicht lange danach hielt der Wagen vor dem Tor zum Lager. Der Fahrer stieg aus, öffnete das Tor, und als sie es passiert hatten, ging er zurück und schloss es wieder. Wozu war ein Tor gut, das sich so ohne weiteres öffnen ließ?

Auf den Stufen vor einem Wohnwagen saßen zwei Männer; drei weitere beugten sich über die offene Motorhaube eines Pkws. Das Polizeifahrzeug, das eben vorgefahren war, schien sie nicht im Geringsten zu kümmern. Aber Brunetti sah sehr wohl, wie ihre Körper für einen Moment ruckartig erstarrten. Brunetti bedeutete dem uniformierten Fahrer, im Wagen sitzen zu bleiben, während er ausstieg und auf die Gruppe zuging. »*Buon giorno, signori*«, grüßte er.

Sie blickten der Reihe nach zu ihm auf, bevor sie sich wieder über die Eingeweide des Wagens beugten. Einer sagte etwas, das Brunetti nicht verstand, und zeigte auf einen

Plastikkanister mit einem roten Verschluss, durch den ein Schlauch führte. Dann packte er den Behälter und rüttelte ihn, bis die Flüssigkeit darin hochschwappte, wozu die beiden anderen ihren Kommentar abgaben.

Im nächsten Augenblick richteten sich alle drei auf, stießen sich so synchron, als ob sie es geprobt hätten, vom Kühler ab und verschwanden in Richtung Wohnwagen. Brunetti schlenderte hinüber zu den beiden, die vor ihrem Camper saßen und ihn nicht aus den Augen ließen.

»*Buon giorno, signori*«, grüßte Brunetti wieder.

»*No italiano*«, entgegnete der eine und zwinkerte seinem Freund zu.

Brunetti ging zurück zu dem Polizeifahrzeug und fragte den Fahrer, der, als er ihn kommen sah, das Fenster heruntergelassen hatte: »Kennen Sie sich gut mit Autos aus?«

»*Sì*, Signore.«

»Gibt's an denen hier was zu beanstanden? Rechtlich, meine ich«, fügte Brunetti hinzu und wies mit dem Kinn auf die im Halbkreis geparkten Autos.

Der Fahrer stieg aus, trat zwei Schritte näher und nahm den Fuhrpark kritisch in Augenschein. »Bei zweien sind die Rücklichter kaputt, und drei haben fast kein Profil mehr auf den Reifen.« Er sah Brunetti an und fragte: »Wollen Sie noch mehr?«

»Ja.«

Daraufhin umrundete der Fahrer jedes Auto einzeln. Er sah nach, ob die Plakette zur grünen Versicherungskarte an der Windschutzscheibe klebte, ob auch die Rücksitze Sicherheitsgurte hatten und fahndete nach kaputten Scheinwerfern.

»Drei gehören aus dem Verkehr gezogen«, lautete sein abschließender Befund. »Einer fährt praktisch auf den Felgen, und bei den anderen beiden ist der Versicherungsschutz schon vor über drei Jahren abgelaufen.«

»Reicht das, um sie abschleppen zu lassen?«, wollte Brunetti wissen.

»Da bin ich überfragt, Commissario. Ich war nie bei der Verkehrspolizei.« Doch nach einem abermaligen Blick auf die Autos meinte er: »Es könnte hinhauen.«

»Dann lassen wir's drauf ankommen«, entschied Brunetti. »Welcher Zuständigkeitsbereich ist das hier?«

»Provinz Treviso, Signore.«

»Das trifft sich gut!«

Über den Begriff »Nettowert« hatte Brunetti sich schon oft Gedanken gemacht, vor allem, wenn er herangezogen wurde, um jemandes Vermögen zu taxieren. Dazu gehörten dann Kapitalanlagen und Bankkonten sowie Grund- und Immobilienbesitz nebst beweglicher Habe, also nur das, was man sehen, anfassen, zählen konnte. Unberücksichtigt blieben dagegen immaterielle Güter wie das Wohlwollen oder die Missgunst, die einen Menschen durchs Leben begleiteten; die Liebe, die er gab oder empfing, oder – und darum ging es hier – die Gefälligkeiten, die man ihm schuldete.

Brunetti, dessen finanzieller Nettowert eher bescheiden ausfiel, konnte zum Ausgleich auf jede Menge anderer Quellen zurückgreifen: in diesem Fall einen ehemaligen Kommilitonen, der inzwischen Vice-Questore von Treviso war und auf dessen Weisung hin eine halbe Stunde später drei Abschleppwagen vor dem Roma-Lager hielten.

Brunettis Fahrer öffnete ihnen das Tor, und der Konvoi

rollte aufs Gelände. Vom Beifahrersitz des vordersten Lasters kletterte ein uniformierter Beamter. Ohne sich groß mit Brunetti und seinem Fahrer aufzuhalten, nahm er sich das erste der drei Autos vor, die Brunetti angezeigt hatte. Er tippte das Kennzeichen in einen Taschencomputer, wartete auf die Rückmeldung im Display, tippte noch ein paar Angaben ein, und schon spuckte das Gerät einen kleinen bedruckten Papierstreifen aus, den der Beamte unter den Scheibenwischer des Fahrzeugs klemmte. Nachdem er auch die beiden anderen erfasst hatte, gab er den Fahrern der drei Trucks ein Zeichen.

Mit einer Präzision, die Brunetti nur bewundern konnte, wendeten die Männer, und jeder rangierte seinen Truck rückwärts ans Heck eines der drei Autos. Die routinierten Handgriffe, mit denen sie die Pkws an ihren Abschleppkränen befestigten, erinnerten an die synchronisierten Bewegungen, mit denen die drei Roma sich von der Motorhaube abgestoßen hatten. Die Fahrer schwangen sich wieder in ihre Kabinen; der uniformierte Beamte kletterte, nachdem er vor Brunetti salutiert hatte, in den vordersten Laster und schlug die Tür hinter sich zu. Unter lautem Motorengeheul der Trucks schwebten die Autohecks an den Abschleppkränen in die Luft empor. Der ganze Konvoi rollte durchs Tor, hielt draußen an, und der uniformierte Beamte kam zurück, um das Tor zu schließen. Die gesamte Operation hatte keine fünf Minuten gedauert.

Brunettis Fahrer stieg wieder ins Auto, doch Brunetti blieb abwartend stehen. Nach wenigen Minuten öffnete sich die Tür eines Wohnwagens, und heraus kam der Mann, der bei Brunettis erstem Besuch im Lager als Wortführer aufgetreten war. Brunetti ging ein paar Schritte auf ihn zu, Tanovic kam ihm entgegen, machte aber in etwa einem Meter Entfernung halt.

»Warum Sie das machen?«, fauchte er wütend und wies mit einer ruckartigen Kopfbewegung auf die drei leeren Stellplätze.

»Um Ihre Leute vor Gefahren zu bewahren«, antwortete Brunetti. Bevor der Mann etwas entgegnen konnte, fügte er hinzu: »Das Gesetz zu brechen kann gefährlich sein.«

Tanovic plusterte sich entrüstet auf: »Welche Gesetz wir brechen?«

»So ein Auto muss einen gültigen Versicherungsschutz haben«, erklärte Brunetti. »Und Sicherheitsgurte und intakte Scheinwerfer. Wer das nicht hat, verstößt gegen die polizeilichen Vorschriften.«

»Autos wegnehmen nix gut.« Wieder machte Tanovic die ruckhafte Kopfbewegung.

»Wieso nicht?«, versetzte Brunetti. »Immerhin stehen Sie jetzt hier und reden mit mir.«

Tanovic machte nur große Augen, wie wenn er zwar um die Macht pokern, sich aber nicht in die Karten schauen lassen wollte. »Ich andere Mal kommen«, sagte er. »Ich jetzt viel zu tun.«

»Ich habe auch keine Zeit zu verschenken!«, gab Brunetti schroff zurück. »Wenn Sie mir meine Zeit stehlen, dann ziehe ich andere Saiten auf.«

Das mochte Tanovic offenbar doch nicht riskieren. »Was Sie wollen von uns?«

»Ich möchte Signor und Signora Rocich sprechen.«

Tanovic starrte Brunetti an, als sei der ihm die Antwort schuldig geblieben.

Brunetti, der den blauen Mercedes mit dem verbeulten Kotflügel gleich bei ihrer Ankunft gesehen hatte, wartete ein paar Minuten, dann seufzte er und ging zurück zum Polizeiauto. So laut, dass auch Tanovic es hören musste, bat er den Fahrer, zu dessen Fenster er sich hinuntergebeugt hatte: »Rufen Sie bitte noch mal in Treviso an?«

»Halt, halt!«, hörte er Tanovic hinter sich rufen. »Er kommen gerade.«

Brunetti richtete sich auf. Er sah, wie der Mann zu dem Wohnwagen ging, aus dem Rocich das letzte Mal herausgekommen war, und dreimal mit dem Absatz auf die unterste Treppenstufe klopfte. Dann trat er zwei Schritte zurück, holte ein Handy aus der Tasche seiner Lederjacke und tippte eine Nummer ein. Brunetti, der inzwischen herangetreten war, hörte ein Telefon zweimal klingeln, dann meldete sich jemand mit einem einzigen lautstarken Wort. Tanovic antwortete mit zweien und klappte sein *telefonino* wieder zu. Das wölfische Grinsen, mit dem er sich Brunetti zuwandte, kündigte den nächsten Zug in ihrem Machtspiel an.

Die Tür zu Rocichs Camper sprang auf, und derselbe untersetzte kleine Mann erschien. Er kam die Stufen herunter und verharrte am Fuß der Treppe. Sein Gesicht war so ausdruckslos wie beim letzten Mal, aber Brunetti spürte die unterdrückte Wut, die in seinem Innern brannte.

Zwischen ihm und Tanovic entspann sich ein kurzer Wortwechsel, und es schien, als ob Rocich vergeblich gegen irgendetwas protestierte. Brunetti, der sich betont desinteressiert gab und tatsächlich nur die Gesten und das Auf und Ab der Stimmen verfolgen konnte, fühlte deutlich, wie Rocichs Zorn noch zunahm.

Mit verschränkten Armen und einem unendlich gelangweilten Gesichtsausdruck reckte Brunetti das Kinn und tat so, als betrachte er den Kastanienhain. Dabei schoss sein Blick blitzschnell zum Wohnwagen, wo er diesmal hinter beiden Fenstern schemenhafte Bewegungen wahrnahm. Als Nächstes musterte er, ungeduldig auf den Lippen kauend, die Straße außerhalb des Geländes. Als er abermals einen Blick zum Wagen riskierte, glaubte er an den Fenstern zwei Köpfe zu erkennen.

Tanovic beendete das Gespräch und ging zurück zu seinem Wohnwagen. Er erklomm die Stufen und zog leise die Tür hinter sich zu. Brunetti war mit Rocich allein.

»Signor Rocich, ich möchte Ihnen mein Beileid zum Tod Ihrer Tochter aussprechen.«

Zur Antwort spuckte der Mann vor ihm aus, wenn auch mit abgewandtem Gesicht.

»Signor Rocich, ich war's, der Ihre Tochter gefunden hat. Ich habe sie aus dem Kanal geborgen.« Brunetti sagte es fast beschwörend, so als wolle er damit ein Band zwischen sich und dem Vater des Kindes knüpfen. Aber er wusste natürlich, dass das unmöglich war.

»Sie wollen Geld?«, fragte Rocich barsch.

»Nein, nein! Ich möchte wissen, was Ihre Tochter in dieser Nacht in Venedig gewollt hat.«

Der Mann zuckte die Achseln.

»Wussten Sie, dass Ariana dort war?«

Erneutes Schulterzucken.

»Signor Rocich, war Ihre Tochter allein unterwegs?«

Der Größenunterschied zwischen beiden Männern war so beträchtlich, dass Rocich den Kopf in den Nacken legen musste, um Brunetti in die Augen zu sehen. Doch als ihre Blicke sich trafen, musste Brunetti an sich halten, um nicht vor dem weißglühenden Zorn, der ihm entgegenschlug, zurückzuweichen. Dass der Schmerz über den Tod eines geliebten Menschen sich in Aggression entlud, hatte er schon oft erlebt. Aber Rocichs flammende Wut war gegen ihn, Brunetti, gerichtet und nicht gegen ein unbarmherziges Schicksal, das seinem Kind das Leben geraubt hatte.

Er hatte Tanovic gesagt, dass er mit beiden, mit Signor und Signora Rocich sprechen wolle. Doch nun sah er ein, dass die Frau es womöglich bitter würde bezahlen müssen, wenn er darauf drängte, mit ihr zu reden, oder auch nur Interesse an ihr bekundete und so die Aufmerksamkeit auf sie lenkte.

Rocich spuckte noch einmal vor ihm aus, und diesmal vergewisserte er sich, wie nahe er Brunettis Schuhen gekommen war. Über seinen gebeugten Kopf hinweg warf Brunetti abermals einen dreisten Blick auf den Wohnwagen, hinter dessen Tür jetzt das Profil einer Frau hervorsah.

»Haben Sie einen Arzt hier?«, erkundigte sich Brunetti mit extra lauter Stimme.

»Was?«, fragte Rocich verwirrt zurück.

»Einen Arzt? Gibt es hier einen Arzt?«

»Warum Sie fragen das?«

»Weil ich es wissen will«, antwortete Brunetti gereizt. »Ich will wissen, ob Sie einen Arzt haben, einen Doktor, der Ihre Familie betreut.« Wieder hatte sich der Begriff »Familie« in seine Rede und in seine Gedanken geschlichen. Bevor Rocich verneinen konnte, sagte Brunetti: »Hören Sie, Signor Rocich, ich möchte meine Zeit nicht mit der Suche nach Ihren Krankenakten vergeuden.«

»Calfi«, antwortete Rocich. »Er hier Doktor«, setzte er hinzu und beschrieb einen Kreis über den Wagenpark hinter sich.

Brunetti zückte umständlich sein Notizbuch und schrieb sich den Namen des Arztes auf.

Aber Rocich ließ nicht locker. »Warum Sie wollen wissen Doktor?«

»Ihre Tochter war sehr krank«, sagte Brunetti. »Und der Polizeiarzt will Blutproben von den Männern hier im Lager haben.«

Wie viel davon Rocich wohl verstanden hatte? Offenbar genug, um zu fragen: »Warum?«

»Weil der Doktor, wenn er alle Blutgruppen vergleicht, feststellen kann, von wem Ariana ihre Krankheit hatte«, log Brunetti.

Rocichs Augen weiteten sich. Hastig drehte er sich nach seinem Wagen um, doch zu spät. Als sein Blick über Tür und Fenster glitt, war dort niemand mehr zu sehen. Der Camper wirkte wie ausgestorben. Mit undurchdringlichem Gesicht wandte Rocich sich wieder Brunetti zu. »Ich nix verstehen.«

»Egal«, sagte Brunetti. »Die Untersuchung findet auf jeden Fall statt.«

Rocich machte wortlos kehrt und stieg die Stufen zu seinem Wohnwagen hinauf. Sobald sich die Tür hinter ihm geschlossen hatte, ließ Brunetti sich von seinem Fahrer zum Piazzale Roma zurückbringen.

25

Meinst du, er hat dir geglaubt?«, fragte Paola, als sie und Brunetti spätabends im Wohnzimmer beisammensaßen. Die Kinder waren schon zu Bett, und in den stillen Räumen breitete sich jene nächtliche Ruhe aus, die einem die Kraft gibt, den Tag loszulassen, bevor man schlafen geht.

»Das kann ich schwer einschätzen.« Brunetti nippte an dem Pflaumenlikör, den einer seiner bezahlten Informanten ihm im Vorjahr zu Weihnachten geschenkt hatte. Der Mann, ein Fischer aus Chioggia mit drei eigenen Booten, belieferte Brunetti und seine Kollegen von der Guardia di Finanza mit so wertvollen Informationen über den Zigarettenschmuggel aus Montenegro, dass sie wohlweislich nie nachgeforscht hatten, woher die scheinbar unerschöpflichen Vorräte an Hochprozentigem in ungekennzeichneten Flaschen stammten, mit denen er alljährlich so manchem Angehörigen der Polizeistreitkräfte das Weihnachtsfest versüßte.

»Wiederhol mir noch mal, was du zu ihm gesagt hast«, bat Paola, unterbrach sich dann aber unvermittelt und hielt ihr Glas hoch: »Glaubst du, er macht den selbst?«

»Keine Ahnung. Auf jeden Fall ist er besser als alles, was ich je an verzollten Spirituosen getrunken habe.«

»Dann ist's ein Jammer«, seufzte Paola.

»Was denn?«

»Na, dass der Mann schwarzbrennt.«

»Wieso?«, fragte Brunetti verständnislos. »Weil er sonst mehr produzieren könnte?«

»Das auch«, sagte Paola. »Und weil wir seinen Likör dann ganz legal kaufen könnten und du dich nicht jedes Mal, wenn er dir ein paar Flaschen schenkt, in seiner Schuld fühlen müsstest.«

»Er kriegt genug bezahlt«, antwortete Brunetti, ohne sich näher zu erklären. »Außerdem wissen wir doch, wie schwer es ist, eine Firma zu gründen, noch dazu wenn man eine Alkohollizenz braucht. Nein, nein, da ist's schon besser, er macht weiter wie bisher.«

»Unter Polizeischutz?«, stichelte sie.

»Vergiss nicht die Guardia di Finanza«, konterte Brunetti gelassen.

Seufzend gab Paola sich geschlagen: »Schon gut!« Sie leerte ihr Glas und stellte es auf den Tisch. »Aber noch mal zurück zu diesem Zigeuner: Was genau hast du ihm gesagt?«

Brunetti umschloss sein Glas mit beiden Händen. »Dass seine Tochter sehr schlimm krank war. Was ja auch stimmt«, ergänzte er in dem Bewusstsein, dass Paola die Einzige war, mit der er unbefangen darüber reden konnte. »Und dass ein Arzt anhand eines Bluttests feststellen könne, wer sie infiziert hat.« Brunetti hatte darauf gebaut, dass Rocich von Arianas Erkrankung wusste und dass er genug Schauergeschichten über Geschlechtskrankheiten und ihre Übertragungswege aufgeschnappt hatte, um so einen medizinischen Nachweis für möglich zu halten.

»Aber wer glaubt denn so was?«, fragte Paola mit unverhohlener Skepsis.

Brunetti zuckte die Achseln. »Du würdest dich wundern, was die Leute alles glauben.«

Paola dachte eine Weile darüber nach, dann sagte sie:

»Wahrscheinlich hast du recht. Es ist oft wirklich unfassbar, was den Menschen im Kopf rumspukt.« Resigniert schüttelte sie den ihren. »Unter meinen Studentinnen gibt's welche, die bilden sich ein, beim ersten Geschlechtsverkehr könne man noch nicht schwanger werden.«

»Und ich habe schon Typen festgenommen, die überzeugt waren, Aids sei durch eine Haarbürste übertragbar«, ergänzte Brunetti.

»Aber was willst du nun machen?«

»Bis jetzt hat noch niemand die Leiche abgeholt.« Es war keine Antwort auf ihre Frage, und er sagte es eigentlich nur, um zu hören, was sie davon hielt. »Jedenfalls bis gestern nicht. Da habe ich zuletzt mit Rizzardi gesprochen.«

»Auf was wartet ihre Familie denn?«

»Weiß der Himmel.« Brunetti seufzte. Ihre Familie!

»Und was geschieht nun?«

Brunetti wusste keine Antwort. Die Vorstellung, dass Eltern, die erfahren müssen, dass ihr Kind an einem fremden Ort ums Leben kam, nicht unverzüglich dorthin eilen, überstieg sein Fassungsvermögen. Darum ging es ja auch in Hekubas letzter Klage: »Nun bring ich dich zu Grab, den Jüngeren, / Als kinderloses, heimatloses Weib.« Als er gestern Abend an die Stelle gekommen war, musste er das Buch weglegen, ohne das Stück zu Ende gelesen zu haben.

Es drängte ihn, noch einmal bei Rizzardi nachzufragen, ob die Leiche des Mädchens inzwischen doch abgeholt worden sei. Aber er würde sich gedulden müssen: Um diese Zeit war niemand mehr im Leichenschauhaus, und privat wollte er den Pathologen nicht behelligen.

»Guido?«, fragte Paola. »Ist dir nicht gut?«

»Doch, doch«, versicherte er, bemüht, den Gesprächs-
faden wiederzufinden. »Ich muss nur immerzu an das Mädchen denken.« Bisher hatte er noch nicht den Mut gefunden,
ihr zu sagen, dass das Kind ihm auch im Traum erschien.

»Was passiert…«, begann Paola zögernd.

»Wenn?«

»Wenn wirklich niemand sie abholen kommt?«

»Ich weiß es nicht«, gestand er. Es hatte schon Fälle gegeben, wo eine Leiche aus dem Wasser geborgen, aber nicht
mehr identifiziert werden konnte. Dann kümmerte sich die
Stadt um die Beisetzung, und hoffend, dass der oder die Tote
katholisch gewesen sei, ließ man über dem namenlosen
Leichnam eine Messe lesen – vielleicht auch in der zusätz-
lichen Hoffnung auf ein kleines bisschen Trost.

Hier dagegen hatte man sowohl die Identität der Toten ermittelt als auch ihre Familie ausfindig gemacht, und trotzdem
erhob niemand Anspruch auf die Leiche. Brunetti hatte keine
Ahnung, was in so einem Fall vorgesehen war, ja ob es dafür
überhaupt irgendwelche Richtlinien gab. Was er bezweifelte,
denn darauf, dass Menschen ihre Toten einfach im Stich ließen, kam vermutlich kein noch so herzloser Staat. Auch die
Konfession des Kindes war ungeklärt. Brunetti wusste, dass
Muslime ihre Toten unverzüglich beisetzten, und auch nach
christlichem Ritus wäre die Zeit der Aufbahrung inzwischen
abgelaufen. Rocichs Tochter aber lag immer noch in ihrem
Kühlfach im Leichenschauhaus der Klinik.

Brunetti stellte sein Glas auf den Tisch und erhob sich. Er
war auf einmal sehr müde. »Wollen wir schlafen gehen?«

Paola stimmte zu und streckte ihm die Hand entgegen,
um sich aufhelfen zu lassen. Brunetti wunderte sich, denn

das hatte sie noch nie gemacht. »Ja, du bist mein Beschützer, Guido.« Für gewöhnlich sagte sie so etwas nur im Scherz, aber heute Abend war es offenbar ernst gemeint.

»Wovor?«, fragte er und zog sie an sich.

»Vor meiner Angst, dass alles hoffnungslos verfahren ist und wir alle am Abgrund stehen«, erwiderte Paola ruhig. Dann führte sie ihn ins Schlafzimmer.

Am nächsten Morgen in der Questura rief er als Erstes Rizzardi an und erkundigte sich nach der Leiche des Mädchens.

»Die ist noch da«, antwortete der Gerichtsmediziner. »Eine vom Sozialamt hat mir telefonisch mitgeteilt, sie seien nicht zuständig. Wir müssten uns schon selber kümmern.«

»Was heißt das?«

»Nun, wir haben erst mal die Polizei in Treviso verständigt. Und die wollten jemanden zu den Eltern ins Lager schicken.«

»Ja, aber ist das auch tatsächlich geschehen?«, fragte Brunetti.

»Verbindlich weiß ich nur, dass wir – also die Klinikverwaltung – den Eltern schriftlich mitgeteilt haben, wo sich die Leiche des Kindes befindet und dass sie sie hier abholen können.« Nach einer kurzen Pause setzte der Doktor hinzu: »Wir haben ihnen auch den Namen der Firma angegeben, die das in der Regel übernimmt.«

»Was übernimmt?«

»Den Totentransport.«

»Oh.«

»Ja, erst per Boot zum Piazzale Roma und von dort im Leichenwagen zum jeweiligen Zielort auf dem Festland.«

Darauf wusste Brunetti nichts zu sagen.

Endlich kam Rizzardi auf den Punkt. »Aber bis jetzt war niemand da, um sie abzuholen.«

Brunetti starrte auf die Wand seines Büros und versuchte, das Unfassbare zu begreifen. In sein Schweigen hinein sagte Rizzardi: »Soviel ich weiß, hat's so was noch nie gegeben. Ich habe mich an Giacomini gewandt – der einzige Richter, der mir in dem Zusammenhang einfiel –, und er hat versprochen, sich über das Procedere kundig zu machen.«

»Wann hast du mit ihm gesprochen?«, fragte Brunetti.

»Gestern Nachmittag.«

»Und?«

»Und er ist ein vielbeschäftigter Mann, Guido.« Die wachsende Ungeduld in Rizzardis Stimme ließ Brunetti befürchten, der Doktor, für den der Umgang mit seinen stummen Toten Routine war, könnte ihn mit einem Kalauer wie: Das Mädchen läuft uns schon nicht weg, abfertigen. Weil ihm das unerträglich gewesen wäre, noch dazu aus dem Munde eines Mannes, auf den er so große Stücke hielt, beendete er hastig das Gespräch: »Gib mir Bescheid, wenn du was hörst, Ettore, ja?« Er legte auf, ohne die Antwort abzuwarten.

Nachdem er eine Weile reglos dagesessen hatte, nahm Brunetti Zuflucht zu den Akten auf seinem Schreibtisch. Er las ein ums andere Mal die Worte, die auf den Seiten standen, und wartete, dass sie einen Sinn ergäben. Doch es blieben Buchstaben und Wörter auf Papier und sonst gar nichts. Sein Blick schweifte zur Wand, aber die gab auch nicht mehr her als die Akten. Er kannte Richter Giacomini: ein gewissenhafter Mann, er würde wissen, was zu tun war.

Während Brunetti so vor sich hin grübelte, fiel ihm der Arzt ein, der das Mädchen behandelt hatte: Dottor Calfi. Rocich war so überrumpelt gewesen, dass er sich auf die Schnelle bestimmt keinen falschen Namen hatte ausdenken können. Brunetti telefonierte nach unten zum Mannschaftsraum und verlangte Pucetti: »Besorgen Sie mir bitte Adresse und Rufnummer von einem gewissen Dottor Calfi. Vornamen weiß ich leider nicht. Hat eine Praxis in der Nähe des Roma-Lagers bei Dolo.«

Pucetti antwortete mit einem knappen »Jawohl, Commissario« und legte auf.

Brunetti wartete. Er hätte schon längst nach dem Arzt suchen müssen, gleich als die Obduktionsergebnisse vorlagen. Mutmaßlich waren alle beim selben Doktor in Behandlung gewesen: das Mädchen, seine Geschwister, die Mutter, ja vielleicht sogar Rocich selbst. Woher hätte der sonst den Namen gewusst?

Pucetti rief nach wenigen Minuten zurück und gab ihm den Vornamen des Arztes durch: Edoardo, dazu die Adresse in Scorzè und die Telefonnummer der Praxis.

Brunetti wählte die Nummer und wurde nach siebenmaligem Klingeln von einer automatischen Ansage aufgefordert, seine Beschwerden zu nennen und Namen nebst Rufnummer zu hinterlassen. »Meine Beschwerden«, murmelte Brunetti, während er auf das Klicken lauschte, mit dem das Gerät auf Aufnahme schaltete. »Hallo, Dottor Calfi, hier spricht Commissario Brunetti von der Questura di Venezia. Ich hätte ein paar Fragen, gewisse Patienten von Ihnen betreffend. Es wäre sehr freundlich, wenn Sie mich zurückrufen würden.« Dann gab er noch seine Durchwahl an und legte auf.

Wer von der Familie Rocich gehörte zu seinen Patienten? Wusste er, dass das Mädchen Gonorrhöe hatte? Wussten es ihre Eltern? War ihm bekannt, wie und bei wem sie sich angesteckt hatte? Während Brunetti sich seine Fragen für Dottor Calfi zurechtlegte, musste er unwillkürlich an den Hausarzt denken, der seine Familie betreut hatte, als er und Sergio noch klein waren. Er war als Kind nicht oft krank gewesen, aber die wenigen Male, die er das Bett hüten musste, hatte seine Mutter ihn umsorgt und ihm heiße Zitrone mit Honig gemacht. Ein Hausmittel, auf das sie geschworen hatte, bei Erkältungen ebenso wie bei Grippe oder anderen Unpässlichkeiten, und das Brunetti bis auf den heutigen Tag seinen eigenen Kindern verabreichte.

Das Läuten des Telefons riss ihn aus seinen Erinnerungen. Es war Signorina Elettra, die ihm mit kaum verhohlener Verachtung für das dilettantische Sicherungssystem der Schulaufsichtsbehörde mitteilte, beide Fornari-Kinder seien ausgezeichnete Schüler. Der Sohn habe sogar schon die Aufnahmeprüfung für die Bocconi-Universität, eine Elitehochschule in Mailand, bestanden.

Brunetti dankte ihr für die Information und machte sich auf die Suche nach Vianello, der am Vortag im Roma-Lager nicht dabei gewesen war, weil er eine seiner Informantinnen zu einer richterlichen Anhörung begleitet hatte. Der Inspektor begegnete ihm schon im Treppenhaus. »Kommst du mit rauf?«, fragte er.

»Ja«, antwortete Vianello. »Ich möchte doch hören, was du gestern erreicht hast.«

Während sie gemeinsam nach oben gingen, schilderte Brunetti seinen Besuch im Lager bis hin zu dem Anruf bei

Dottor Calfi. Vianello, der gebannt zugehört hatte, beglückwünschte ihn zu der Idee mit den Abschleppwagen.

Es schmeichelte Brunetti, dass Vianello neben der trickreichen Finte auch die Komik seines Einfalls zu schätzen wusste.

»Und du glaubst, dass die Frau dich gehört hat?«, fragte Vianello.

»Ganz bestimmt«, antwortete Brunetti. »Sie stand ja direkt hinter der Tür. Ihr Mann und ich, wir waren keine zwei Meter entfernt.«

»Fragt sich nur, ob sie Italienisch versteht.«

»Es war auch eins von den Kindern dabei«, erklärte Brunetti. »Die können sicher ein bisschen Italienisch.«

Vianello brummte zustimmend und folgte Brunetti in sein Büro. »Manchmal wünschte ich«, sagte der Inspektor, während er erschöpft auf einen der Besucherstühle sank, »wir hätten mehr Abschleppwagen zur Verfügung.«

»Wozu?«, fragte Brunetti.

»Um die umzuquartieren.«

Fast hätte es Brunetti die Sprache verschlagen. »So aggressiv kenne ich dich ja gar nicht, Lorenzo.« Und als Vianello nur mit den Schultern zuckte, fügte er hinzu: »Du hast noch nie gesagt, dass du sie nicht magst.«

»Dann sag ich's eben jetzt«, gab Vianello bärbeißig zurück.

Mehr noch als Vianellos Behauptung irritierte Brunetti, wie sehr der Inspektor sich ereiferte.

Vianello streckte die Beine aus und schien sich angelegentlich für seine Schuhe zu interessieren, bevor er endlich zu Brunetti aufsah. »Na schön, das war jetzt übertrieben. Es ist nicht so, dass sie mir besonders unsympathisch sind, aber besonders sympathisch finde ich sie erst recht nicht.«

»Aus deinem Mund klingt das immer noch komisch«, beharrte Brunetti.

»Und wenn ich sagte, ich mag keinen Weißwein? Oder Spinat? Würde das auch komisch klingen?«, ereiferte sich Vianello. »Wärst du dann immer noch enttäuscht, weil ich nicht das Richtige denke oder fühle?« Da Brunetti keine Antwort gab, fuhr Vianello fort: »Niemand macht mir einen Vorwurf, wenn ich bekenne, dass ich irgendetwas – meinetwegen einen Film oder ein Buch – nicht mag. Aber sobald ich sage, ich mag keine Zigeuner oder Finnen oder die Bewohner von Neuschottland, dann ist der Teufel los.«

Vianello verstummte. Doch als Brunetti, statt Einspruch zu erheben, beharrlich weiterschwieg, wiederholte der Inspektor: »Wie schon gesagt, ich hab nicht direkt was gegen sie, aber sie sind mir auch nicht direkt sympathisch.«

»Du könntest deine Vorbehalte wenigstens etwas diplomatischer formulieren«, gab Brunetti zu bedenken.

Die Worte mochten ironisch gefärbt sein, Brunettis Ton war es nicht, was Vianello sehr wohl bemerkte. »Du hast recht«, antwortete er, »ich sollte mich an die vereinbarte Sprachregelung halten. Aber ich bin es verdammt noch mal leid, dauernd für jeden Benachteiligten oder Zukurzgekommenen Nachsicht und Verständnis aufzubringen und ständig aufpassen zu müssen, dass ich mich auch ja nicht im Ton vergreife.« Nach kurzem Überlegen setzte er hinzu: »Da kommt man sich doch vor wie früher im Ostblock, wo die Leute der Partei nach dem Mund reden mussten und nur privat die Wahrheit sagen durften.«

»Tut mir leid, aber ich kann dir nicht ganz folgen.«

Vianello sah auf und schaute Brunetti fest in die Augen. »Ich glaube, du verstehst mich ganz gut.« Als Brunetti seinem Blick auswich, fuhr der Inspektor fort: »Du hast doch selber oft genug miterlebt, diese Lippenbekenntnisse von wegen wir dürften keine Ressentiments haben, müssten tolerant sein und die Rechte der Minderheiten respektieren. Aber sowie die Leute Zutrauen fassen, sagen sie dir, was sie wirklich denken.«

»Und das wäre?«, erkundigte sich Brunetti freundlich.

»Dass sie es satthaben, tatenlos zuzusehen, wie dieses Land immer unsicherer wird, so dass sie schon die Tür abschließen müssen, wenn sie sich nur nebenan beim Nachbarn eine Tasse Zucker borgen. Kaum aber sind die Gefängnisse voll, erlässt die Regierung mit ein paar hehren Sprüchen nach dem Motto ›Jeder verdient eine Chance zur Reintegration‹ die nächste Amnestie, bei der selbst Killer in die Freiheit marschieren.« So jäh wie er begonnen hatte, brach Vianellos Monolog ab.

Einige Zeit verstrich, bevor Brunetti fragte: »Wirst du morgen genauso reden?«

Vianello zuckte erst nur mit den Schultern. Dann sah er ihn offen an und sagte: »Nein, wahrscheinlich nicht.« Wieder ein Schulterzucken, das aber, begleitet von einem Grinsen, schon ganz anders ausfiel. »Es ist verdammt schwer, diese Dinge nie aussprechen zu dürfen. Ich hätte, glaube ich, weniger Schuldgefühle bei solchen Gedanken, wenn ich mir ab und zu mal Luft machen könnte.«

Brunetti nickte.

Vianello schüttelte sich wie ein großer Hund, als er jetzt

aufstand. »Was glaubst du, wird passieren?«, fragte er, nun wieder ganz freundschaftlich und in so alltäglichem Ton, dass es Brunetti vorkam, als ob Vianellos Geist in seinen Körper zurückgeschlüpft wäre.

»Keine Ahnung«, antwortete Brunetti. »Dieser Rocich ist eine tickende Zeitbombe. Probleme kann der nur mit den Fäusten lösen. Gegen den Führer dort im Lager kommt er allerdings nicht an, weshalb er sich an Frau und Kindern schadlos hält.« Er zögerte einen Moment, ehe er sich entschloss, seine Gedanken auszusprechen: »Und er wäre gewalttätig, auch wenn er kein Zigeuner wäre.«

»Das sehe ich auch so«, versetzte Vianello.

»Ich möchte die Frau möglichst aus der Schusslinie halten. Aber das bedeutet, dass ich sie weder vorladen noch dort im Lager befragen kann.«

»Und was machst du stattdessen?«

»Auf den Anruf dieses Doktors warten. Und anschließend oder wenn mir das Warten zu lange dauert, spreche ich noch mal mit den Fornaris und schaue mich in ihrer Wohnung um.«

26

Brunetti brauchte nicht lange auf Dottor Calfis Rückruf zu warten: Wenige Minuten nachdem Vianello wieder in den Mannschaftsraum hinuntergegangen war, läutete das Telefon. »Commissario, hier ist Edoardo Calfi. Sie wollten mich sprechen?« Der Mann hatte eine helle Tenorstimme und einen lombardischen Akzent: vielleicht ein Mailänder.

»Danke, dass Sie so schnell zurückrufen, Dottore. Wie ich Ihnen schon aufs Band gesprochen habe, würde ich Sie gern über einige Ihrer Patienten befragen.«

»Und um welche Patienten handelt es sich?«

»Um die Mitglieder einer Familie, die sich Rocich nennt«, sagte Brunetti. »Aus dem Roma-Lager in der Nähe von Dolo.«

»Ich weiß, wer sie sind!«, entgegnete der Arzt scharf, und Brunetti sah voraus, dass dieses Gespräch ein Reinfall werden würde. Ein Eindruck, der sich verstärkte, als Calfi fortfuhr: »Und sie ›nennen sich‹ nicht Rocich, Commissario, sie heißen so.«

»Gut, gut.« Brunetti bemühte sich um einen ruhigen, freundlichen Ton. »Können Sie mir denn sagen, wer von der Familie zu Ihren Patienten gehört?«

»Dazu müsste ich erst einmal wissen, warum Sie diese Fragen stellen, Commissario.«

»Ich wende mich an Sie, Dottore«, antwortete Brunetti, »um Zeit zu sparen.«

»Tut mir leid, das verstehe ich nicht.«

»Mit einem richterlichen Beschluss könnte ich die Informationen, die ich benötige, ebenso gut vom zuständigen Gesundheitsamt bekommen. Da es sich aber um Fragen handelt, die ich dem Arzt der Rocichs persönlich stellen möchte, versuche ich Zeit zu sparen, indem ich mich vergewissere, ob es Ihre Patienten sind.«

»Das sind sie.«

»Danke, Dottore. Würden Sie mir nun sagen, welche Familienmitglieder Sie behandelt haben?«

»Alle.«

»Und das wären?«

»Vater, Mutter und die drei Kinder«, antwortete der Doktor, und Brunetti musste sich zusammennehmen, um nicht zu sagen, dass seine Aufzählung sich anhöre wie das Märchen von den drei kleinen Bären.

»Ich bräuchte ein paar Auskünfte die jüngere Tochter betreffend, Dottore.«

»Ja?«, fragte Calfi argwöhnisch.

»Haben Sie das Mädchen vielleicht schon einmal wegen einer Geschlechtskrankheit behandelt?« Brunetti sprach, als wäre Ariana noch am Leben.

Eine Finte, mit der Calfi kurzen Prozess machte: »Ich lese Zeitung, Commissario, und ich weiß, dass Ariana tot ist. Warum interessiert es Sie, ob das Mädchen wegen dieser Art Erkrankung in Behandlung war?«, fragte er, mit deutlicher Betonung auf der Vergangenheitsform.

»Weil bei der Obduktion eine Gonorrhöe diagnostiziert wurde«, entgegnete Brunetti sachlich.

»Ja«, bestätigte der Doktor, »ich wusste von der Infektion. Und ich hatte sie wegen dieses Problems in Behandlung.« Brunetti verzichtete auf die Frage, ob der Arzt sich veranlasst gesehen habe, dieses »Problem« dem Sozialamt zu melden.

»Können Sie mir auch sagen, wie lange diese Behandlung andauerte?«

Wieder sperrte sich der Doktor: »Ich wüsste nicht, was das mit Ihren Ermittlungen zu tun hat.«

Brunetti, der ihm das nicht abnahm, erwiderte nur: »Es könnte uns helfen, ihren Tod aufzuklären, Dottore.«

Jetzt endlich gab Calfi nach: »Ein paar Monate.«

»Ich danke Ihnen.« Brunetti unterließ es, nach näheren Einzelheiten zu fragen. Fürs Erste wollte er sich mit dem, was der Doktor preisgegeben hatte, begnügen.

»Wenn Sie erlauben, würde ich gern etwas zu der Familie sagen«, meldete sich Calfi zu Wort.

»Aber bitte, Dottore.«

»Die Rocichs gehören seit fast einem Jahr zu meinen Patienten. In dieser Zeit habe ich großen Anteil an der Familie und an den Schwierigkeiten genommen, mit denen sie hier zu kämpfen hat.« Brunetti ahnte, worauf das hinauslief. Dottor Calfi war ein Missionar, und Missionaren auf Kreuzzug kam man nur bei, wenn man ihnen geduldig zuhörte und sie in allem bestätigte. Erst dann konnte man versuchen, sie für die eigenen Zwecke einzuspannen.

»Ich bin sicher, viele Ärzte entwickeln mit der Zeit ein großes Verantwortungsgefühl für ihre Patienten«, sagte Brunetti. Seine Stimme drückte nichts als Wärme und Bewunderung aus.

»Sie haben kein leichtes Leben«, versetzte Calfi. »Nie gehabt.«

Brunetti antwortete mit teilnahmsvollem Gemurmel.

Nun schilderte Calfi ausgiebig die Schicksalsschläge der Rocichs, so wie man sie ihm aufgetischt hatte. Demnach waren alle Familienmitglieder irgendwann brutal behandelt worden. Der Ehefrau hatte die Polizei in Mestre einmal ein blaues Auge verpasst und ihr Würgemale am Hals beigebracht. Die Kinder hatte man in der Schule so schikaniert, dass sie sich nicht mehr hintrauten. Signor Rocich fand, trotz aller Bemühungen, keine Arbeit.

Als Calfi geendet hatte, fragte Brunetti: »Wie hat das Kind sich angesteckt, Dottore?« Seine Stimme war voller Besorgnis und Mitgefühl.

»Sie wurde vergewaltigt!«, stieß Calfi so empört hervor, als hätte Brunetti versucht, es zu leugnen oder sei gar selbst der Mittäterschaft verdächtig. »Sie war eines Tages gegen Abend auf dem Rückweg ins Lager, als ein Mann in einem dicken Auto ihr anbot, sie mitzunehmen. So hat sie es zumindest ihrem Vater erzählt, von dem ich die Geschichte habe.«

»Verstehe«, murmelte Brunetti, zutiefst betroffen.

»Auf dem Weg zum Lager hat der Mann dann plötzlich die Straße verlassen und sich an ihr vergangen«, fuhr Calfi wutentbrannt fort.

»Hat die Familie Anzeige erstattet?«, fragte ein nicht minder zorniger Brunetti.

»Wer hätte ihnen wohl geglaubt?«, gab Calfi angeekelt zurück.

Ja, wer schon, dachte Brunetti, laut aber sagte er: »Wahrscheinlich haben Sie recht, Dottore. Und wann haben die Eltern das Mädchen zu Ihnen gebracht?«

»Erst Monate später«, entgegnete der Arzt. Bevor Brunetti nachhaken konnte, fuhr er fort: »Sie hat sich zu sehr geschämt. Erst als die Symptome nicht mehr zu ignorieren waren, stimmte sie einer Untersuchung zu.«

»Verstehe, verstehe«, murmelte Brunetti und schickte ein hörbar geseufztes »Furchtbar!« hinterher.

»Ich freue mich, dass Sie es so sehen«, sagte der Doktor. Brunetti fand die ganze Sache tatsächlich furchtbar, wenn auch vielleicht nicht aus den gleichen Gründen wie Calfi.

»Ist einem der anderen Kinder etwas Vergleichbares zugestoßen?«, fragte Brunetti.

»Was meinen Sie mit ›vergleichbar‹?«, herrschte der Arzt ihn an.

Brunetti, der vor Begriffen wie Vergewaltigung oder Geschlechtskrankheit zurückscheute, sagte ausweichend: »Übergriffe seitens der Anwohner aus der Gegend. Oder«, wagte er einen Schuss ins Blaue, »gar der Polizei?«

Er spürte fast, wie diese letzten Worte Calfi besänftigten.

»Ist schon vorgekommen, allerdings kühlt die Polizei ihr Mütchen wohl lieber mit Gewalt gegen Frauen«, sagte der Arzt, so als hätte er ganz vergessen, dass er mit einem Polizisten sprach.

Brunetti beschloss, das Gespräch zu beenden, solange es noch so einvernehmlich verlief. Also dankte er dem Doktor für seine Hilfe und die erteilten Auskünfte.

Man verabschiedete sich mit gegenseitigen Höflichkeitsbezeugungen. »Gewalt gegen Frauen«, wiederholte Brunetti für sich, bevor er den Hörer auflegte.

Nun blieben ihm nur noch die Fornaris. Er wusste, dass es klüger wäre, Patta oder vielleicht sogar den zuständigen Untersuchungsrichter entscheiden zu lassen, ob ein zweiter Besuch im Hause Fornari angezeigt sei. Aber er redete sich ein, dass es ihm ja gar nicht so sehr um ein Verhör der Familie ging als darum, zu klären, wie groß die Wahrscheinlichkeit war, dass das Kind durch einen Sturz von ihrem Dach den Tod gefunden hatte. Signor Fornari dürfte inzwischen von seiner Russlandreise zurück sein: Brunetti war gespannt, ob er sich ebenso wenig wie seine Frau für das Zigeunermädchen interessierte, dessen Leiche in unmittelbarer Nähe ihres Hauses aus dem Kanal geholt worden war.

Während Brunetti sich auf dem Weg entlang der Riva degli Schiavoni zwischen den Menschenpulks durchschlängelte, die in seine Richtung liefen oder ihm entgegenkamen, hatte er das dumpfe Gefühl, beschattet zu werden. Hin und wieder blieb er stehen und musterte das Warenangebot in den sich ständig vermehrenden Kiosken am Ufer: Fußballwimpel, Strohhüte, wie sie die *gondolieri* tragen, samtene Narrenkappen, Aschenbecher – einer aus Capri – und die allgegenwärtigen Plastikgondeln. Er hielt vor jeder neuen Scheußlichkeit inne und fuhr seine Antennen aus. Während er die Plastikgondel auf die Theke zurückstellte, fuhr er herum und überflog mit einem Blick die wogende Menge hinter sich. Nirgends eine verräterische Bewegung. Einen Moment lang erwog er, ein Vaporetto zu nehmen und so den Verfolger abzuhängen. Doch dann triumphierte die Neugier, und er lief doch zu Fuß weiter, ja verlangsamte sogar seinen Schritt, damit wer immer – falls überhaupt jemand hinter ihm her war – ihn nicht aus den Augen verlor.

Er überquerte den Markusplatz, ging die Via XXII Marzo hinunter, bog nach rechts ab und gelangte, am Ristorante Antico Martini vorbei, zum Teatro La Fenice. Das Gefühl, beobachtet zu werden, begleitete ihn hartnäckig, aber als er vor dem Opernhaus haltmachte und so tat, als bewundere er die Fassade, sah er weit und breit niemanden, den er zuvor schon hinter sich bemerkt hätte. Er überquerte den Platz und gelangte, vorbei am Ateneo Veneto, zum Haus der Fornaris.

Brunetti läutete, nannte seinen Namen und wurde hinaufgebeten. Im obersten Stock empfing ihn Orsola Vivarini in der offenen Flurtür, und im ersten Moment glaubte er, eine ältere Ausgabe ihrer selbst vor sich zu haben.

»Guten Morgen, Signora«, sagte er. »Ich hätte noch ein paar Fragen an Sie. Das heißt, natürlich nur, wenn Sie nichts dagegen haben.«

»Aber nein«, antwortete sie, eine Spur zu laut.

Brunetti verbarg sein Erstaunen über ihre veränderte Erscheinung hinter einem verbindlichen Lächeln und folgte ihr in die Wohnung. Die Blumen, die auf einem Tisch rechts neben der Eingangstür gestanden hatten, waren noch da, doch das Wasser war verdunstet, und Brunetti stieg der erste schwache Verwesungsgeruch in die Nase.

»Ist Ihr Gatte von seiner Reise zurück?«, fragte er, während sie ihn wieder ins Arbeitszimmer führte.

»Ja, seit gestern. Darf ich Ihnen etwas anbieten, Commissario?«

»Sehr freundlich, Signora. Vielen Dank, aber ich habe eben erst Kaffee getrunken.« Sie bot ihm einen Sessel an, doch da sie sich nicht hinsetzte, blieb auch er stehen.

»Bitte, nehmen Sie doch Platz, Commissario. Ich gehe und hole meinen Mann.«

Brunetti deutete eine Verbeugung an. Er stützte sich mit einer Hand auf die Sessellehne und dachte wieder einmal an seine Mutter, die ihm beigebracht hatte, dass ein Mann sich in Gegenwart einer Dame nicht setzen darf, solange sie steht.

Als Signora Vivarini das Zimmer verlassen hatte, ging er und betrachtete das Gemälde an der gegenüberliegenden Wand. Ein Primo Potenza. Der Maler gehörte zu einem Kreis talentierter venezianischer Künstler, die sich in den fünfziger Jahren sehr gut verkauft hatten. Wo waren die wohl alle geblieben? Heute sah man in den Galerien nur noch Videoinstallationen und politische Statements in Pappmaché.

Das Bild war flankiert von zahlreichen Familienfotos, auf denen die Tochter als unangefochtener Star glänzte: Zu Pferde, auf Wasserskiern, zusammen mit ihrer Mutter vor einem Weihnachtsbaum. Auf diesen Fotos trug sie die Haare noch kurz. Bis zum nächsten waren offenbar Jahre vergangen, und wieder war Sommer. Ihr Haar hatte die jetzige Länge, sie stand auf einem Pier und hatte den Arm um einen hoch aufgeschossenen, schlaksigen Jungen gelegt. Beide trugen Badekleidung und strahlten um die Wette. Das dichte Haar des Jungen war fast so blond wie ihres, allerdings mit einem deutlichen Stich ins Rötliche. Der derzeitigen Mode entsprechend, hatte er an Oberarmen und Waden Tätowierungen, die an Stammeszeichen irgendwelcher Südseeinsulaner erinnerten. Brunetti, dem der Junge vage bekannt vorkam, schloss auf eine Familienähnlichkeit und hielt ihn für den Bruder. Auf den nächsten beiden Fotos fehlte das Mädchen. Einmal stand Signora Vivarini, mit dem Rücken zur Kamera, vor einem riesigen abstrakten Gemälde, das Brunetti nicht kannte, und hatte den Arm um die Schulter eines Jungen gelegt, der vermutlich derselbe war wie auf dem Foto mit ihrer Tochter. Das letzte Bild, auf dem sie heiter in die Kamera lächelte, zeigte sie Hand in Hand mit einem Mann mit freundlichen Augen und einem weichen Zug um den Mund.

»*Buon giorno.*« Brunetti richtete sich auf, trat von der Wand zurück und drehte sich nach der Stimme um. Der Mann – der von dem Foto – war tadellos gekleidet. Anzug und Krawatte sahen aus wie neu. Wenn ihr Träger dennoch leicht verknittert wirkte, so lag das vielleicht an seinen Augen, unter denen sich dunkle Ringe abzeichneten, und an den weißen Bartstoppeln unterm Kinn, die offenbar beim Rasieren übersehen worden waren. Sogar die Haare des Mannes fielen ihm, trotz des erstklassigen Schnitts, müde und kraftlos in die Stirn.

Lächelnd streckte er die Hand aus, deren Druck fester war als sein Lächeln. Die beiden Männer stellten sich einander vor.

Fornari führte Brunetti zu dem Sessel, den ihm schon seine Frau angeboten hatte, und diesmal nahm Brunetti darin Platz. »Ich höre von meiner Frau«, sagte Fornari, nachdem er sich Brunetti gegenüber niedergelassen hatte, »dass Sie mit mir über diesen Einbruch sprechen möchten.« Seine Augen waren von einem ebenso klaren Blau wie die seiner Tochter, und in seinen Zügen erkannte Brunetti den Ursprung ihrer Schönheit. Die schmale, gerade Nase, die makellosen Zähne, die feingeschwungenen Lippen. Selbst die ausgeprägte Kinnpartie hatte sie von ihm, auch wenn die ihre weicher konturiert war.

»Ja«, sagte Brunetti. »Die gestohlenen Gegenstände hat Ihre Frau bereits identifiziert.«

Fornari nickte.

»Darüber hinaus interessieren uns aber noch die Umstände der Tat«, fuhr Brunetti fort. »Weshalb wir dankbar wären für jeden Hinweis, den Sie oder Ihre Frau uns geben können.«

Fornari setzte ein mattes Lächeln auf, das seine Augen nicht erreichte. »Ich kann Ihnen dazu leider gar nichts sagen, Commissario.« Und ehe Brunetti nachhaken konnte: »Ich weiß nur, was meine Frau mir erzählt hat, nämlich dass sich jemand Zugang zu unserer Wohnung verschafft und diese Schmuckstücke entwendet hat.« Wieder lächelte er, diesmal eine Spur herzlicher. »Was uns das Wertvollste war, haben Sie uns zurückgebracht«, sagte er mit einer liebenswürdigen Verneigung zu Brunetti hin. »Das, was noch fehlt, ist eigentlich nicht der Rede wert.« Als er Brunettis fragende Miene sah, setzte er erklärend hinzu: »Die Sachen haben für uns keinen emotionalen Wert, und der materielle fällt auch nicht ins Gewicht.« Wieder lächelte er und ergänzte abschließend: »Ich sage das, damit Sie verstehen, warum wir so wenig Aufhebens um diesen Diebstahl gemacht haben.«

Brunetti, dem Fornaris Bemühen, sein Mienenspiel zu kontrollieren, nicht entgangen war, hatte den Eindruck, dass er sich gewaltig anstrengen musste, um den Einbruch zu bagatellisieren. Wenn man ihm, Brunetti, seinen Ehering entwendet hätte, und sei es nur für kurze Zeit, dann hätte er das bestimmt nicht mit so stoischer Ruhe hingenommen, wie Fornari es zu tun vorgab. Wie schwer diesem seine Rolle in Wahrheit fiel, verriet sein rechter Zeigefinger, der bald auf der samtenen Armlehne des Sessels hin und her fuhr, bald ein Rechteck zeichnete, nur um gleich darauf wieder auf und ab zu irren.

»Das verstehe ich nur zu gut«, schwindelte Brunetti. Und mit einem nervösen Lächeln, so als plaudere er hier unerlaubt aus dem Nähkästchen, bekannte er: »Sofern nicht etwas wirklich Wichtiges abhandenkommt, zeigen die meisten Leute einen Einbruch nicht einmal mehr an.« Sein Schulterzucken besagte, er fände dieses Verhalten durchaus menschlich und nachvollziehbar.

»Da könnten Sie recht haben, Commissario.« Fornari sprach, als sei ihm das eben Gehörte völlig neu. »Aber wir haben ja nicht einmal bemerkt, dass etwas fehlte. Insofern kann ich nicht sagen, wie wir uns verhalten hätten, hätten wir den Diebstahl entdeckt.«

»Wenn ich Ihre Frau recht verstanden habe«, fuhr Brunetti fort, »dann war Ihre Tochter in der fraglichen Nacht zu Hause?« Fornaris Finger hielt mitten in der Bewegung inne und krampfte sich zusammen mit den übrigen fest um die Sessellehne.

Nach einer langen Pause antwortete er: »Ja, so hat Orsola es auch mir erzählt. Sie sagte, sie habe noch einmal nach ihr gesehen, bevor sie zu Bett ging.« Fornari lächelte gepresst. »Haben Sie Kinder, Commissario?«

»Ja, einen Sohn und eine Tochter. Beide im Teenageralter.«

»Dann wissen Sie bestimmt, wie schwer man diese Gewohnheit, abends nachzuschauen, ob sie sicher in ihren Betten schlafen, ablegen kann.« Fornaris kluge, wenn auch leicht durchschaubare Taktik hatte Brunetti selbst oft angewandt:

Man wähle ein Thema, das einen mit dem Gegenüber verbindet, und nutze es, um das Gespräch in die gewünschte Richtung zu lenken. Oder vielmehr, um von unerwünschten Themen abzulenken.

Während Fornari weitersprach, erwog Brunetti die Möglichkeit, dass seine Tochter etwas wusste, was ihr Vater vor ihm, Brunetti, geheim halten wollte. Obwohl er nur mit halbem Ohr hinhörte, nickte er Fornari zu, der gerade einen Satz mit »Einmal, als Matteo noch klein war …« begann.

Unvermittelt keimte in Brunetti die Versuchung auf, etwas zu tun, für das er sich verachten würde, ja das er eigentlich nie hatte tun wollen. Und wenn es doch einmal geschehen war, hatte er sich hinterher jedes Mal geschworen, es solle nie wieder vorkommen. Informanten gab es überall: Die Polizei hatte welche bei der Mafia eingeschleust; die der Mafia tummelten sich bis in die höchsten Ränge der Justiz; beim Militär wimmelte es ebenso von Spitzeln wie vermutlich in der Industrie. Aber bislang hatte noch niemand die Jugendlichen unterwandert und sie als zuverlässige Informationsquelle angezapft. Brunetti sah keine Gefahr für seine Kinder voraus, wenn er sie nach denen der Fornaris ausfragte, aber lag die eigentliche Gefahr nicht gerade im Unvorhergesehenen?

Als er sich wieder einklinkte, kam Fornari gerade ans Ende einer Anekdote über seine Kinder. Brunetti, der nicht wusste, worum es ging, erhob sich lächelnd und streckte die Hand aus: »Darin sind sie sich wohl alle gleich«, sagte er. »Sie haben eben ganz andere Interessen als wir.« Nach Fornaris beifälliger Miene zu schließen, war das ein passender Kommentar zu seiner Geschichte.

Sie schüttelten einander die Hand, Brunetti bedankte sich bei Fornari für die Zeit, die er ihm geopfert habe, bat, diesen Dank auch seiner Frau auszurichten, und verließ die Wohnung. Auf der Treppe überlegte er, welches seiner Kinder er zum Spitzel machen und wie er mit Paola fertig werden würde, falls sie dahinterkam.

27

Als er auf die *calle* hinaustrat, wandte Brunetti sich nach rechts und ging, eher gewohnheitsmäßig als vorsätzlich, denselben Weg zurück, den er gekommen war. Er war schon auf halber Höhe der Calle degli Avvocati, als er sich umentschied und doch lieber mit dem Vaporetto zur Questura zurückfahren wollte. Abrupt kehrtmachend sah er, wie links von ihm, in etwa zehn Meter Entfernung, ein flatterndes Etwas um die Ecke huschte und in der Calle Pesaro verschwand. Brunetti, der sich ja schon auf dem Herweg beschattet gefühlt hatte, ließ jetzt alle Vorsicht fahren und rannte, so schnell er konnte, ans Ende der Straße.

Als er um die Ecke sauste, sah er gerade noch, wie jemand, vielleicht eine Frau, auf der anderen Seite der Brücke hinunterlief und rechts in die Calle dell'Albergo einbog. Brunetti nahm die Verfolgung auf. Jenseits der Brücke warf er von der *riva* aus nur einen kurzen Blick in die *calle* zu seiner Rechten, denn er wusste, dass es eine Sackgasse war.

Er hörte fliehende Schritte und folgte ihnen. Die Häusermauern rechts und links rückten enger zusammen, je schmaler die Gasse wurde, und dann sah er vor sich das hohe Metalltor zu einem *palazzo*. Schon glaubte er, einer Einbildung aufgesessen zu sein, als er linker Hand ein Geräusch hörte. Langsam schlich er vorwärts und knöpfte sich im Gehen die Jacke auf, um seine Pistole griffbereit zu haben.

Und dann sah er es, in einem Hauseingang zur Linken. Auf den ersten Blick hätte man es für einen abgelegten Mantel halten können oder für einen Müllbeutel, über den jemand einen alten Pullover geworfen hatte. Aber als er näher trat, bewegte es sich, wich zurück und drückte sich noch fester gegen die Tür, bevor es sich lautlos an der Mauer entlang nach rechts tastete.

Brunetti war noch immer nicht klar, was für ein Wesen er da gestellt hatte. Als er sich bückte, um es näher in Augenschein zu nehmen, machte es einen Ausfall in seine Richtung und krachte gegen seine Beine. Instinktiv packte Brunetti zu, aber das flüchtige Etwas zappelte und strampelte so heftig, dass ihm war, als hielte er einen Aal oder ein wildes Tier in Händen.

Als es dann noch mit zwei dürren Beinen nach ihm trat, wusste er endlich, mit was für einer Spezies er es zu tun hatte. Er hob das zuckende Bündel hoch und drehte es so, dass die kickenden Beine nicht mehr in seine Richtung wiesen und weniger Schaden anrichten konnten. Dann umschloss er den Oberkörper fest mit beiden Armen, zog das Wesen an seine Brust und sprach ihm gut zu, so wie er es als Kind mit ihren Hunden gemacht hatte.

»Ist ja gut. Ist ja gut. Ich tu dir doch nichts.« Es schlug noch ein paarmal aus, und Brunetti vernahm ein Keuchen, das aber langsam verebbte. Dann hörte es auch auf zu strampeln und hing schlaff in seinen Armen. »Ich lass dich jetzt runter«, sagte Brunetti. »Pass auf, wo du hintrittst, und fall mir nicht um.« Das Geschöpf blieb schlaff und teilnahmslos.

»Kannst du mich verstehen?«

Unter der Kapuze eines schmutzigen Anoraks nickte es, und Brunetti ließ das Bündel sachte zu Boden gleiten. Er spürte, wie die Füße einer nach dem anderen das Pflaster erreichten, und während er ihn noch an den Armen gepackt hielt, spannte sich der ganze Körper zur Flucht. Da hob er das Kind mühelos wieder hoch und sagte: »Versuch nicht, wieder wegzulaufen! Ich bin viel schneller als du.«

Als die Spannung wich, ließ Brunetti das Kind erneut herunter. Die Spitze der Kapuze reichte ihm ein paar Zentimeter über den Gürtel. »Ich lasse dich jetzt los«, kündigte er an. Als das geschehen und er ein paar Schritte zurückgetreten war, sagte er zum Rücken des Anoraks: »Wenn du willst, kannst du mit mir reden.«

Keine Antwort. »Bist du mir deshalb gefolgt?«, forschte Brunetti. »Weil du mit mir sprechen wolltest?«

Er sah eine Kopfbewegung, deren Bedeutung jedoch nicht auszumachen war. »Also gut. Dann lass uns reden.«

Eine schmutzige kleine Hand stahl sich aus dem Anorakärmel und wies Brunetti an, noch weiter zurückzutreten. Da die *calle* eine Sackgasse war und er den Ausgang blockierte, kam er dem Wunsch nach und wich ganze zwei Schritte zurück. »So, jetzt bin ich weit genug weg von dir. Nun können wir reden.«

Brunetti lehnte sich mit dem Rücken an eine Hauswand und verschränkte die Arme. Sein Blick war auf die Fassade gegenüber gerichtet, in Wahrheit aber konzentrierte er sich mit allen Sinnen auf das Kind.

Es mochte eine Minute vergangen sein, vielleicht auch mehr, als das Kind sich endlich umdrehte. Unter dem Schatten, den die Kapuze warf, erkannte Brunetti Augen und Mund, aber nicht viel mehr. Er steckte die Hände in die Taschen und rückte noch einen Schritt zur Seite, so dass sich dem Kind ein Schlupfloch bot. Er sah, dass es mit dem Gedanken zu fliehen spielte und es dann ließ.

Das Kind schob dieselbe Hand, mit der es ihn fortgewunken hatte, in die Vordertasche seines Anoraks. Als sie wieder zum Vorschein kam, machte das Kind einen Schritt auf Brunetti zu und öffnete die Faust, in der es zwei kleine Gegenstände hielt. Brunetti wagte sich vorsichtig einen Schritt näher und beugte sich vor, um besser sehen zu können. Es waren ein Ring und ein Manschettenknopf.

Brunetti ging in die Hocke und streckte die Hand nach dem Kind aus, das wieder einen kleinen Schritt auf ihn zu machte. Es war ein Junge, dem Anschein nach nicht älter als acht, doch Brunetti wusste, dass der Bruder des toten Mädchens zwölf war. Das Kind ließ die beiden Schmuckstücke in Brunettis ausgestreckte Hand fallen.

Die silberne Fassung des Manschettenknopfs umschloss einen rechteckig geschliffenen kleinen Lapislazuli. Dass der rote Stein in dem Ring dagegen nur aus Glas war, erkannte selbst Brunetti. Er sah das Kind an, dessen Blick fest auf ihn gerichtet war. »Wer hat dich geschickt?«, fragte er.

»*Mamma*«, antwortete der Junge mit sehr heller Stimme.

Brunetti nickte. »Du bist ein guter Junge«, sagte er. »Und sehr tapfer.« Er wusste nicht, wie viel davon das Kind verstand, doch sein Lächeln war vielversprechend. »Und sehr klug«, setzte er, sich an die Stirn tippend, hinzu, und das Lächeln wurde breiter.

»Was ist passiert?«, fragte Brunetti. Als das Kind stumm blieb, hakte er nach: »In der Nacht damals, was ist da passiert?«

»Der Tigermann«, sagte der Junge.

Brunetti legte den Kopf schief, um seine Verwirrung anzudeuten. »Was denn für ein Tigermann?«, fragte er.

»In dem Haus«, sagte das Kind und wies mit der Hand nach links, dorthin, wo der Palazzo Benzon stand und das Haus der Fornaris.

Brunetti bekundete mit erhobenen Händen seine Ratlosigkeit, ein Zeichen, das man überall verstand. »Ich kenne keinen Tigermann«, sagte er. »Was hat er denn gemacht?«

»Er uns gesehen. Er hereingekommen. Ohne Kleider. Tigermann.« Um zu verdeutlichen, was er meinte, zerzauste der Junge sich mit den Fingern die Haare, bis sie wild in alle Richtungen abstanden. Dann hieb er erst mit der einen, dann mit der anderen Handkante auf seine Oberarme, als wollte er sie in Streifen schneiden. »Tiger. Böser Tiger. Laut brüllen. Tigerbrüllen.«

»Und hast du die vom Tigermann?« Brunetti hielt dem Jungen die beiden Schmuckstücke hin.

Verstört blickte das Kind ihn an. »Nein, nein!«, sagte es und schüttelte heftig den Kopf. »Die wir nehmen. Tigermann sehen.« Seine Augen verengten sich, als versuche es angestrengt, sich an etwas zu erinnern oder eine Erinnerung zu verdrängen. Dann sagte es: »Ariana. Er nehmen Ariana.« Um Brunetti zu zeigen, was er meinte, streckte der Junge beide Arme vor sich aus und tat so, als hebe er etwas hoch. »Wie Sie nehmen mich«, ergänzte er, stemmte die leeren Hände in die Luft und erstarrte in der Stellung.

Brunetti wartete.

»Die Tür. Ariana aus Tür raus«, sagte er, stieß seine Arme heftig von sich weg und ließ die Hände aufschnellen. Brunetti sah, dass er weinte.

Seine Knie begannen zu schmerzen, aber er blieb in der Hocke, um das Kind nicht zu erschrecken, wenn er sich plötzlich aufrichtete. Er ließ dem Jungen Zeit, sich auszuweinen, und fragte erst, als er sich etwas beruhigt zu haben schien: »Wer war noch dabei?«

»Xenia«, sagte das Kind und hob einen seiner ausgestreckten Arme auf Schulterhöhe.

»Hat sie den Tigermann auch gesehen?«

Der Junge nickte.

»Und hat sie auch gesehen, was er getan hat?«

Wieder nickte er.

»Weiß deine Mutter davon?«, fragte Brunetti.

Er nickte zum dritten Mal.

»Wird sie mit mir sprechen?«

Der Junge starrte Brunetti an, dann schüttelte er den Kopf.

»Weil dein Vater dagegen ist?«

Der Junge zuckte die Achseln.

»Was machst du in der Stadt?«, fragte Brunetti.

»Arbeiten«, sagte der Junge so selbstverständlich, dass es Brunetti die Sprache verschlug.

»Wirst du deiner Mutter erzählen, dass du mit mir gesprochen hast?«

»Ja. Sie wollen.«

»Will sie sonst noch etwas?«, fragte Brunetti.

»Tigermann. Tigermann sterben«, stieß der Junge grimmig hervor, und Brunetti erriet, dass seine Mutter nicht die Einzige war, die auf Rache sann. »Wie Ariana«, sagte das Kind mit der Brutalität eines Erwachsenen.

Brunetti hielt es nicht länger aus. Er stieß sich mit gespreizten Fingern vom Boden ab, und als er sich langsam aufrichtete, knackte sein rechtes Knie. Wie er befürchtet hatte, wich der Junge zwei Schritte zurück und hob unwillkürlich den Arm vors Gesicht.

Brunetti vergrößerte den Abstand zwischen ihnen. »Keine Angst, ich tu dir nichts.« Da ließ der Junge den Arm wieder sinken.

»Wenn du willst, kannst du jetzt gehen«, sagte Brunetti. Als der Junge ihn verständnislos anblickte, wandte er sich um und ging bis ans Ende der Gasse, wo sie im rechten Winkel auf die Calle dell'Albero traf. »Ich gehe jetzt wieder in die Questura«, rief er über die Schulter zurück. »Sag deiner Mutter, dass ich sie sprechen möchte.«

Der Junge, der wie aus dem Boden gewachsen neben ihm aufgetaucht war, schüttelte nur stumm den Kopf.

Den Rücken dicht an die Hausmauer gepresst, zwängte der Junge sich an Brunetti vorbei. Dann bog er links ab und rannte auf die Brücke zu, die sie beide heruntergekommen waren.

Am Fuß der Brücke blieb er stehen, drehte sich aber nicht nach Brunetti um. Als er die erste Stufe erklomm, rief Brunetti ihm nach: »Du bist ein guter Junge, Dusan!« Im nächsten Moment hatte das Kind den Scheitel der Brücke erreicht und verschwand aus seinem Blickfeld.

28

Tigermann?‹«, wiederholte Vianello, nachdem Brunetti ihm von seiner Begegnung mit den Fornaris und dem Kind erzählt hatte. »Eine bessere Beschreibung hat er dir nicht geliefert?«

»Nein. Nur, dass jemand, der in seinen Augen aussah wie ein Tiger, ihn und seine Schwestern in der Wohnung überraschte, das kleine Mädchen gepackt und zur Tür hinausgeworfen hat.« Brunetti hielt inne, fuhr sich mit der Hand durchs Haar und setzte hinzu: »So zumindest habe ich es mir zusammengereimt.«

»Und dafür will der Junge ihn *umbringen*?«

»Das Elternschlafzimmer hat eine Tür zur Terrasse«, erinnerte ihn Brunetti. »Sie könnte dort heruntergestürzt und vom Dach gefallen sein.«

»Möglich«, gab Vianello zu, »aber ich habe nirgends ein Tigerfell gesehen.«

»Er ist noch ein Kind, Lorenzo! Was er sagt, darfst du nicht so wörtlich nehmen. Wer weiß, was er unter einem Tigermann versteht? Es könnte jemand in einem gestreiften Schlafanzug sein, oder ein Mann, der ihn mit tiefer Stimme angebrüllt hat.«

»Wir wissen ja nicht mal«, fügte Vianello nach einigem Überlegen an, »ob der Kleine das richtige Wort gebraucht hat, nicht wahr?« Als Brunetti dazu schwieg, fuhr Vianello fort: »Du hast mir doch gesagt, er sprach nur ein paar Brocken Italienisch. Glaubst du, er wusste, was das Wort bedeutet?«

Brunetti, der die Italienischkenntnisse des Jungen in dem Punkt sehr wohl für ausreichend hielt, konnte Vianellos Einwand dennoch nicht von der Hand weisen. Bis ihm einfiel, wie der Junge seine Haare zu einer Raubtiermähne aufgeplustert und auf seinen Armen die Streifen eines Tigers dargestellt hatte. Aber die Phantasien eines Kindes stimmten nicht notwendig mit denen eines Erwachsenen überein.

»Armer Teufel«, seufzte Vianello.

»Meinst du den Jungen?«, fragte Brunetti.

»Natürlich, wen denn sonst?«, gab Vianello zurück. »Wie alt ist er? Zwölf? So ein Kind sollte zur Schule gehen und nicht als Einbrecher *arbeiten*.« Brunetti verzichtete darauf, Vianello seine widersprüchlichen Meinungen vorzuhalten, und ließ ihn fortfahren.

»Er ist noch ein Kind«, wiederholte der Inspektor empört. »Er macht so was doch nicht aus eigenem Antrieb.« Angewidert warf Vianello die Arme in die Luft. Aus seiner Kehle drang ein zorniger Laut.

»Hört sich an, als hättest du zumindest für einen von denen ein gewisses Mitgefühl«, bemerkte Brunetti. Aber er grinste dabei, und Vianello nahm es ihm nicht übel.

»Nun ja, du weißt doch, wie das ist: Der Einzelne weckt leicht unsere Anteilnahme. Erst beim Verallgemeinern wirft man alles in einen Topf, und dann rutschen einem solche Sachen heraus. Dumme Sachen.« Vermutlich bezog Vianello sich auf die Dinge, die er zuvor geäußert hatte, womit seine jetzige Äußerung einer Entschuldigung gleichkam.

Brunetti schwieg noch immer, und Vianello fuhr fort: »Dieses verdammte Ohnmachtsgefühl – das ist es, was mich so fertigmacht. Vorhin habe ich mit Pucetti gesprochen. Der

Lebensmittelhändler bei der Miracoli-Kirche hat Anzeige erstattet. Offenbar ist heute Morgen ein Junkie mit einer Eisenstange in seinen Laden gestürmt und hat gedroht, alles kurz und klein zu schlagen, falls man ihm kein Geld gibt.«

Geschichten wie diese hatte Brunetti schon so oft gehört, dass er ahnte, wie sie ausgehen würde.

»Er hat zwanzig Euro bekommen«, fuhr Vianello fort. »Damit hat er sich in der Bar nebenan eine Flasche Wein gekauft und sie auf der Bank vor dem Laden getrunken. Da hat der Inhaber uns angerufen.« Vianello streckte die Beine aus und starrte auf seine Fußspitzen. Auch er kannte solche Geschichten zur Genüge. »Also hat Pucetti sich auf den Weg gemacht. Er wollte Alvise mitnehmen, aber der war zu beschäftigt.« Vianello seufzte tief und schüttelte den Kopf. »Schließlich ist er mit Fede und Moretti losgezogen, und als sie hinkamen, saß der Typ immer noch ganz harmlos auf der Bank, so als wolle er sich bloß ein wenig ausruhen. Der Ladenbesitzer hat ihn identifiziert, Pucetti nahm eine Anzeige auf, und sie brachten den Typen mit auf die Questura. Zwei Stunden später haben wir ihn wieder laufenlassen.«

Es schien, als sei Vianello fertig, aber dann sagte er: »Erinnert mich an diesen Mutti. Der ist übrigens verschwunden. Dein Freund Zeccardi hat angerufen.«

»Was hat er gesagt?«

»Leonardo Mutti wohnte in Dorsoduro. Als die Kollegen von der Finanza ihm auf die Pelle rückten und die Unterlagen seiner Organisation einsehen wollten, bestellte er sie für den nächsten Tag in das Büro dieser Gemeinschaft der ›Kinder Jesu Christi‹.«

»Und?«, fragte Brunetti, obwohl der Zusammenhang, in

dem Vianello auf Mutti gekommen war, schon erkennen ließ, wie es weiterging.

»Die Büroadresse, die er den Kollegen angegeben hatte, gehörte zu einer Bar, in der ihn kein Mensch kannte. Und als die Jungs von der Finanza wieder in seine Wohnung kamen, hatte Mutti sich bereits abgesetzt. Wie und wohin, wusste niemand.«

»Mit dem Fahrstuhl in den Himmel?«, ulkte Brunetti.

»Was?«, fragte Vianello verblüfft.

»Ach, nichts«, sagte Brunetti. »Schlechter Scherz.«

Die Gefängnisse waren hoffnungslos überbelegt, und die Regierung, die nach der letzten Amnestie zu sehr unter Beschuss geraten war, um so bald schon die nächste zu verfügen, rief die Polizei mit immer neuen Erlassen des Innenministeriums dazu auf, nur noch wirklich gefährliche Gewaltverbrecher zu inhaftieren. Die Ohnmacht, die sich daraufhin sowohl in den Reihen der Polizei als auch unter der Bevölkerung breitmachte, schürte auf beiden Seiten einen unterschwelligen Zorn. Abhilfe war nicht in Sicht.

Brunetti gab sich einen Ruck und stand auf. »Hier zu sitzen und über die verfahrene Situation zu klagen bringt uns nicht weiter.«

»Was schlägst du vor?«

»Dass wir einen Kaffee trinken gehen und uns überlegen, wie wir das Haus der Fornaris observieren können.« Auf Vianellos fragenden Blick hin erklärte Brunetti: »Ich möchte wissen, ob sie Besuch bekommen.«

»Von wem denn?«, erkundigte sich Vianello gespannt.

»Das will ich ja eben rauskriegen. Das und was dahintersteckt.«

Beim Kaffee erörterten die beiden Männer, wie sie trotz Personalknappheit und anderer logistischer Hürden eine Observierung einfädeln könnten, kamen aber zu keinem Ergebnis. Wenn jemand in so einer kleinen Sackgasse herumlungerte, würde er unfehlbar Aufsehen erregen. Als sie eine um die andere Möglichkeit diskutiert und verworfen hatten, fragte Vianello schließlich: »Was glaubst du denn, wer bei den Fornaris aufkreuzen wird?«

»Der Vater des Mädchens.«

Die Antwort hatte der Inspektor offenbar nicht erwartet. »Meinst du, es macht ihm doch was aus?«

»Nein, aber er könnte eine Chance wittern, die Fornaris zu erpressen.«

»Du gehst davon aus, dass er weiß, was mit seiner Tochter passiert ist, stimmt's?«, fragte Vianello. »Und die Fornaris auch.«

Brunetti erinnerte sich, dass Signora Vivarini bei ihrem ersten Zusammentreffen verwundert, aber kaum beunruhigt auf den Besuch der Polizei reagiert hatte. Beim zweiten Mal wahrten sowohl sie als auch ihr Mann nur mit Mühe die Fassung. Irgendetwas mussten sie in der Zwischenzeit erfahren haben, und Brunetti wollte wissen, was und von wem.

Schweigend überdachten die beiden Polizisten, welche Möglichkeiten ihnen noch offenstanden. Nach einer Weile meinte Brunetti: »Ich kann meine Kinder fragen.« Es klang, als sei das für einen Vater die natürlichste Sache der Welt.

»Was fragen?«, entgegnete Vianello verblüfft.

»Ob sie die Kinder der Fornaris kennen. Und vielleicht was über sie gehört haben.« Vianello nahm ihn so scharf ins Visier, dass es Brunetti nun doch recht mulmig wurde. »Sie sind im gleichen Alter«, sagte er lahm. »So ungefähr jedenfalls.«

»Meine sind Gott sei Dank noch zu jung«, sagte Vianello. Es klang verdächtig harmlos.

»Wofür?«, fragte Brunetti, obwohl er wusste, was kam.

»Um für uns zu arbeiten«, antwortete der Inspektor.

Brunetti verzichtete darauf, sich zu verteidigen. Ein Blick zur Uhr zeigte, dass es schon fast drei war. »Ich geh heim«, erklärte er und erhob sich.

Auch Vianello hatte offenbar alles gesagt, was er zu sagen bereit war.

»Wenn jemand nach mir fragt, sag einfach, ich hätte einen Termin außer Haus, ja?«, bat Brunetti.

»Wie du meinst.«

Nicht einmal die klügsten Auguren hätten eine versteckte Botschaft aus Vianellos Stimme herausgehört. Brunetti erkannte sie trotzdem. Er ging um den Tisch herum und klopfte Vianello auf die Schulter. Dann verließ er die Cafeteria und machte sich auf den Heimweg.

Er brachte das Thema beim Essen zur Sprache, zwischen Spinatrisotto und Schweinscarré mit Pilzen. Chiara, die ihre vegetarische Phase offenbar hinter sich gelassen hatte und heute Abend irgendwie verändert wirkte, sagte, sie kenne Ludovica Fornari zwar nicht persönlich, aber vom Hörensagen.

»Ach, ja?«, fragte Brunetti und lud sich noch eine Scheibe Fleisch auf den Teller.

»Von der hab sogar ich schon gehört«, warf Raffi ein, bevor er sich wieder der Schüssel Karotten mit Ingwer zuwandte.

»Und was habt ihr so gehört?«, erkundigte sich Brunetti vorsichtig.

Paola warf ihm einen scharfen, misstrauischen Blick zu und schnitt den Kindern das Wort ab. »Chiara, hast du dir mein Passion Flower genommen?« Brunetti hatte keine Ahnung, auf was sich der Name bezog. Da Chiara einen weißen Baumwollpullover trug, konnte man Kleidungsstücke wohl ausschließen: Blieben Lippenstift oder andere Schminkutensilien oder Parfum. Das Paola allerdings so gut wie nie benutzte, und zu riechen war auch nichts.

»Ja«, gestand Chiara zögernd.

»Hab ich mir doch gedacht«, sagte Paola mit strahlendem Lächeln. »Steht dir sehr gut.« Sie legte den Kopf schief und musterte das Gesicht ihrer Tochter. »Wahrscheinlich sogar besser als mir. Also behalt es ruhig.«

»Und du bist nicht böse, *mamma*?«, fragte Chiara.

»Aber nein, kein bisschen!« Und mit einem munteren Blick in die Runde fuhr Paola fort: »Zum Nachtisch gibt's nur Obst, aber ich finde, heute Abend wäre eine gute Gelegenheit, die Eissaison zu eröffnen. Wer geht freiwillig zum Campo San Giacomo dell'Orio und holt welches?«

Raffi spießte die letzten Karottenscheibchen auf und schob sie in den Mund, bevor er die Hand hob. »Ich gehe.«

»Schön, aber welche Sorten wollen wir nehmen?«, fragte Paola, die sich noch nie für Eissorten interessiert hatte – solange ihre Portion nur groß genug war –, mit aufgesetzter Fröhlichkeit. »Chiara, willst du deinen Bruder nicht begleiten und ihm aussuchen helfen?«

Chiara schob ihren Stuhl zurück und stand auf. »Wie viel?«

»Nehmt den größten Becher, den sie haben: Ich finde, wir sollten die Saison mit einem Tusch beginnen.« Und an Raffi gewandt, setzte Paola hinzu: »Nimm das Portemonnaie aus meiner Handtasche. Die hängt neben der Tür.«

Die Kinder verstießen gegen jede Familiensitte, indem sie, noch bevor Brunetti aufgegessen hatte, davonliefen und die Treppe hinunterpolterten.

Am Tisch herrschte Schweigen, und als Brunetti seine Gabel hinlegte, klirrte es unnatürlich laut. »Darf ich fragen, was das eben sollte?«

»Verhüten, dass du meine Kinder als Spitzel missbrauchst«, erwiderte Paola zornig. Bevor er noch zu einer Verteidigung ansetzen konnte, fuhr sie fort: »Und sag jetzt bloß nicht, das wäre ein harmloses Tischgespräch gewesen, mit ein paar Fragen ins Blaue hinein. Dazu kenne ich dich zu gut, Guido. Und ich werde es nicht dulden.«

Brunetti senkte den Blick auf seinen Teller und wunderte sich, dass er so viel gegessen hatte. Aber woher sonst kam dieses unangenehme Völlegefühl? Er trank seinen Wein aus und stellte das Glas auf den Tisch.

Sie hatte recht. Er wusste das, ärgerte sich aber, es derart schonungslos unter die Nase gerieben zu bekommen. Den Blick immer noch auf den Teller gerichtet, nahm er erst die Gabel, dann das Messer und legte beide akkurat nebeneinander quer über den Teller.

»Und dir wäre es auch nicht recht, Guido«, sagte Paola mit sehr viel sanfterer Stimme. »Wie gesagt, ich kenne dich zu gut.« Es entstand eine Pause, und dann setzte sie hinzu: »Wenn du's getan hättest, würdest du's hinterher bitter bereuen.«

Er schob seinen Stuhl zurück, stand auf und nahm sein Gedeck, um es in die Küche zu tragen. Als er hinter ihrem Stuhl innehielt und ihr die Hand auf die Schulter legte, schloss sich ihre Hand zärtlich um die seine.

Schlagartig kehrte sein Appetit zurück. »Hoffentlich bringen sie auch Schokoladeneis mit«, sagte er.

29

Am nächsten Morgen lag Brunetti noch im Bett, als Paola längst aufgestanden und in die Uni gegangen war. Er überdachte seine Möglichkeiten und versuchte den Fall des Zigeunermädchens aus einer anderen Perspektive zu betrachten. Bei Licht besehen, hatte er nichts in der Hand. Der einzige »Beweis« dafür, dass das Mädchen nicht anlässlich eines Einbruchs auf der Flucht vom Tatort unglücklich gestürzt und zu Tode gekommen war, bestand in der Aussage eines Kindes, das behauptete, ein Tigermann habe seine Schwester getötet. Als Indizien konnte Brunetti einen Manschettenknopf vorweisen und einen Ring mit einem Stein aus wertlosem roten Glas.

An der Leiche des Kindes konnten keinerlei Spuren von Gewalteinwirkung nachgewiesen werden, bis auf die mit Terrakotta verfärbten Schürfwunden, die sie sich beim Sturz vom Dach zugezogen hatte. Als Todesursache hatte der Pathologe Ertrinken festgestellt.

Dass die Fornaris mittlerweile von irgendeinem Verschulden wussten und dies zu verbergen suchten, war nur so ein Gefühl von Brunetti. Ursprünglich hatten Vianello und er Signora Vivarini, was den Einbruch betraf, für ahnungslos gehalten.

Fornari hatte bedrückt gewirkt, als Brunetti mit ihm sprach, aber bei Geschäften mit Russland hatte er auch allen Grund dazu. Dass auch seine Frau bei diesem zweiten Gespräch ziemlich nervös war, hatte nicht unbedingt etwas zu bedeuten. Und ihre Tochter war Brunetti ganz unbefangen gegenübergetreten. Aber dann fiel ihm ihr plötzlicher Hustenanfall ein. Der genau in dem Moment einsetzte, als er sich verabschieden und Vianello holen wollte. »Ispettore« Vianello hatte er gesagt.

Selbst das konnte ganz harmlos sein: Dauernd hustete irgendwer.

Brunetti wälzte sich unter dem Bettzeug hin und her, rollte schließlich auf den Rücken und starrte an die Decke, bis das hereinflutende Licht ihn aufscheuchte. Es blieb ihm nichts weiter übrig, als mit Patta zu reden und abzuwarten, ob der Vice-Questore nur dieses eine Mal das Tatmuster erkennen würde, zu dem sich all diese winzigen Mosaiksteinchen vielleicht zusammensetzen ließen.

»Sie haben sich da wieder mal in was verrannt, Brunetti«, befand Patta einige Stunden später. Genau wie Brunetti es vorausgesehen hatte. Er hatte keine Zeit darauf verschwendet, den Wortlaut seines Vorgesetzten vorherzusagen, aber den Inhalt seiner Rede hatte er exakt getroffen. »Die Familie hatte doch offensichtlich keine Ahnung, was passiert war«, erklärte Patta. »Die Signora und ihr Sohn werden beim Heimkommen bemerkt haben, dass die Terrassentür offen stand. Eine Unachtsamkeit, aber so was passiert einfach. Unglücklicherweise ist dieses Zigeunermädchen in Abwesenheit der Familie in die Wohnung eingedrungen.«

Patta, der während dieses Vortrags in seinem Büro auf und ab gegangen war, blieb plötzlich abrupt stehen und fragte wie der clevere Staatsanwalt aus einem amerikanischen Gerichtsdrama: »Sagten Sie nicht, das Mädchen trug Plastiksandalen?«

»Ja.«

»Na bitte, da haben Sie's!« Patta spreizte triumphierend die Hände, als habe er eben das letzte noch fehlende Beweisstück entdeckt, das jede weitere Diskussion überflüssig machte.

»Was habe ich?«, wagte Brunetti sich vor.

Patta, dessen Miene deutlich machte, dass er zu weit gegangen war, erteilte ihm eine Lektion in logischem Denken: »Plastik! Auf einem schrägen Ziegeldach. Aus Terrakotta.« Nach einer Kunstpause fragte er: »Ich muss Ihnen doch wohl keine Zeichnung anfertigen, oder, Commissario?« Wenn sein Vorgesetzter Brunetti mit seinem Dienstgrad anredete, war nicht selten Gefahr im Verzug.

»Nein, Vice-Questore. Ich habe verstanden.«

»Also fassen wir zusammen: Diese Signora Vivarini und ihr Sohn kamen nach Hause, wo die Terrassentür offen stand, aber sie dachte sich nichts dabei.« Patta hielt inne, und als er Brunetti lächelnd ansah, hatte der beinharte Staatsanwalt sich in einen charmanten Verteidiger verwandelt. »Es bestand ja auch kein Grund zur Besorgnis, oder, Commissario?«

»Nein, Dottore.«

»Ihrem Eindruck nach war Signora Vivarini überrascht, als sie von dem Diebstahl erfuhr, nicht wahr?«

»Ja, Dottore.«

»Na bitte! Was soll dann dieses ganze Theater?«

»Ich habe Ihnen doch von der Tochter erzählt und wie furchtbar sie gehustet hat, als ich Vianellos Dienstgrad erwähnte.« Brunetti merkte selbst, wie kläglich und dürftig sich das anhörte. »Vorher war alles ganz normal verlaufen:

Sie kam herein, gab mir die Hand und stellte sich als Ludovica Fornari vor. Aber als ich sagte…«

»Was?«, unterbrach Patta ihn scharf.

»Verzeihung?«

»Wie sagten Sie, war der Name der Tochter?«

»Ludovica Fornari. Wieso?«, fragte Brunetti und schob eilfertig ein »Signore« hinterher.

»Sie haben aber immer nur von Signora Vivarini gesprochen«, sagte Patta.

»Der Name des Ehemanns steht im Bericht, Vice-Questore.«

Patta wischte diesen Hinweis mit einer so brüsken Handbewegung beiseite, als sei er längst über das Stadium hinaus, wo man sich mit schriftlichen Berichten herumplagen musste. »Warum haben Sie mir das nicht gleich gesagt?«, erkundigte er sich streng.

»Es schien mir nicht so wichtig, Dottore.«

»Und ob das wichtig ist!« Patta klang, als spräche er mit einem besonders begriffsstutzigen Schüler.

»Darf ich erfahren, warum, Dottore?«

»Sie sind doch Venezianer, nicht wahr?«, entgegnete Patta spöttisch.

Brunetti war so verblüfft, dass er nur ein mattes »Ja« herausbrachte.

»Und trotzdem wissen Sie nicht, wer sie ist?«

Brunetti wusste, wer ihre Eltern waren, aber Pattas sarkastischer Ton sagte ihm, dass er gar nichts wusste.

»Nein, Signore, bedaure.«

»Sie ist die *fidanzata* vom Sohn des Innenministers. Tja, da staunen Sie, was?«

Wäre dies tatsächlich ein zweitklassiges Gerichtsdrama und Brunetti der Ankläger, dessen einzige Funktion in dieser Szene darin bestand, sich durch einen brillanten Überraschungscoup der Verteidigung außer Gefecht setzen zu lassen, dann wäre dies jetzt sein Stichwort, um sich mit der flachen Hand vor die Stirn zu schlagen und auszurufen: »Ich hätte es wissen müssen!«, oder: »Ich hatte ja keine Ahnung.«

Stattdessen blieb Brunetti stumm. Vorgeblich, damit Patta mit näheren Einzelheiten glänzen konnte, in Wahrheit aber, weil er Zeit brauchte, um das Bild neu zusammenzusetzen.

»Ich muss mich wirklich über Sie wundern, Brunetti«, begann Patta aufs Neue. »Mein Sohn kennt beide Kinder – er und Fornaris Sohn sind im selben Ruderclub –, aber ich ahnte ja nicht, von wem Sie die ganze Zeit gesprochen haben. Fornaris Tochter. Natürlich!«

Brunetti saß wie gebannt und mit so ergriffener Miene da, als sei er immer noch in seiner zweitklassigen Filmrolle gefangen.

Der Innenminister. Dem unter anderem die Ordnungskräfte einschließlich der Polizei unterstellt waren. Die Klatschpresse war ganz vernarrt in seine Familie: Die Ehefrau gehörte zu den Erben eines mächtigen Industriemagnaten; der älteste Sohn, ein Anthropologe, in Neukaledonien verschollen; eine der Töchter jettete zwischen den Filmstudios von Rom und Los Angeles hin und her, ohne dass ihre Karriere wirklich in Schwung kam; eine zweite war mit einem spanischen Arzt verheiratet und lebte zurückgezogen in Madrid; und über den derzeitigen Erben, einen jungen Mann von unberechenbarem Temperament, der schon in mehr als eine Diskothekenschlägerei verwickelt gewesen war, zirkulierten in Polizeikreisen die wildesten Gerüchte bezüglich weitaus ernsterer Vergehen, die allerdings nie vor Gericht gekommen waren. Die Mutter war Venezianerin, der Vater stammte aus Rom.

»… Vorwurf ist also völlig unhaltbar.« Patta näherte sich dem Ende seiner Litanei. »Ich brauche Ihnen wohl kaum zu sagen, dass die Vorstellung, er könne auch nur im Entferntesten in diese Sache verwickelt sein, ganz undenkbar ist, weshalb wir sie auch gar nicht erst in Erwägung ziehen werden.« Der Vice-Questore wartete auf Brunettis Antwort, doch der überlegte fieberhaft, wie und wo er etwas über den jungen Mann in Erfahrung bringen könnte.

Trotzdem nickte er, als hätte er jedes Wort seines Vorgesetzten mitbekommen. Es wäre interessant zu wissen, wer sich hinter dem »er« und »wir« aus Pattas Vortrag verbarg. Mit Ersterem konnte sowohl der Minister als auch sein Sohn gemeint sein, während sich das »wir« höchstwahrscheinlich auf die Polizei bezog, vielleicht aber auch auf die gesamte politische Kaste.

»Habe ich mich deutlich genug ausgedrückt, Commissario?«, fragte Patta, diesmal mit jenem drohenden Unterton in der Stimme, der eigentlich dem Schurken im Melodrama vorbehalten war.

»Jawohl, Signore.« Brunetti erhob sich. »Ich bin sicher, Sie haben die Situation zutreffend eingeschätzt, und wir sollten eine so bedeutende Persönlichkeit nicht ohne triftigen Grund in unsere Ermittlungen einbeziehen.«

»Es gibt keinen Grund«, herrschte Patta ihn wutschnaubend an. »Weder triftig noch sonst was.«

»Natürlich«, sagte Brunetti, »ich habe verstanden.« Er

machte ein paar Schritte zur Tür hin, gespannt, was für eine letzte Warnung Patta ihm mit auf den Weg geben würde, aber der Vice-Questore hatte offenbar alles gesagt. Brunetti wünschte seinem Vorgesetzten höflich einen guten Morgen und verließ das Büro.

Draußen im Vorzimmer blickte Signorina Elettra ihm mitfühlend entgegen. »War wohl unangenehm, hm?«, fragte sie.

»Ich habe gerade erfahren, dass Fornaris Tochter mit dem Sohn des Innenministers verlobt ist«, sagte er und sah, wie ihre Augen sich weiteten, während sie das Geschehen neu sortierte. Für den Fall, dass Tenente Scarpa sich hinter dem Wandteppich versteckt hielt, fügte Brunetti hinzu: »Natürlich ist es unter diesen Umständen ganz ausgeschlossen, dass wir uns mit der Vergangenheit des jungen Mannes beschäftigen oder irgendwelche früher gegen ihn erhobenen Anschuldigungen ausgraben.«

Auch sie verwarf ein solches Vorgehen mit entschiedenem Kopfschütteln. »Wenn er der Sohn eines Ministers ist«, sagte sie mit Nachdruck, »dann würde dabei ohnehin nichts herauskommen.« Aber noch während sie sprach, suchte ihre Rechte bereits nach der Tastatur: Der Bergbach, der über ihren Bildschirm sprudelte, verschwand und machte einem detaillierten Programmmenü Platz. »Diesbezügliche Recherchen wären reine Zeitverschwendung«, setzte sie hinzu und rückte ihren Stuhl vor den Bildschirm.

»Ich bin ganz Ihrer Meinung, Signorina«, säuselte Brunetti und begab sich nach oben, um das Ergebnis ihrer Suche abzuwarten.

»*Mamma mia*«, rief sie, als sie zwei Stunden später sein Büro betrat. »Der Junge lässt rein gar nichts aus!« Mit einem Bündel Papiere in der Hand trat sie vor seinen Schreibtisch und ließ sie eins nach dem anderen mit ihrem Kommentar auf die Tischplatte flattern. »Unerlaubter Drogenbesitz.« Flatter, flatter. »Verfahren aus Mangel an Beweisen eingestellt. Schwere Körperverletzung.« Flatter, flatter. »Eingestellt, weil das Opfer seine Anzeige zurückzog. Noch mal schwere Körperverletzung.« Flatter, flatter. »Auch hier Anzeige widerrufen.« Das nächste Blatt hielt sie etwas höher als die anderen und erklärte: »Die vier Festnahmen wegen Trunkenheit am Steuer habe ich alle auf einer Seite zusammengefasst. Es schien mir nicht richtig, so viel Papier an ihn zu verschwenden.« Flatter, flatter. »Er fand jedes Mal milde Richter, die seine Jugend und seine Bußfertigkeit berücksichtigten, so dass es nie zum Prozess kam.«

Ihr Lächeln war das einer gütigen Tante, die überglücklich ist, weil die Justiz gleich ihr das reine Herz des abgöttisch geliebten Neffen erkannt hat. Brunetti sah, dass nur noch zwei Blätter übrig waren. »Tätlicher Angriff auf einen Polizeibeamten«, sagte sie und schob Brunetti eines davon hin, wie um anzudeuten, dass es nun langsam ernst würde.

»Er geriet in eine Streiterei in einem Restaurant in Bergamo«, erklärte sie. »Es fing damit an, dass er einem dieser tamilischen Rosenverkäufer die Tür weisen wollte. Und als der sich nicht rausschmeißen ließ, begann der Sohn des Ministers – er heißt übrigens Antonio – ihn grob zu beschimpfen. Da mischte sich dann der Polizist ein, der mit seiner Frau ein paar Tische weiter saß, und versuchte, Antonio zu beruhigen.«

»Und weiter?«

»Der ersten Beweisaufnahme am Tatort zufolge zog der Junge ein Messer und stach nach dem Tamilen, aber der duckte sich rechtzeitig weg. Dann ist die Situation wohl eskaliert, aber am Ende lag der Junge, mit Handschellen gefesselt, am Boden.«

»Und dann?«

»Dann wird es immer undurchsichtiger«, sagte sie und legte ihm das letzte Blatt Papier vor.

Brunetti blickte auf ein Regierungsformular, das er nicht kannte. »Was ist das?«, fragte er.

»Ein Ausweisungsbefehl. Der Tamile saß am nächsten Tag in einem Flugzeug nach Colombo.« Ihre Stimme klang sachlich und kühl. »Die Überprüfung seiner Papiere ergab, dass er schon mehrfach festgenommen und des Landes verwiesen worden war.«

»Aber diesmal hat man nachgeholfen?«, fragte Brunetti unnötigerweise.

»Scheint so.«

»Und der Polizeibeamte?«

»Als der am nächsten Tag seinen schriftlichen Bericht ablieferte, war ihm eingefallen, dass der Tamile betrunken gewesen war und das Mädchen in Antonios Begleitung angepöbelt und bedroht hatte.« Als Signorina Elettra Brunettis erstaunte Miene sah, fügte sie hinzu: »Sind ja auch als gewalttätig verschrien, diese Tamilen, nicht wahr?«

Brunetti enthielt sich jeden Kommentars und musterte stirnrunzelnd seinen Schreibtisch. Endlich sagte er: »Welch ein Glück für den Jungen, dass der Polizist so ein gutes Gedächtnis hatte.«

Sie sammelte die letzten beiden Blätter wieder ein und überflog sie, wohl mehr um des Effekts willen denn aus Notwendigkeit. »Er hat sich sogar erinnert, dass gar kein Messer im Spiel war. Er müsse das, sagte er, mit einer der Rosen des Tamilen verwechselt haben.«

»Das hat er tatsächlich behauptet?«, fragte Brunetti verblüfft.

»Schwarz auf weiß!«, bestätigte Signorina Elettra und tippte auf die Papiere. Nach einer winzigen Pause fuhr sie fort: »Seine erste Aussage, die er der Polizei in Bergamo am Tatort zu Protokoll gab, ist anscheinend verlorengegangen.«

»Und das Mädchen?«, wollte Brunetti wissen. »Hat sie sich an diese Sache mit der Rose erinnert?«

Signorina Elettra zuckte kaum merklich mit den Schultern. »Sie war so verängstigt, dass sie es nicht richtig mitbekommen hat.«

»Verstehe. Wie lange kennt er diese Ludovica Fornari schon?«

»Dem Vernehmen nach nur ein paar Monate.«

»Er ist doch jetzt der Erbe, nicht wahr?«

»Ja.«

»Was genau ist denn mit dem älteren Bruder passiert?«

»Der lebte bei einem Eingeborenenstamm in Neukaledonien und betrieb dort anthropologische Studien. Hatte sich völlig angepasst. Angeblich wurde dieser Stamm von einem anderen aus einem benachbarten Tal angegriffen. Und der ältere Bruder verschwand bei dem Überfall.«

»Ermordet?«, fragte Brunetti.

Sie hob die Schultern und ließ sie wieder fallen. »Darüber

gibt es keine gesicherten Erkenntnisse. Er hatte sich den Kopf kahlgeschoren und trug die gleichen Stammeszeichen wie die Eingeborenen. Es wäre also gut möglich, dass die Angreifer ihn für einen von ihnen hielten.«

Brunetti schüttelte bekümmert den Kopf, und sie ergänzte: »Der Überfall wurde erst Monate später bekannt, und inzwischen waren alle Spuren verwischt.«

»Und was heißt das?«

»Den Berichten zufolge hat ihn, falls er bei dem Überfall getötet wurde, entweder der Stamm, bei dem er lebte, begraben, oder die gegnerische Seite hat seine Leiche geraubt.«

Mehr wollte Brunetti gar nicht wissen. »Und danach wurde Antonio zum Erben erklärt?«

»Ja.«

»Standen die Brüder sich nahe?«

»Sehr sogar. Wenigstens stand es seinerzeit so in den Zeitungen. ›Brüder, die Blutsbrüder waren‹, all dieses rührselige Zeug, das die Regenbogenpresse liebt.«

»Blutsbrüder?«

»Antonio hat seinen Bruder einmal dort unten besucht und sich mit ihm zusammen einem Ritual unterzogen, das sie beide zu Stammesmitgliedern machte.« Sie hielt inne und versuchte, sich an Details zu erinnern, die sie gelesen, aber offenbar nicht ausgedruckt hatte. »Sie haben auch gelernt, mit Pfeil und Bogen zu jagen, und diese ganze Tarzan-Romantik ausgekostet, auf die Jungs so fliegen. Es wurde nie geklärt, ob Claudio, der Ältere, auch die rituellen Narben auf den Wangen hatte, aber beide ließen sich tätowieren und aßen in Honig eingelegte Insektenlarven.« Bei der Vorstellung überlief sie ein leiser Schauer.

»Tätowierungen?«, fragte Brunetti.

»Ja, Sie wissen schon – diese geometrischen, ineinander verschlungenen Muster, die wir den ganzen Sommer vor der Nase haben. Diese Bänder um Arme und Beine: sieht man doch heutzutage überall.«

In der Tat. Nicht zuletzt auf einem Foto an der Wand in Fornaris Wohnung. Rötliches Haar, zur wilden Mähne zerzaust, die seinen Kopf größer erscheinen ließ, und Tattoos an den Armen, die aussahen wie Raubtierstreifen. »Tigermann«, sagte Brunetti laut.

»Was?«, fragte sie und korrigierte sich mit einem höflichen »Wie bitte?«.

»Gibt es Fotos von diesem Antonio?«

»Mehr als genug«, erwiderte sie matt.

»Dann drucken Sie mir ein paar aus«, sagte er. »Und bitte gleich.« Damit griff er zum Telefon, bestellte ein Boot und ein Auto und bat Vianello, ihn zu begleiten.

30

Du glaubst also, er ist dieser Tigermann?«, fragte Vianello, als Brunetti ihn auf den neuesten Stand gebracht und in Signorina Elettras Recherchen eingeweiht hatte. Sie standen an Deck der Polizeibarkasse, die Kurs auf den Piazzale Roma nahm, wo hoffentlich der bestellte Wagen bereitstehen würde. Plötzlich schwenkte Foa scharf nach links: Um ein Haar hätten sie einen *sandalo* gerammt, der mit vier Personen und einem Hund an Bord viel zu knapp vor ihnen kreuzte. Foa ließ zweimal das Horn ertönen und schrie dem Mann am Ruder etwas zu, doch der würdigte sie keines Blickes.

»Und du glaubst, das reicht, um gegen ihn vorzugehen?«, fragte Vianello. Seine Stimme schwoll mit jedem Wort an, so dass er am Ende fast brüllte. Dazu reckte er beide Arme himmelwärts, als wolle er seine Frage von dem Mann neben ihm an eine höhere Instanz weiterleiten.

Brunettis Blick glitt an Vianello vorbei zu den Häuserfassaden am linken Ufer des Kanals. Den *palazzo* rechts neben den Faliers hatte man endlich restauriert. Er war mit dem Sohn des früheren Besitzers zur Schule gegangen, der seinen Palast in einem Privatkasino verspielt hatte. Die Familie musste ausziehen, und obwohl er und der Sohn gut befreundet gewesen waren, hatte Brunetti nie mehr von ihm gehört.

»Na, was ist?«, versuchte der Inspektor Brunetti aus seinen Erinnerungen zurückzuholen. Als Brunetti nicht antwortete, fuhr Vianello fort: »Auch wenn du recht hast und dieser Antonio ist der Tigermann, und selbst wenn er dem

Zigeunermädchen tatsächlich was angetan hätte, könnten wir es nie beweisen. Hörst du mich, Guido? Wir haben keine Chance. *Zero!*«

Brunettis Aufmerksamkeit wollte sich davonstehlen zu den Häusern hinter Vianello, doch der Inspektor legte ihm die Hand auf den Arm und holte sie zurück. »Guido, was du vorhast, ist glatter Selbstmord! Sogar wenn es dir gelingt, die Eltern des Jungen zu überreden, und du seine Aussage über diesen ›Tigermann‹ bekommst.« Vianello schloss die Augen vor den schrecklichen Folgen einer solchen Operation, und Brunetti sah, wie er die Kiefermuskeln anspannte.

»Angenommen, du schaffst es – was wäre damit gewonnen? Du hättest einen minderjährigen Zeugen aus einer Familie mit einer ganzen Latte von Festnahmen und Verurteilungen, und dieses Kind – das, wie du selber sagst, kaum Italienisch spricht – willst du gegen den Sohn des Innenministers aussagen lassen?«

Das Boot wurde so plötzlich von einer Gegenströmung erfasst, dass beide Männer gegen die Reling taumelten. Doch schon im nächsten Moment hatte Foa das Steuer wieder in seiner Gewalt und hielt den Blick eisern nach vorn gerichtet.

Brunetti wollte vorschlagen, das Gespräch unten in der Kabine fortzusetzen, aber Vianello ließ ihn nicht zu Wort kommen. »Glaubst du im Ernst, du findest einen Staatsanwalt – dessen Karriere, wie ich wohl nicht eigens zu betonen brauche, von ebendiesem Minister abhängt –, der bereit ist, auf Grund dieser windigen Zeugenaussage ein Strafverfahren einzuleiten?« Und als wäre das bisher Gesagte noch nicht niederschmetternd genug, brachte er sein Gesicht ganz nahe an das von Brunetti und ergänzte: »Bei der Beweislage?«

Brunetti steckte die Hand in die Tasche und tastete nach Ring und Manschettenknopf. Er hatte gesehen, wie nervös Fornari war, hatte die Wut im Gesicht des kleinen Jungen gesehen, der seinen primitiven Rachegelüsten freien Lauf ließ, weil sie sich mit denen seiner Mutter deckten. Das waren Indizien, allerdings keine, die vor Gericht Bestand haben würden. In den Hallen des Gesetzes, wo »gleiches Recht für alle« galt, waren Brunettis Eindrücke völlig wertlos und ohne Bedeutung. Er wusste das auch ohne Vianellos Vorhaltungen. Das Gericht wollte Beweise, nicht die Ansichten eines Mannes, der ein vor Angst fast verrücktes Kind in die Enge getrieben und so lange hatte zappeln lassen, bis es ihm seine Geschichte erzählt hatte. Brunetti konnte sich vorstellen, wie ein Verteidiger, und nun gar noch einer, der den Sohn eines Ministers vertrat, seine Deutung in der Luft zerpflücken würde.

»Ich will einfach Gewissheit haben«, sagte Brunetti.

»Worüber?«

»Ob der Junge mir die Wahrheit gesagt hat.«

Vianello riss endgültig die Geduld. »Begreifst du denn nicht, dass es darauf überhaupt nicht ankommt?« Er packte Brunetti am Arm und zog ihn die drei Stufen zur Kabine hinunter. Als sie einander gegenübersaßen, fuhr der Inspektor fort. »Ich zweifle ja nicht daran, dass der Junge die Wahrheit sagt, aber das nützt dir gar nichts, Guido. Du willst das Kind eines straffälligen Zigeuners als Kronzeugen gegen den Sohn des Innenministers ins Rennen schicken. Das kann doch nicht gutgehen!«

»Das hast du mir jetzt schon dreimal gesagt, Lorenzo«, entgegnete Brunetti erschöpft.

»Und ich sag's noch dreimal, wenn du nicht endlich auf mich hörst«, blaffte Vianello zurück. Nach einer langen Pause fuhr er in versöhnlicherem Ton fort: »Vielleicht hast du ja einen Hang zum Harakiri, aber ich bestimmt nicht.«

»Verlangt ja auch niemand von dir.«

»Aber ich fahre mit dir zu diesem Roma-Lager, oder etwa nicht? Ich werde dabei sein, wenn du jemanden befragst, den zu befragen Patta dir ausdrücklich verboten hat.«

»So wortwörtlich hat er das nicht gesagt«, widersprach Brunetti pedantisch.

»Das brauchte er auch nicht, Herrgott noch mal! Er hat dir klipp und klar gesagt, dass du die Finger von der Geschichte lassen sollst. Und was machst du? Rennst ohne einen Gerichtsbeschluss und gegen die ausdrückliche Weisung deines Vorgesetzten – unseres Vorgesetzten – los, um genau die Leute zu befragen, von denen du dich laut Patta fernhalten sollst.«

»Der Junge und die andere Schwester waren in der Nacht dabei. Sie haben gesehen, was passiert ist.«

»Und du glaubst, die Eltern werden sie mit dir reden lassen? Oder mit einem Richter?«

»Die Mutter dürstet genauso nach Rache wie der Junge. Vielleicht sogar noch mehr.«

»Jetzt machen wir also auf Bürgerwehr und verteidigen die Zigeuner gegen den Rest der Welt?« Vianello verbarg seinen Frust, indem er sich von Brunetti abwandte, den Kopf hob und für einen Moment die Augen schloss, so als erbitte er seine verlorene Geduld zurück.

Das Boot drosselte seine Fahrt, und Brunetti sah, dass sie am Piazzale Roma angelangt waren. Er erhob sich und stieß eine der beiden Schwingtüren auf. »Du kannst ja mit Foa zurückfahren«, sagte er, schon auf dem Weg an Deck.

Oben angekommen, hörte er Vianello hinter sich die Stufen hinaufkeuchen. »Mein Gott, Guido, nun hör schon auf, die Primadonna zu spielen!«, grummelte der Inspektor unwirsch.

Heute hatten sie wieder einen anderen Fahrer, aber wie seine Vorgänger kannte auch dieser die Strecke zum Lager und erzählte ihnen unterwegs, wie oft er schon dort gewesen war. Er machte munter weiter Konversation, und Brunetti und Vianello, die des Streitens müde waren, ließen ihn reden.

Brunetti, der die Geschichten alle schon kannte, hörte allerdings kaum hin und genoss, sobald sie die Stadt hinter sich gelassen hatten, lieber die üppig sprießende Frühlingslandschaft. Wie die meisten Städter neigte auch er dazu, das Landleben zu romantisieren. Einmal, als es zu Hause Brathähnchen gab und Chiara ihn in einer ihrer vegetarischen Anwandlungen gefragt hatte, ob er selbst schon einmal ein Huhn geschlachtet habe, hatte Brunetti geantwortet, er habe noch nie irgendein Lebewesen getötet. Und damit war die Diskussion seiner Erinnerung nach im Sande verlaufen.

Der Wagen bog von der Straße ab, bremste, hielt, und der Fahrer stieg aus, um das Tor zu öffnen. Sobald sie auf dem Gelände waren, stieg er wieder aus, schloss das Tor und parkte den Wagen in Fahrtrichtung davor, so als bereite er jetzt schon alles für einen reibungslosen Rückzug vor.

»Warten Sie hier«, sagte Brunetti und klopfte ihm auf die Schulter. Er und Vianello stiegen aus und schlossen die Wagentüren. Weit und breit war niemand zu sehen: Keiner der Männer saß auf den Stufen vor seinem Wohnwagen.

Brunetti sah sofort, dass der blaue Mercedes verschwunden war, ebenso wie die *roulotte*, hinter deren Fenstern die schemenhafte Frauengestalt erspäht und in der Rocich sich nach jeder Begegnung verschanzt hatte. Die drei abgeschleppten Autos waren noch nicht zurück: Die dazugehörigen Wohnwagen standen am Rand wie die Bauernopfer in einer Schachpartie.

Brunetti und Vianello näherten sich dem Wagen des Anführers. Kaum dass sie davorstanden, ertönten, Vogelrufen gleich, aus den umstehenden Campern die Klingeltöne etlicher Handys. Brunetti machte vier verschiedene Melodien ausfindig, bevor das Gebimmel ebenso jäh wieder verstummte.

Ein paar Minuten verstrichen, dann öffnete sich die Tür des Wohnwagens. Tanovic trat heraus, auf den Lippen ein aasiges Lächeln, bei dem Brunetti unheimlich wurde.

»Ah, Signor Polizist«, sagte der Mann, während er die Stufen herunterkam. Mit einem Nicken in Vianellos Richtung ergänzte er: »Und Signor Zweiter Polizist.« Unverwandt lächelnd ging er auf sie zu. Aber weder er noch einer der beiden anderen Männer streckte die Hand aus.

»Warum Sie kommen wieder?« Er blickte über die Schulter zu den im Halbkreis parkenden Autos, drehte sich dann um die eigene Achse und nahm jeden Wagen der Reihe nach in Augenschein. »Sie wollen fortholen noch mehr Autos?« Sein Ton klang heiter, ja scherzhaft, aber Brunetti sah eine Bosheit in seinen Augen blitzen, die aller Leichtigkeit Hohn sprach.

»Nein, ich komme, um mit Signor Rocich zu sprechen«, sagte Brunetti. Dann zeigte er auf die Stelle, wo der blaue Mercedes gestanden hatte. »Aber wie ich sehe, sind sie fort. Wissen Sie, wohin?«

Wieder lächelte der Mann. »Ah, sehr schwer zum Sagen, Signor Polizist.« Er beugte sich vor und richtete sein Lächeln auf Vianello, der keine Miene verzog. »Meine Leute sind – wie Sie sagen – Nomaden. Wir von Ort zu Ort ziehen, keiner wissen, wann und wohin.« Er lächelte noch immer, aber seine Stimme klang bitter. »Es niemand kümmern.«

»Ich habe sein Kennzeichen«, sagte Brunetti. »Vielleicht könnte die Verkehrspolizei mir helfen, ihn aufzuspüren.«

Tanovics Lächeln verwandelte sich in ein breites Grinsen, das nur noch abstoßender wirkte. »Alte Auto. Alte Nummer. Das keine Hilfe.«

»Was meinen Sie mit ›altes Auto‹?«, fragte Brunetti.

»Rocich jetzt neue Auto. Neue Nummer.«

»Was für ein Auto?«

»Gute Auto. Nix Scheißitaliener-Karre. Echt gute Auto. Deutsche Auto.«

»Welche Marke?«

Der Mann machte eine wegwerfende Handbewegung, die den bloßen Gedanken, ein Auto könnte einen Namen haben, zurückwies. »Große Auto. Deutsche Auto. Neue Auto.« Als Brunetti eben wieder das Wort ergreifen wollte, fügte er hinzu: »Neue Nummer.«

»Verstehe«, sagte Brunetti. »Dann werden wir halt bei der Zulassungsstelle nachfragen müssen, nicht wahr?«

»Ah, Auto privat gekauft. Von gute Freund. Nix wechseln

Papiere: Auto immer noch gehören Freund. Schwer zu finden«, schloss Tanovic mit einem breiten Grinsen.

»Wie heißt denn dieser Freund?«, fragte Brunetti.

Tanovic zuckte vielsagend mit den Schultern. »Er nicht sagen Name. Nur Freund. Aber sehr große Auto. Sehr teuer.«

»Und woher hatte er das Geld, um so ein Auto zu kaufen?«

»Ah, Geld er kriegen von andere Freund.«

»Einem Zi…«, begann Brunetti, verbesserte sich aber noch rechtzeitig und fragte: »Einem Freund hier aus dem Roma-Lager?«

»Können mir Zigeuner sagen, Signor Polizist«, entgegnete Tanovic, nun mit unverstellt hasserfüllter Stimme.

»Also gut, hat er das Geld von einem Zigeunerfreund?«, fragte Brunetti.

»Nein, von Gadsche. Hat ihn besucht in Venedig und gebeten um Geld. Mann sehr großzügig. Er geben viel Geld. Für kaufen Auto«, schloss Tanovic. Dann hob er die Hand, winkte und sagte: »*Bye, bye.*«

»Wer war der Mann?«, fragte Brunetti.

»Mann, den ihm sein Sohn zeigen.«

»Und der hat ihm das Geld für das neue Auto gegeben?«

Ein Nicken. Ein Lächeln. »Und mehr.«

»Wissen Sie, wie viel mehr?«

»Er nix sagen. Vielleicht er Angst, mir zu sagen, weil ich Zigeuner, und Zigeuner stehlen, hm?« Tanovics Lächeln verwandelte sich in ein hämisches Grinsen.

Brunetti wandte sich so brüsk ab, dass er mit Vianello zusammenprallte, der hastig zurückwich. »Komm, wir gehen«, sagte Brunetti und stiefelte auf ihren Wagen zu.

Der Mann wartete, bis sie das Fahrzeug erreicht hatten, bevor er ihnen nachrief: »Signor Polizist, Rocich hat mir was für Sie gegeben.« Der Satz ging Tanovic in flüssigem Italienisch über die Lippen, so als sei er es leid, die Rolle des radebrechenden Zigeuners zu spielen.

Brunetti, eine Hand schon auf dem Türgriff, drehte sich nach dem Mann um. Tanovic schob die Hand in die Jackentasche, zog sie wieder heraus und hielt sie, zur Faust geballt, Brunetti hin.

»Ich Zigeuner, aber das ich nicht stehlen«, sagte er und schwenkte die geschlossene Faust hin und her. Er und Brunetti musterten einander auf drei Meter Entfernung. Tanovic reckte seine Faust höher. »Sie wollen haben?«, fragte er.

Brunetti, dessen Knie plötzlich steif wurden, gab sich einen Ruck und ging auf den Mann zu. Er blieb dicht vor ihm stehen, streckte starr den Arm vor und hielt die Hand auf. Für einen Moment fürchtete er, Tanovic könnte verlangen, dass er »bitte« sage, was er nicht über sich bringen würde.

Doch der Mann hob seine Faust über Brunettis aufgehaltene Hand, öffnete langsam einen Finger nach dem anderen, und plötzlich spürte Brunetti, wie etwas in seine Handfläche fiel. Bevor er feststellen konnte, was es war, sagte Tanovic: »Mann mit viele Geld das wollen haben. Beweis, dass Dusan dort gewesen und alles sehen. Aber Rocich, er sagen, das sein für Sie, Signor Polizist.« Damit ließ er seine Hand sinken, machte kehrt und ging zurück zu seinem Wohnwagen. Erst als er die Stufen hinaufstieg, hob Brunetti seine Hand, um zu sehen, was der Mann ihm in Rocichs Auftrag übergeben hatte.

Es war der zweite Manschettenknopf: ein kleiner, in Silber gefasster Lapislazuli.

Ein Knall ließ Brunetti zusammenzucken, aber es war nur die Wohnwagentür, die der Zigeuner zugeschlagen hatte.

31

Die Lethargie, in die Brunetti nach seiner Rückkehr aus dem Roma-Lager verfiel, dauerte drei Tage an, bevor Paola sich erkundigte, was mit ihm los sei. Sie saßen nach dem Abendessen, das Brunetti kaum angerührt hatte, auf der Terrasse, und er hatte schon seinen zweiten Grappa zur Hälfte geleert. Die Flasche stand griffbereit neben ihm, für den Fall, dass er noch einen dritten brauchte.

Während es langsam dunkel wurde und die Abendkühle sich einnistete, begann er zu erzählen, ohne sich um die zeitliche oder sonst eine Reihenfolge zu scheren. Wenn seine Geschichte sich an irgendetwas orientierte, dann am ehesten an der Intensität seiner Eindrücke. Was sich ihm am stärksten eingeprägt hatte, sparte er bis zuletzt auf: die herzzerreißende Wehklage der Mutter und der hasserfüllte Ausdruck im Gesicht des Jungen, als er ihm vom Tigermann erzählt hatte.

So sehr hatte ihn nicht einmal das letzte Gespräch mit Fornari und seiner Frau bewegt. »Sie wollten mich erst gar nicht reinlassen«, erzählte er. »Aber ich habe gesagt, dann käme ich mit einem Gerichtsbeschluss wieder.«

Inzwischen war es so dunkel, dass er weder ihr Gesicht noch eine Kopfbewegung hätte erkennen können, aber als ihre Hand sich fester um seinen Arm schloss, sagte er: »Das war natürlich Unsinn. Kein Mensch hätte mir einen Durchsuchungsbefehl ausgestellt. Offiziell ist der Fall für Polizei und Justiz abgeschlossen: Das Mädchen ist nach einem Einbruch in die Wohnung der Fornaris verunglückt und ertrunken, und damit basta.«

»Aber dann haben sie dich doch reingelassen?«, fragte Paola.

»Ja. Du weißt, wie gut ich lügen kann«, sagte Brunetti.

»Nicht besonders gut«, versetzte sie, was er als Kompliment auffasste. »Und wie ging es weiter?«

»Sie waren beide sehr nervös. Zuerst dachte ich, sie würden es nicht durchstehen.« Und das war seinerseits als Kompliment gemeint.

»Was hast du denn gesagt?«

»Dass ich mit einem der Zigeuner im Roma-Lager gesprochen und von ihm erfahren hätte, Rocich sei bei ihnen gewesen.« Er erinnerte sich an den coolen Bürokraten, den er ihnen vorgespielt hatte, den Kriminalisten, dem es nur um seine Beweissicherung zu tun war.

Brunetti schwieg eine Weile. Er nippte an seinem Grappa, dem Tignanello, den Paola ihm zum Geburtstag geschenkt hatte. Ein wirklich guter Tropfen, und trotzdem wollte er ihm heute nicht schmecken. Er stellte das Glas zurück auf den Tisch.

»Es hat nicht geklappt«, gestand er. »Sie sagten, sie hätten keine Ahnung, wer dieser Rocich sei, oder warum ein Roma sich mit ihnen hätte in Verbindung setzen wollen.« Signora Vivarini war diejenige gewesen, die ihm die Stirn bot, während ihr Mann kopfschüttelnd dabeistand und den Mund nur aufbekam, wenn Brunetti ihn direkt ansprach.

Brunetti stellte die gekreuzten Beine nebeneinander, streckte sie aus und legte die Füße auf der unteren Sprosse des Terrassengeländers ab. Dabei fiel ihm ein, wie ängstlich sie als junge Eltern darauf geachtet hatten, die Terrassentür stets geschlossen zu halten. Die Kinder hatten nur hinausgedurft, wenn einer von ihnen dabei war. Brunetti selbst vermied es auch nach all den Jahren noch, über die Brüstung die vier Stockwerke nach unten zu schauen.

Paola ließ eine ganze Weile verstreichen, bevor sie fragte: »Was glaubst du, wie es sich abgespielt hat?«

Brunetti hatte in den letzten Tagen an kaum etwas anderes gedacht, hatte sich die verschiedensten Szenarien ausgemalt und wieder verworfen, und immer stand ihm dabei das Bild des Mädchens vor Augen. »Die Tochter war zu Hause«, sagte er endlich. »Zusammen mit ihrem Freund, wahrscheinlich in ihrem Zimmer. Irgendwann haben sie verdächtige Geräusche gehört.« Er schloss die Augen und versuchte es sich vorzustellen. »Der Junge, egal ob er high war oder betrunken, hat bestimmt den Beschützer markiert und nachgeschaut, was los war.«

»Und die Streifen?«, fragte Paola plötzlich. »Wie konnte das Kind die sehen?«

Er wandte sich dem Schatten ihres Kopfes zu, der im erlöschenden Zwielicht kaum noch auszumachen war. »Ihre Eltern waren nicht zu Hause, Paola. Die beiden waren nicht in Ludovicas Schlafzimmer, um Matheaufgaben zu lösen.«

Er überließ es ihr, sich die Szene auszumalen, die ihm vor Augen stand: der nackte Junge, wie er, aus dem Bett aufgeschreckt, mit wilden Streifen an Armen und Beinen brüllend auf die Zigeunerkinder losstürzte. »Tigermann«, sagte Paola.

»Das Elternschlafzimmer hat eine Tür zur Terrasse«, sagte Brunetti. »Durch die sind die Kinder wahrscheinlich reingekommen. Also werden sie auch versucht haben, auf diesem Weg zu fliehen.«

»Und was geschah dann?«, fragte Paola.

Sie konnte sein Schulterzucken zwar nicht sehen, meinte aber zu hören, wie seine Jacke gegen die Stuhllehne schabte.

»Das werden wir wohl nie erfahren«, sagte Brunetti endlich.

»Aber der Bruder sagte doch…«, begann Paola.

»Der Bruder«, fiel Brunetti ihr ins Wort, »war als Junge vermutlich der Anführer. Und er hat zugelassen, dass seine Schwester ums Leben kam.« Bevor Paola etwas einwenden konnte, fuhr er fort: »Ich weiß, ich weiß, er konnte nichts dafür. Aber ich rede auch nicht davon, was tatsächlich geschehen ist, sondern davon, wie er es wahrgenommen hat. Sie war bei ihm, in seiner Obhut. Und als ihr etwas zustieß, gab er sich die Schuld.«

Eine lange Pause trat ein, dann sagte er: »Aber wenn sie vom Dach gestoßen wurde, wäre er nicht verantwortlich.« Bevor sie widersprechen konnte, ergänzte er: »Ich versuche ja nur, es aus seiner Sicht zu sehen.« Er verstummte, und die Geräusche der Stadt schwebten zu ihnen herauf: hallende Schritte, eine Männerstimme aus einem der Fenster unter ihnen, ein Fernseher aus einer Wohnung weiter weg.

»Aber warum waren die Fornaris dann so schuldbewusst?«, fragte Paola endlich.

»Vielleicht war es gar kein Schuldbewusstsein«, sagte Brunetti.

»Was denn sonst?«

»Angst.«

»Vor den Zigeunern?«, fragte sie überrascht. »Meinst du,

sie fürchten so eine Art Vendetta?« Ihr Ton verriet, dass sie das nicht glaubhaft fand. »Aber nach dem, was du mir erzählt hast, hat sich außer der Mutter und dem Bruder doch fast keiner darum geschert, was mit dem Mädchen passiert ist.«

»Nein, doch nicht vor den Zigeunern!«, sagte Brunetti und wunderte sich, wo sie wohl all die Jahre gelebt hatte.

»Vor wem dann?«, fragte sie, immer noch im Dunkeln tappend.

»Dem Staat. Der Polizei. Davor, beschuldigt zu werden und in die Mühlen der Justiz zu geraten.« Was konnte dem Durchschnittsbürger mehr Angst einjagen? Die Furcht vor Einbruch und Diebstahl war im Vergleich dazu ein Klacks.

»Aber sie haben doch nichts verbrochen. Du hast das Alibi der Frau überprüft, und sie kam erst nach Hause, als das Mädchen schon tot war. Und der Vater war tatsächlich in Russland.«

»Sie bangen ja auch nicht um sich«, sagte Brunetti. »Sondern um die Tochter. Was immer sie gesehen und ihnen und der Polizei verschwiegen oder wobei sie ihren Verlobten beobachtet hat.« Dann beschloss er, ihr auch dies noch anzuvertrauen, und setzte hinzu: »Oder was sie womöglich selbst getan haben könnte.«

Er hörte, wie Paola scharf Luft holte. »Aber der kleine Junge sprach doch von einem Tigermann und nicht von einem Mädchen«, sagte sie.

»Ach, er ist noch ein Kind, Paola. Wahrscheinlich ist er auf und davon, sobald er jemanden aus dem Schlafzimmer kommen sah. Und hat seine Schwester im Stich gelassen.« Brunetti erhob sich. »Das wäre ein Grund für ihn, sich schuldig zu fühlen, und mehr noch dafür, die Schuld auf jemand anderen zu schieben.« Brunetti sah, wie unzufrieden sie mit dieser Alternative war, doch er sagte nur: »Ich glaube, ich möchte jetzt ins Bett.«

»Wo noch so viele Fragen offen sind?«, erwiderte sie schockiert.

»Das hier ist nicht einer von deinen Romanen, wo die Personen sich im letzten Kapitel zur Auflösung in der Bibliothek einfinden.«

»In den Büchern, die ich lese, geht es nicht so zu«, gab sie pikiert zurück.

»Im Leben auch nicht«, antwortete Brunetti und streckte die Hand aus, um ihr aufzuhelfen.

Zwei Tage später wurde Ariana Rocich auf San Michele beigesetzt. Die Kosten übernahm die Stadt Venedig, und da niemand wusste, welcher Konfession sie angehörte, verordneten die zuständigen Stellen ihr ein christliches Begräbnis. Brunetti und Vianello, die an der Trauerfeier teilnahmen, hatten beide große Kränze bestellt. Es waren die einzigen Blumen auf ihrem Sarg.

Der Klinikkaplan, Padre Antonin Scallon, vollzog die Begräbnisfeier. Er betete für das tote Mädchen, das neben der offenen Grube aufgebahrt war. Der wehende Rock seiner weißen Ordenstracht verschmolz mit den weißen Rosen, die die Kränze schmückten. Brunettis Mutter lag in einem anderen Teil des Friedhofs, aber hier wie dort standen die gleichen Bäume.

Von den Blüten, die längst abgefallen waren, fand sich keine Spur mehr im Gras. Aber die Wipfel waren voller grüner Triebe, die sich bald zum ersten Laub des Jahres entfalten würden, und im Geäst huschten Vögel umher, die an ihren Nestern bauten.

Nachdem der Priester sein Gebet beendet hatte, nickte er den beiden Männern zu, die als Einzige vor ihm standen. Er segnete das leere Grab, dann den Sarg und schloss mit dem Segen für die beiden Anwesenden. Als Padre Antonin die Hände sinken ließ, traten von den Seiten die Friedhofsgärtner heran, die es übernommen hatten, den Sarg in die Grube abzusenken, und rafften die Seile.

Vianello machte sich als Erster auf den Weg zum Ausgang und dem jenseits gelegenen Bootssteg. Padre Antonin klappte das Gebetbuch zu. Noch einmal wandte er sich zum Abschied dem Sarg zu, den die Männer jetzt ins Grab hinabließen, und beschrieb eine Geste, die halb Segen, halb Abschiedsgruß war. Dann wandte auch er sich zum Gehen.

Brunetti trat auf ihn zu und legte ihm die Hand auf den Arm. »Danke, Padre«, sagte er, beugte sich vor und küsste den Priester auf beide Wangen. Arm in Arm verließen sie den Friedhof und kehrten gemeinsam in die Stadt zurück.

Donna Leon
im Diogenes Verlag

Die Fälle für Commissario Brunetti:

Venezianisches Finale
Roman. Aus dem Amerikanischen von
Monika Elwenspoek

Endstation Venedig
Roman. Deutsch von Monika Elwenspoek

Venezianische Scharade
Roman. Deutsch von Monika Elwenspoek

Vendetta
Roman. Deutsch von Monika Elwenspoek

Acqua alta
Roman. Deutsch von Monika Elwenspoek

Sanft entschlafen
Roman. Deutsch von Monika Elwenspoek

Nobiltà
Roman. Deutsch von Monika Elwenspoek

In Sachen Signora Brunetti
Roman. Deutsch von Monika Elwenspoek

Feine Freunde
Roman. Deutsch von Monika Elwenspoek

Das Gesetz der Lagune
Roman. Deutsch von Monika Elwenspoek

*Die dunkle Stunde
der Serenissima*
Roman. Deutsch von Christa E. Seibicke

Verschwiegene Kanäle
Roman. Deutsch von Christa E. Seibicke

Beweise, daß es böse ist
Roman. Deutsch von Christa E. Seibicke

Blutige Steine
Roman. Deutsch von Christa E. Seibicke
Auch als Diogenes Hörbuch erschienen, gelesen von Achim Höppner

Wie durch ein dunkles Glas
Roman. Deutsch von Christa E. Seibicke
Auch als Diogenes Hörbuch erschienen, gelesen von Jochen Striebeck

*Lasset die Kinder
zu mir kommen*
Roman. Deutsch von Christa E. Seibicke
Auch als Diogenes Hörbuch erschienen, gelesen von Jochen Striebeck

*Das Mädchen
seiner Träume*
Roman. Deutsch von Christa E Seibicke

Schöner Schein
Roman. Deutsch von Werner Schmitz
Auch als Diogenes Hörbuch erschienen, gelesen von Jochen Striebeck

Auf Treu und Glauben
Roman. Deutsch von Werner Schmitz
Auch als Diogenes Hörbuch erschienen, gelesen von Jochen Striebeck

Reiches Erbe
Roman. Deutsch von Werner Schmitz
Auch als Diogenes Hörbuch erschienen, gelesen von Jochen Striebeck